Dieses Buch gehört:

WOLFGANG HOHLBEIN
DER MAGIER
Der Sand der Zeit

TosaVerlag

Im Auftrag hergestellte Sonderausgabe
Alle Rechte vorbehalten
Umschlagbild mit freundlicher Genehmigung des Bastei-Verlages,
Bergisch-Gladbach
© by Tosa Verlag, Wien
Printed in Austria

Das Schiff bot einen Anblick des Grauens. Überall lagen Tote und Sterbende, und das Wasser ringsum schäumte von den verzweifelten Bewegungen der Männer, die zu entkommen versuchten. Es war nicht das erstemal, daß Hellmark ein Bild wie dieses sah. Der Tod gehörte zu seinem Leben wie ein dunkler Bruder, der ihn vom ersten Tag an begleitet hatte, aber noch nie hatte er eine so hilflose, ohnmächtige Wut verspürt wie jetzt; einen Zorn, der sogar den furchtbaren Schmerz hinwegspülte, der sich in seinen Körper gekrallt hatte.
Es waren seine Männer, die er hier tot oder sterbend vor sich liegen sah, gestorben unter seinen Schwerthieben.
Sekundenlang blieb Hellmark reglos stehen und starrte in den Nebel, der sich wieder dichter um die kleine Flotte zusammengezogen hatte. Seine dunklen Vorahnungen hatten ihn nicht getäuscht. Aber die Gefahr war aus einer Richtung gekommen, aus der er sie am allerwenigsten vermutet hatte. Es waren nicht die Götter gewesen, die ihm gedroht hatten, nicht die dieses Landes und schon gar nicht seine eigenen.
Hellmark lachte; leise, hart und sehr bitter. Das Boot erzitterte unter seinen Füßen und legte sich ein wenig auf die Seite. So schnell und gefährlich die Drachenboote waren, so rasch konnten sie sinken, wenn ihre schlanken, nur aus einer einzigen Kammer bestehenden Rümpfe beschädigt waren. Es würde bald vorbei sein; sehr bald. Es war eine grausame Ironie des Schicksals – er hatte eine Reise überstanden, die noch keiner vor ihm lebend hinter sich gebracht hatte, und jetzt sollte er, das Ziel vor Augen, sterben.
Sterben, weil ein anderer den Ruhm beanspruchte, diese neue Welt entdeckt zu haben.
»Gut, Leif Erickson«, rief er mit weit schallender Stimme. »Du hast mich besiegt, aber nicht im Kampf, sondern durch Verrat und Intrige. Vielleicht wird die Welt deinen Namen als den des Mannes behalten, der die neue Welt entdeckt hat, aber die Wahrheit wird an den Tag kommen, irgendwann. Du hast mich verraten, mich und alle, die dir vertraut haben. Ich verfluche dich im Namen Odins!«
Erickson antwortete nicht, aber der Bogen in seinen Händen spannte sich, und für einen winzigen Moment blitzte die metallene Spitze des Pfeiles auf wie der Stachel eines tödlichen

Insekts. Hellmark schloß die Augen, als Leif Erickson die Sehne losließ.
Er schrie, als der Pfeil mit Wucht durch seinen Harnisch fuhr und tief und tödlich in seine Brust biß, aber der Schrei erstarb und wurde zu einem würgenden Laut, der im Wind verklang, und Hellmark brach mit einem Stöhnen in die Knie. Noch einmal reckte er beide Arme in die Höhe, wandte den Blick zum Himmel und murmelte: »Odin, Gott der Gerechtigkeit, räche diesen Verrat! Sie sollen bezahlen für ihre Schandtat – ein Leben gegen hundert! Leif Erickson, ich ... verfluche ... dich ...«
Niemand hörte die Worte, und als Hellmarks Arme niedersanken und er nach vorne auf die Schiffsplanken stürzte, war er bereits tot. Nur über ihm, weit über ihm am Himmel ballten sich plötzlich schwarze Gewitterwolken zusammen, und als der erste Blitz niederfuhr, sah die größte von ihnen wie ein gewaltiger, nachtschwarzer Rabe aus.
Aber auch das bemerkte niemand. Und als die kleine Flotte wenige Stunden später die Küste erreichte und die ersten Europäer den Fuß auf einen Kontinent setzten, der später – sehr viel später – noch einmal entdeckt und Amerika getauft werden sollte, hatten sie seinen Fluch schon fast vergessen.
Aber die Götter vergessen niemals, und für sie sind hundert Jahre weniger als ein Augenblick. Und bis sich Hellmarks Worte auf grausame Weise erfüllen würden, sollten noch mehr als eintausend Jahre vergehen ...

»Die nächste Ausfahrt ist es.« Beckers Stimme riß mich abrupt aus dem Schlaf, doch mein Traum folgte mir in die Wirklichkeit wie ein Schatten der Nacht, der rasch noch durch eine Tür geschlüpft kam, ehe sie vollends zugeworfen wurde. Ich sah Leif Erickson noch so deutlich vor mir, daß ich Mühe hatte, das Gesicht Beckers als das wahrzunehmen, was es war: ein schmales, übermüdet wirkendes europäisches Gesicht mit lockigem, dunklem Haar und weichen Augen, das keinerlei Ähnlichkeit mit dem Ericksons hatte. Für eine Sekunde glaubte ich sogar noch den gräßlichen Schmerz zu spüren, der Hellmark zu Boden gezwungen hatte, als der tödliche Pfeil in seine Brust gedrungen war ...
Dann verblaßte die Vision langsam, ich wachte endgültig auf

und verscheuchte die beunruhigenden Bilder. Es war nicht das erstemal, daß ich diesen verrückten Traum träumte. Er war der Grund, warum ich hier war.
Ich blinzelte müde, fuhr mir mit dem Handrücken über die Augen und warf einen flüchtigen Blick auf den Tachometer, ehe ich mich wieder auf die Straße konzentrierte.
Wären da nicht die Zahlen auf dem Tachometer des museumsreifen Dodge-Kombi gewesen, hätte ich kaum geglaubt, daß wir heute schon nahezu tausend Meilen zurückgelegt hatten. Seit wir vor drei Stunden die mexikanische Grenze passiert hatten, war die Straße immer schlechter geworden. Doch wenigstens war die Landschaft nicht mehr ganz so eintönig wie auf der langen Fahrt durch Texas.
Beckers Augen waren rot und erinnerten an eine übermüdete Eule. »Soll ich Sie ablösen?« fragte ich.
Becker schüttelte den Kopf, wie bisher jedesmal, wenn ich diese Frage gestellt hatte. Und ich hatte sie oft gestellt, im Laufe der letzten drei Tage. »Nein«, sagte er. »Es ist nicht mehr weit. Vom Highway aus keine zehn Meilen mehr. Bei der nächsten Ausfahrt fahren wir ab.«
Ich schwieg dazu. Ich konnte weder eine Ausfahrt entdecken, noch verdiente meines Erachtens nach die Straße die Bezeichnung *Highway*. Aber dies hier war nicht England, sondern Mexiko, und hier war einiges anders; nicht nur die Sprache. Und ich war viel zu müde, um mich auf Haarspaltereien einzulasssen.
Ich lehnte mich zurück, bettete den Kopf an der Rückenlehne und blickte aus dem Seitenfenster. Riesige Maisfelder – oder was immer es sein mochte, was hier in endlosen Reihen angepflanzt wurde – zogen mit monotoner Gleichförmigkeit vorbei, und der Anblick machte mich schon wieder müde. Dabei hatte ich einen guten Teil der sechzehn Stunden, die die heutige Etappe gedauert hatte, geschlafen.
»Wir hätten doch fliegen sollen«, murmelte ich. Becker lächelte matt und versuchte, in eine bequemere Stellung zu rutschen. »Die Idee kommt ein bißchen spät, nicht?« fragte er.
Ich antwortete gar nicht. Auf dem Flug von London nach New York war es mir wie eine phantastische Idee vorgekommen, Havillands Angebot anzunehmen und mich von seinem Assistenten zu ihm bringen zu lassen; auch wenn es sich um

eine Entfernung handelte, die einem Europäer einen Schauer über den Rücken gejagt hätte. Aber Amerika war eben nicht nur das Land der unbegrenzten Möglichkeiten, sondern auch der fast unbegrenzten Entfernungen. Eine Fahrt durch die halben USA und halb Mexiko – ein richtiges kleines Abenteuer also. Aber das einzige, was abenteuerlich war, waren die Straßen hier, und dieser fahrende Folterstuhl, den Becker in einem Anfall von Größenwahn als Auto bezeichnet hatte. Ich hatte meinen Entschluß schon längst bereut; eigentlich schon nach den ersten Stunden. Land und Leute kennenlernen – ha! Das einzige, was ich auf der dreitätigen Fahrt kennengelernt hatte, waren scheußliche Autobahnraststätten, schlechte Motels – und die Bedeutung des Wortes Rückenschmerzen. Aber ich war zu stolz, um das zuzugeben.
»Da vorne ist es«, sagte Becker plötzlich. Ich schrak erneut aus meinen Gedanken hoch, setzte mich ein wenig auf, faltete die Karte zusammen, legte sie ins Handschuhfach zurück und sah nach vorne, in die Richtung, in die Becker gedeutet hatte. In einer halben Meile Entfernung zweigte eine schmale Nebenstraße vom Highway ab, und Becker ließ den Wagen bereits ausrollen.
»Noch ein paar Minuten«, sagte Becker aufatmend, »dann sind wir da. Ein ruhiges Zimmer, eine Badewanne voll heißem Wasser, und dann ins Bett und mindestens zwölf Stunden schlafen.« Er seufzte. »Paradiesisch.«
Ich unterdrückte ein Lächeln. »Sie hätten mich doch ab und zu ans Steuer lassen sollen, Jake«, sagte ich. Einen Moment lang sah ich ihn besorgt an, dann drehte ich mich wieder herum und blickte aus dem Seitenfenster. Der Wagen war langsamer geworden und bog um die Kurve, und am Ende der schmalen, staubigen Straße erschienen die Silhouetten der ersten Häuser. Wir waren so lange unterwegs gewesen, daß ich unser Ziel fast aus den Augen verloren hatte. Und jetzt hatten wir es beinahe erreicht. Ich dachte an meine Träume und an das, was vor mir lag, und ein Gefühl der Beklemmung stieg in mir auf.
»Sie sehen bedrückt aus«, sagte Becker plötzlich. »Freuen Sie sich nicht?« Er lächelte. »Es sind nur zehn Minuten zu Fuß zum Strand. Zum Schwimmen ist es zwar jetzt im Winter zu kalt, aber die Landschaft wird Ihnen gefallen. Professor Havil-

land hat ein paar schöne Gästezimmer, Sie werden sehen.«
Nun ja, vielleicht tat mir eine kleine Erholungspause zwischendurch ganz gut. Selbst meine Kräfte waren irgendwann einmal erschöpft, und ich hatte das Gefühl, daß dieser Zeitpunkt nicht mehr allzufern war. Nicht zum erstenmal, seit ich London verlassen hatte, kamen mir Zweifel an der Richtigkeit dessen, was ich tat. Es war schon ziemlich verrückt, um die halbe Welt zu fliegen, nur um eines Alptraumes willen.
Über den Feldern zur Rechten erschien ein langgestreckter, dunkler Schatten. Es ging zu schnell, als daß ich irgendwelche Einzelheiten erkennen konnte, aber ich schrak trotzdem so heftig zusammen, daß Becker es bemerkte und mir einen besorgten Blick zuwarf.
»Was ist los?« fragte er alarmiert.
Ich antwortete nicht gleich. Mein Blick glitt über die wogenden gelben Maisfelder vor uns. Der Schatten war verschwunden, so schnell, wie er aufgetaucht war, und ich war mir nicht einmal sicher, ob ich ihn wirklich gesehen hatte oder ob mir meine überreizten Nerven nur einen Streich gespielt hatten. Trotzdem...
»Nichts«, murmelte ich. »Es war nichts, Jake. Keine Sorge.«
Ich wandte mich zu Jake um und lächelte, um meine Worte zu bekräftigen, aber es gelang mir nicht ganz, das leichte Beben in meiner Stimme zu unterdrücken.
Natürlich war es absurd – aber für einen Moment hatte mich das verschwommene Ding dort draußen an einen gewaltigen, bizarren Drachenkopf erinnert...

Trotz Beckers Versprechungen dauerte es dann noch eine halbe Stunde, ehe wir Santa Maria De La Arenia erreichten – ein Dreihundert-Seelen-Kaff, das man selbst auf guten Landkarten vergeblich gesucht hätte und das im Grunde nur aus einer typisch mexikanischen Kirche – groß und weiß und sehr alt –, einem Gemischtwarenladen und ein paar Dutzend ärmlichen Hütten bestand; und Havillands Privatmuseum. Der Wagen hielt brummend am Straßenrand. Becker seufzte, legte den Kopf in den Nacken und schloß für zwei, drei Sekunden die Augen.
»Endstation«, murmelte er. Seine Stimme klang erschöpft, und als er sich vorbeugte und den Zündschlüssel mit einer

fast bedächtigen Bewegung herumdrehte, zitterten seine Finger.
»Wir sind da«, sagte er noch einmal und deutete auf ein zweistöckiges, strahlend weißes Gebäude, das ein Stück zurückgesetzt von der Straße hinter einem gepflegten Rasen lag.
»Dort?« fragte ich verwundert. Das Gebäude paßte so gut in dieses ärmliche Kaff wie ein Massai-Kral auf den Times-Square in New York gepaßt hätte, und ich gab mir keine Mühe, mein Erstaunen zu verbergen.
Becker nickte. »Was haben Sie erwartet, Mr. Craven?« fragte er. Ich lauschte vergeblich auf einen Unterton von Spott oder Häme in seiner Stimme. Er klang einfach nur so, wie man sich nach einer Sechzehn-Stunden-Autofahrt fühlt: müde.
»Ein paar Bretterbuden und einen Stacheldrahtverhau? Wir bewahren hier vielleicht den sensationellsten Fund der letzten fünfhundert Jahre auf!«
Ich nickte widerstrebend – ich wußte selbst nicht, was ich eigentlich erwartet hatte –, öffnete die Tür und stieg aus.
Es war überraschend kalt. Der strahlend blaue Himmel, die Sonne, die grell lodernd über dem Horizont stand, und die fast reifen Felder hatten mir, solange ich im geheizten Wagen saß, frühlingshafte Wärme vorgegaukelt, doch in Wahrheit ging ein eisiger Wind, der Salzwassergeruch mit sich herantrug. Wenn man genau hinhörte, konnte man ein fernes, dumpfes Raunen vernehmen. Man spürte die Nähe des Meeres, auch wenn man es vom Haus aus nicht sah. Ich wartete, bis Jake den Wagen verschlossen und die Reisetasche mit meinen wenigen Habseligkeiten aus dem Kofferraum genommen hatte, vergrub die Hände in den Taschen und ging fröstelnd los.
Der feinkörnige Kies, mit dem der Weg zum Haus hinauf bestreut war, knirschte unter meinen Schuhsohlen, und der kalte Wind blies mir feinen Sand in die Augen. Trotzdem widerstand ich der Versuchung, das Gesicht zur Seite zu drehen, und starrte weiter fasziniert Professor Havillands Haus an.
Nein – es paßte wirklich nicht hierher. Es war ein mächtiges, im Stil der spätviktorianischen Zeit erbautes Herrenhaus mit großen, bleiverglasten Fenstern und einer gewaltigen, von polierten Marmorpfeilern gestützten Terrasse. Rechts neben

der Tür konnte ich ein kleines Messingschildchen erkennen, ohne die Schrift aus der Entfernung entziffern zu können, und mir fiel auf, wie gepflegt und tadellos in Schuß gehalten der große Vorgarten war. Offensichtlich handelte es sich bei diesem Haus um eine ehemalige Hazienda, deren Besitzer einen gehörigen Britannien-Tick gehabt haben muß; anders war das Vorhandensein eines solchen Herrenhauses in diesem gottverlassenen Kaff am Ende der Welt kaum zu erklären. Und irgend etwas an diesem Haus war sonderbar. Trotz seiner Majestätik, den hellen Farben und der großen Fenster wirkte es – ja, beinahe bedrohlich. Vielleicht, weil es so wenig in seine Umgebung paßte.

Becker blieb neben der Tür stehen und machte eine einladende Handbewegung. »Die Tür ist offen.« Er lächelte flüchtig. »Wir schließen hier nie ab.«

Tatsächlich gab es nicht einmal ein Schloß, wie ich mit gelinder Verwunderung feststellte, als ich die Tür zögernd aufstieß. Eine große, düstere Empfangshalle nahm uns auf. Bekker stellte die Tasche ab, drückte die Tür hinter sich zu und seufzte erleichtert.

»Geschafft«, murmelte er. »Aber diesmal endgültig.« Er grinste, ging bis zur Mitte der Halle und sah sich suchend um. Wir waren allein. Natürlich – wir waren fast zweitausend Meilen gefahren, um hierher zu kommen, und man konnte wohl kaum von Havilland erwarten, daß er es sich in der Empfangshalle gemütlich machte, um mich jederzeit begrüßen zu können, einen Mann, von dem er außer dem Namen bisher nur wußte, daß er sein Hobby teilte.

Was übrigens eine glatte Lüge war. Aber es war der einfachste Weg gewesen, mit ihm in Kontakt zu treten. Man hatte mich gewarnt, daß Havilland ein menschenscheuer Eigenbrötler war. Ich betete insgeheim, daß ich wenigstens Zeit genug finden würde, ihm mein wirkliches Anliegen zu erklären, ehe er herausfand, daß ich mit Müh und Not wußte, wie man das Wort *Wikinger* schrieb, und mich in hohem Bogen hinauswarf.

Neugierig sah ich mich um. Die Halle war fast so groß wie die meines eigenen Hauses in London – und Andara-House ist wirklich gewaltig! Die Vorhänge vor den Fenstern waren zugezogen, so daß der ganze Raum in ein unsicheres Dämmerlicht getaucht war; überall standen niedrige Glasvitrinen und Schränke herum. Das Ganze machte den Eindruck einer Privatsammlung oder eines kleinen Museums, nicht eines Hauses, in dem ernsthafte wissenschaftliche Forschung betrieben wurde. Nun ja – ich war nicht hier, um mir darüber den Kopf zu zerbrechen.

»Entschuldigen Sie mich einen Augenblick«, sagte Becker, verschwand in einem Korridor, der linker Hand von der Halle wegführte und kehrte gleich darauf mit einem bedauernden Lächeln wieder. »Niemand da«, sagte er. »Ich fürchte, der Professor ist zur Zeit nicht im Haus. Er geht oft weg, aber er wird bald zurück sein. Er bleibt nie lange aus – und außerdem weiß er ja, daß Sie kommen. Ich werde Ihnen in der Zwischenzeit einen starken Kaffee kochen.«

»Eine ausgezeichnete Idee, Jake«, sagte eine Stimme hinter uns. Ich zuckte zusammen und drehte mich erschrocken um.

Auf der obersten Stufe der breiten Marmortreppe, die zum oberen Stockwerk des Hauses emporführte, war ein kleinwüchsiger, vielleicht fünfzigjähriger Mann erschienen, der mit einer Mischung aus Überraschung und leichtem Argwohn zu uns herunterblickte. Er wirkte nicht direkt unfreundlich, aber angespannt, so, als wäre er ein paarmal zu oft enttäuscht worden, um noch irgend jemandem zu trauen. Aber nur für einen Augenblick – dann hellte sich sein Gesicht auf, und ein dünnes, aber durchaus ehrliches Lächeln huschte über seine Züge.

»Sie müssen Mr. Raven sein«, sagte er überflüssigerweise und begann, mit kleinen trippelnden Schritten die Treppe herunterzulaufen. »Sie sind früh dran. Jake muß gefahren sein wie der Teufel.«

»Craven«, korrigierte ich ihn automatisch und ging ihm entgegen. »Robert Craven. Und Sie sind Professor Havilland, nehme ich an.«

Meine Bemerkung war ebenso sinnlos wie seine, aber irgendwie brachen die Worte das Eis zwischen uns endgültig. Havilland eilte mir entgegen, ergriff meine ausgestreckte Hand und drückte sie mit einer Kraft, die mich bei einem Mann seiner Statur erstaunte. Dabei musterten mich seine schmalen, in ein Netz feiner Lachfältchen eingebetteten Augen erneut so aufmerksam wie vorhin, als er oben auf der Treppe gestan-

den hatte, doch jetzt ohne die geringste Spur von Mißtrauen. Ich kam mir fast ein bißchen schäbig vor bei dem Gedanken, daß ich mich praktisch bei ihm eingeschlichen hatte, und hoffte, daß er es mir nicht zu übelnahm, wenn ich ihm die Wahrheit gestand.
»Aber kommen Sie doch erst einmal ganz herein«, sagte er. »Ich kann mir vorstellen, daß Sie schon ganz begierig darauf sind, meine Fundstücke kennenzulernen.«
Das war ich ganz und gar nicht. Das einzige, was ich unbedingt kennenlernen wollte, war Havillands Gästezimmer und das Bett darin, aber er gab mir keine Chance, irgendwelche Einwände vorzubringen. Ohne eine Antwort abzuwarten, ging er an mir vorbei, trat an eine der Glasvitrinen und machte eine einladende Handbewegung. Ich unterdrückte ein Seufzen. Im Augenblick stand mir wirklich nicht der Sinn nach Kultur, sondern eher nach einem heißen Bad und einer Tasse Kaffee, aber wir waren so lange unterwegs gewesen, daß es auf ein paar Minuten mehr oder weniger wahrscheinlich auch nicht mehr ankam. Außerdem wollte ich Havilland nicht gleich im allerersten Moment verprellen. Das kam schon noch früh genug. Also setzte ich mich gehorsam in Bewegung.
Während Jake Becker ging, um den versprochenen Kaffee aufzubrühen, trat ich widerwillig an Havillands Seite und blickte – mehr aus Höflichkeit als aus wirklichem Interesse – in den Schaukasten.
Im ersten Moment konnte ich kaum erkennen, was ich vor mir hatte. Hinter dem spiegelfreien Glas reihten sich unförmige, dunkle Klumpen, unter deren verkrusteter Oberfläche nur hier und da Metall aufblitzte. Ich warf Havilland einen fragenden Blick zu.
»Ein Dolch«, sagte er stolz und wies mit der Hand auf eines der Ausstellungsstücke. »Aber nicht irgendein Dolch, müssen Sie wissen. Ich habe ihn selbst ausgegraben, nicht einmal hundert Meter vom Haus entfernt.« Seine Stimme nahm bei diesen Worten einen Klang an, als wäre dies allein schon eine kleine Sensation – und wahrscheinlich war es das auch –, und ich tat ihm den Gefallen, mich vorzubeugen und mit zusammengekniffenen Augen die Schriftzüge auf dem winzigen Papierschildchen neben einem anderen Fundstück zu

entziffern.
»Ein nordisches Griffzungenschwert«, erklärte Havilland nach einigen Sekunden, und ich nickte. Interessant – was immer das sein mochte. Zweifelnd blickte ich auf den verkrusteten, unförmigen Klumpen und wandte mich schließlich achselzuckend ab. Nun ja – ich hatte mich zwar nie sonderlich für Geschichte – schon gar nicht für nordische – interessiert, aber daß ich hier eine ganz erstaunliche Ansammlung von Gerätschaften und Waffen aus der Wikingerzeit vor mir hatte, begriff sogar ich.
Havilland war mit Sicherheit enttäuscht über meine laue Reaktion, aber er schob mein offenkundiges Desinteresse wahrscheinlich auf meine Müdigkeit und war höflich genug, sich nichts anmerken zu lassen. Ich nahm mir vor, ihm gleich am nächsten Morgen die Wahrheit zu sagen.
Und dann, schlagartig, war ich hellwach, alarmiert, meine Nerven zum Zerreißen angespannt.
»Was haben Sie?« fragte Havilland, dem mein plötzlicher Schrecken nicht entgangen war.
Ich schwieg einen Moment. Havillands Worte – vielleicht auch die Dinge, die er mir gezeigt hatte, ich wußte es nicht – hatten etwas in mir berührt, ohne daß ich mir selbst darüber im klaren war, was. Es war, als verspürte ich plötzlich eine – ja, eine Warnung.
Aber eine Warnung wovor? Verwirrt drehte ich mich herum und blickte mit neuerwachtem Interesse durch den großen Raum. Ein langgestreckter, dunkler Umriß weit hinten, im dämmrigsten Teil der Halle, erweckte meine Aufmerksamkeit. Ich machte einen Schritt darauf zu, zögerte und lauschte erneut in mich hinein. Das Gefühl der Warnung schien stärker geworden zu sein, aber ich wußte weniger als zuvor, was es bedeuten sollte.
»Was haben Sie?« fragte Havilland noch einmal. Es klang jetzt besorgt. »Sie sind blaß geworden, Mr. Craven. Ist Ihnen nicht gut?«
Ich schüttelte hastig den Kopf und versuchte zu lächeln, spürte aber selbst, wie wenig es mir gelang. Wieder suchte mein Blick den dunklen Umriß, und diesmal erkannte ich, was es war.
Es traf mich wie ein Hieb.

Das große Ausstellungsstück dort drüben im Halbdunkel war ein Schiff – das Wrack eines Schiffes, zerfressen und zernagt von den Jahrhunderten, die es vielleicht auf dem Grunde des Meeres gelegen hatte, aber noch immer deutlich zu erkennen. Sein Bug reckte sich hoch in die Luft und lief in einen gewaltigen, geschnitzten Drachenkopf aus. Das Schiff auf seinem niedrigen Sockel war das Prunkstück der Sammlung, und die gesamte Ausstellung rankte sich im Grunde um das versteinerte Wikingerboot.
Und plötzlich wußte ich, woran mich der Anblick erinnerte. Es war ein Drachenkopf wie dieser gewesen, den ich während der Fahrt hierher über den Feldern zu sehen geglaubt hatte. Mein Herz machte einen erschrockenen Hüpfer. Es kostete mich all meine Kraft, Havilland mein Erschrecken nicht zu deutlich merken zu lassen.
Doch Havilland lächelte bloß, als er den intensiven Blick bemerkte, mit dem ich das Drachenschiff bedachte und drückte auf einen Schalter an der Wand. Irgendwo hinter den Karniesen erklang das leise Summen eines Elektromotors, und die Vorhänge setzten sich raschelnd in Bewegung. Dunkelheit und Schatten wichen, und strahlender Sonnenschein erfüllte den Raum. Meine Augen hatten sich an die Dämmerung gewöhnt, und das ungedämpfte Tageslicht kam mir für einen Moment fast zu grell vor. Aber die Helligkeit vertrieb nicht das sonderbare Gefühl der Bedrückung; im Gegenteil – das graue Zwielicht war gewichen, doch meine Verunsicherung hatte sich eher noch verstärkt.
Vergeblich versuchte ich mir einzureden, daß ich einfach nur müde und überreizt war. Nein, mein Erlebnis vorhin während der Fahrt war keine Halluzination gewesen, und je länger ich mich darauf konzentrierte, desto unheimlicher und realer erschien mir das Bild, das ich gesehen hatte.
Havilland mußte mich dreimal ansprechen, ehe ich es merkte und mit einem verlegenen Lächeln aufsah. »Verzeihen Sie«, murmelte ich. »Ich war... in Gedanken.«
»Ich habe gefragt, wie Sie sich fühlen, Mr. Craven«, sagte Havilland. Er klang besorgt. »Aber ich glaube, die Antwort erübrigt sich. Sie müssen hundemüde sein.« Er schüttelte den Kopf und sah plötzlich ganz schuldbewußt aus.
»Verzeihen Sie mir meine Rücksichtslosigkeit«, sagte er.

»Jake wird Ihnen sofort Ihr Zimmer zeigen. Wir können morgen früh noch in Ruhe miteinander reden.«
Ich hob rasch die Hand und machte eine abwehrende Geste. »So schlimm ist es nicht«, sagte ich mit soviel Überzeugung, wie ich aufzubringen imstande war. »Ich muß sagen, ich bin beeindruckt. Sie haben all diese Stücke selbst gefunden?«
Havilland schien für einen Moment irritiert, und ich hätte mir auch, kaum daß ich die Frage gestellt hatte, am liebsten selbst auf die Zunge gebissen – angeblich war ich ja aus keinem anderen Grund hier.
Aber er überwand seine Verwunderung auch diesmal sehr schnell. »Ich glaube, wir haben noch Zeit genug, um darüber zu reden«, sagte er. »Sie brauchen nicht übertrieben höflich zu sein, Mister Craven. Sie müssen zum Umfallen müde sein.« Da hatte er recht, aber ich schüttelte trotzdem entschieden den Kopf. »Es kommt auf ein paar Minuten nicht mehr an«, sagte ich noch einmal. Ich hatte plötzlich das sehr sichere Gefühl, daß das, was ich hier vor mir sah, wichtig war, vielleicht überlebenswichtig, nicht nur für mich. »Und es interessiert mich wirklich, Professor. Schließlich bin ich um die halbe Welt geflogen, um Ihre Fundstücke zu sehen.«
Havilland zögerte noch immer, aber dann siegte wohl doch der Wissenschaftler in ihm – und der Besitzerstolz. Schon bei seinen ersten Worten spürte ich, wieviel Freude es ihm bereitete, seine Schätze vorzuzeigen.
»Das meiste habe ich selbst ausgegraben«, sagte er. »Mit meinen eigenen Händen. Ganz hier in der Nähe«, sagte er. »Es war ein überraschender Fund, vor dreieinhalb Jahren. Die Meldung ist damals weltweit durch die Fachpresse gegangen. Sie haben sicher davon gehört.«
»Sicher«, log ich. »Trotzdem – ich bin Laie, vergessen Sie das nicht. Zwar ein interessierter Laie, aber kein Spezialist.«
Havilland zog eine Grimasse. »Hören Sie auf mit *Spezialisten*«, sagte er, in einer Art, die das Wort zu einer Beschimpfung werden ließ. »Das sind die Schlimmsten. Sie ignorieren selbst die Wahrheit, wenn sie nicht in ihre vorgefertigten Konzepte paßt!«
»Immerhin –«, wandte ich ein »Ein Wikingerboot hier vor der Küste Mexikos...«
Ich trat zögernd an das versteinerte Boot heran. Es war längst

nicht mehr komplett – eigentlich war nur noch ein Teil des Buges mit dem geschnitzten Drachenkopf vorhanden. Aber es mußte einmal sehr groß gewesen sein – viel größer, als ich mir Wikingerschiffe vorgestellt hatte.
»Haben Sie schon einmal den Namen Leif Erickson gehört?« fragte Havilland plötzlich. Ich nickte. »Natürlich. Der Wikinger, der schon vor Kolumbus die Neue Welt entdeckt hat.«
Havilland nickte. In seinen Augen glitzerte ein begeisterter Funke. »Bisher gab es keine schlüssigen Beweise dafür«, sagte er. »Nur die Vinland-Saga.«
»Bisher?«
»Bisher«, bestätigte Havilland. »Ich habe den endgültigen Beweis noch nicht, aber wenn sich mein Verdacht bestätigt, dann ist das hier« – er trat neben mich und ließ die Hand klatschend auf den versteinerten Rumpf des Bootes fallen – »das Boot, mit dem Leif Erickson vor über tausend Jahren von Norwegen aus den amerikanischen Kontinent erreichte.«
»Dieses Boot?« Ich schrie fast, aber Havilland hielt mein Erschrecken auch diesmal noch für Überraschung. *Dieses Boot? Aber das war doch... unmöglich!*
»Ganz recht, dieses Boot«, bestätigte Havilland. »Ich habe die letzten drei Jahre praktisch meine gesamte Zeit damit verbracht, meine Theorie zu beweisen. Und ich glaube, nun kann ich es.«
Er sah mich triumphierend an. »Mr. Craven, meine Forschungen sind an ihren entscheidenden Punkt gelangt! In wenigen Tagen werde ich der ganzen Welt beweisen können, daß Leif Erickson vor tausend Jahren hier in Mexiko gelandet und gestorben ist!«

Ich hatte den Wecker auf acht Uhr gestellt, aber ich erwachte schon eine gute halbe Stunde vorher – was an sich kein Wunder war, denn ich hatte am Abend zuvor nicht einmal mehr das Essen abgewartet, sondern war noch vor sieben ins Bett gefallen. Trotz der frühen Stunde (Störungen vor elf Uhr vormittags pflege ich normalerweise als vorsätzliche Körperverletzung zu betrachten), fühlte ich mich ausgeruht und frisch; fast dreizehn Stunden Schlaf hatten ihre Wirkung getan. Und es war seit langer Zeit die erste Nacht gewesen, in der ich nicht geträumt hatte; auf jeden Fall konnte ich mich nicht daran erinnern.

Ich erinnerte mich schwach, daß Havilland das Frühstück für neun Uhr angekündigt hatte; ich blieb also noch ein wenig liegen, ehe ich in das kleine Badezimmer ging, um mich frisch zu machen. Dabei dachte ich voll Unbehagen an das Gespräch mit dem Professor, das mir bevorstand. Das heftige Schlagen meines schlechten Gewissens, das ich schon am vergangenen Abend verspürt hatte, war keineswegs schwächer geworden, und außerdem war mir klar, daß ich Havilland kaum weiter würde täuschen können. Ich hatte mir einige Grundbegriffe angelesen, auf dem Flug nach New York, aber das reichte vielleicht, um einen Laien zu täuschen, kaum eine Koryphäe wie Havilland. Er war schon gestern mißtrauisch geworden, das hatte ich genau gespürt, aber da hatte er mein Unwissen vielleicht auf meine Müdigkeit und die lange Reise geschoben. Heute würde diese Ausrede mit Sicherheit nicht mehr ziehen.

Und ich wollte auch nicht mehr. Ich habe es stets verabscheut zu lügen; erst recht Menschen gegenüber, die ich mochte. Und Havilland war mir auf Anhieb sympathisch gewesen. Ich würde ihm die Wahrheit sagen, jetzt gleich, während des Frühstücks. Und danach würden wir ja weitersehen.

Umständlich – und sehr viel langsamer, als nötig gewesen wäre, fast wie um noch ein wenig Zeit zu gewinnen – begann ich mich zu rasieren. Das Gesicht, das mir dabei aus dem Spiegel entgegensah, wirkte müder, als ich mich fühlte: Meine Haut war blaß, und unter den Augen lagen dunkle Ringe. Dazu kam die zweifingerbreite, schlohweiße Haarsträhne, die sich wie ein gezackter Blitz von meinem Scheitel bis zur linken Schläfe zog und sich hartnäckig allen Versuchen widersetzte, sie etwa einzufärben; ein kleines Erbe meines Vaters, des großen Magiers. Gottlob lebte ich in einer Zeit, in der die meisten Menschen meine etwas ausgefallene Haartracht für eine Modetorheit halten mochten, so daß ich selten genötigt war, mir irgendwelche Ausreden einfallen zu lassen. Auch Professor Havilland hatte meine Frisur nur flüchtig gemustert, ohne auch nur mit einer Bemerkung darauf einzugehen – in einer Zeit, in der es manche für schick hielten, sich Sicherheitsnadeln durch die Wange zu bohren, ging eine weiße Haarsträhne wohl als harmlose Marotte

durch.
Alles in allem bot ich jedenfalls keinen sehr erbaulichen Anblick, aber das war wohl kein Wunder: In den letzten drei Wochen war kaum eine Nacht vergangen, ohne daß ich fünf- oder sechsmal schweißgebadet und mit klopfendem Herzen aus diesem immer gleichbleibenden Traum hochgeschreckt wäre, einem Traum, in dem ich nicht mehr Robert Craven war, sondern ein Wikinger namens Hellmark, und in dem ich eines entsetzlichen Todes starb. Einem Traum zudem – und das war vielleicht das Schlimmste –, der mit jedem Mal ein ganz kleines bißchen realer wurde, soweit ein Traum überhaupt real sein konnte.
Zu Anfang war er sehr verworren gewesen, ein konfuser Nachtmahr aus scheinbar zusammenhanglosen Bildern und Geräuschen, den ich wie durch einen dichten Nebel hindurch wahrgenommen hatte. Aber im Laufe der Wochen war er immer deutlicher geworden, und während der letzten Tage war es mir manchmal schwer gefallen, Fiktion und Wirklichkeit auseinander zu halten, selbst nachdem ich aufgewacht war. Und jetzt, nachdem ich das Schiff unten in Havillands Privatmuseum gesehen hatte, war ich restlos davon überzeugt, daß es sich dabei nicht um einen normalen Alptraum handelte.
Und schließlich war es nicht das erstemal, daß mich ein Traum auf Dinge vorbereitete, die schlimmer waren als jeder Alpdruck. Ich erinnerte mich noch mit Schaudern an mein erstes Zusammentreffen mit den Großen Alten, jener Rasse fürchterlicher Dämonenwesen, die die Erde lange Zeit vor den Menschen beherrscht hatten: Auch diesem Erlebnis waren die gräßlichsten Träume vorausgegangen. Es ist nicht immer ein reines Vergnügen, mit mehr als fünf Sinnen geschlagen zu sein. Ich hoffte inständig, daß Havilland mir zuhören würde.
Es war acht, als ich mein Zimmer verließ; noch fast eine Stunde bis zum Frühstück, aber ich hatte keine Lust, tatenlos herumzusitzen. Falls Havilland oder Becker noch nicht auf waren, war dies vielleicht eine gute Gelegenheit, mir Havillands Sammlung in aller Ruhe anzusehen.
Das Haus war sehr still. Havilland schien über kein oder zumindest nur sehr wenig Personal zu verfügen, denn ich traf keine Menschenseele, während ich die Treppe in die große

Halle im Erdgeschoß hinunterging, und ich hörte auch nichts, was auf die Anwesenheit anderer Menschen hindeutete. Am Fuße der Treppe blieb ich stehen und rief Havillands Namen, ohne jedoch eine Antwort zu bekommen. Schließlich zuckte ich mit den Achseln und trat an den erstbesten Schaukasten heran.
Ich hatte kaum zwei Schritte getan, als ich eine Bewegung hinter mir spürte. Ich blieb wieder stehen und drehte mich herum, darauf gefaßt, Havilland oder Becker zu sehen – aber ich war allein. Hinter mir war niemand.
Und doch war ich plötzlich überzeugt, daß ich beobachtet wurde. Es war ein unheimliches, fast schon beängstigendes, aber ganz und gar untrügliches Gefühl, vergleichbar jenem, das einem in einem vollkommen dunklen Zimmer die Anwesenheit eines zweiten verrät, eine jener undeutbaren Wahrnehmungen unterhalb der Bewußtseinsschwelle, die einen frösteln lassen. Schatten schienen durch die Halle zu huschen, wo nur das Licht der Morgensonne war, etwas schien sich zu bewegen, wo nur Leere war.
Dann sah ich die Tür.
Es war eine sehr schmale, aber hohe Tür, die so geschickt unter der Treppe eingepaßt war, daß ich sie gar nicht bemerkt hätte, wäre sie nicht einen Spaltbreit offengestanden. Und dahinter bewegte sich etwas.
»Professor Havilland?« fragte ich. »Becker?«
Keine Antwort. Nur das Gefühl, aus unsichtbaren Augen beobachtet zu werden, wurde stärker.
Einen Moment lang sah ich mich unsicher um, dann überwand ich meine Furcht und ging auf die Tür zu. Mein Herz begann zu klopfen. Ich spannte mich innerlich, jeden Moment auf einen Angriff gefaßt. Die verrücktesten Gedanken schossen mir durch den Kopf, und meine Hand zitterte, als ich sie ausstreckte, um die Tür vollends zu öffnen.
Aber dahinter lauerten keine tentakelschwingenden Monster, sondern nur Dunkelheit. Muffige, sehr trocken riechende Luft schlug mir entgegen, und ich erkannte die ersten Stufen einer steinernen Treppe, die in die Tiefe führte.
»Professor Havilland?« rief ich abermals. »Sind Sie dort unten?«
Ich bekam auch diesmal keine Antwort, doch irgend etwas

zwang mich weiterzugehen. Ich tastete nach dem Lichtschalter und fand ihn so selbstverständlich, als hätte ich schon immer gewußt, wo er zu finden war. Das Licht funktionierte nicht, aber ich entdeckte eine kleine Taschenlampe auf einem Bord direkt unter dem Schalter und nahm sie an mich.
Zögernd und mit klopfendem Herzen begann ich die Treppe hinunterzusteigen. Das Tageslicht blieb über mir zurück, und erstickende Dunkelheit schlug wie eine finstere Woge über mir zusammen, ehe ich endlich auf die Idee kam, die Taschenlampe einzuschalten.
Ich fand mich in einem Keller wieder, der halb so groß wie das ganze Haus sein mußte. Im zitternden Licht der Taschenlampe schimmerten die grauen Ziegelsteinwände feucht, und da und dort hatten sich Moder und weißlicher Schimmelpilz eingenistet. Überall lag Staub, eine zentimeterdicke, schmierige Schicht, die die Feuchtigkeit aufgesogen hatte und an manchen Stellen schon fast wie schwarzer Schlamm wirkte. Die Luft roch eigentümlich; so, wie man es von einem Kellerraum wie diesem erwartete, aber mit einem zusätzlichen, fremden und stechenden Geruch versetzt, der einem das Atmen schwer machte. Im Strahl der kleinen Taschenlampe tanzten graue Schwaden, die meine eigenen Schritte aufgewirbelt hatten. Es war sehr still.
Und sehr unheimlich.
Ich bin wahrhaftig kein ängstlicher Mensch; ganz im Gegenteil – seit ich (mehr oder weniger unfreiwillig) das magische Erbe meines Vaters angetreten hatte, hatte ich Dinge erlebt, deren bloße Vorstellung einem die Haare zu Berge stehen lassen konnten. Und ich hatte auch vorher nicht zu denen gehört, die lauthals pfeifen, wenn sie in einen dunklen Keller gehen. Aber dieses Gewölbe machte mir Angst. Ich wußte nicht, warum, aber mein Herz hämmerte wie rasend, und ich wünschte mir für einen Moment nichts sehnlicher, als herumzufahren und hier hinauszurennen, so schnell ich nur konnte. Gleichzeitig war es, als zöge mich etwas mit fast magischer Macht an.
Ich tat einen weiteren Schritt in den Keller hinein und schwenkte die Taschenlampe, während ich mich in Gedanken einen elenden Feigling nannte. Der Keller wirkte wie eine etwas unordentlichere Ausführung von Havillands Pri-

vatmuseum oben, nur daß es hier keine Glasvitrinen gab, dafür aber deckenhohe Stapel großer, sorgsam beschrifteter Holzkisten, die fast den ganzen vorhandenen Platz einnahmen.
Mein Fuß stieß gegen einen Kistenstapel und warf ihn um ein Haar um; er war weitaus weniger stabil, als ich geglaubt hatte. Die meisten Kisten mußten leer sein. Gedankenschnell griff ich zu und verhinderte die Katastrophe im letzten Moment, aber der Deckel der obersten Kiste löste sich und fiel polternd zu Boden. In dem stillen Haus wirkte das Geräusch wie der Abschuß einer Kanone.
Ich blieb einen Moment lang reglos und mit angehaltenem Atem stehen, darauf gefaßt, das gesamte Haus über meinem Kopf zusammenbrechen zu hören, nannte mich dann abermals in Gedanken einen Idioten und hob den Kistendeckel auf. Was war nur mit mir los?
Vorsichtig legte ich den Deckel an seinen Platz zurück, schwenkte die Taschenlampe weiter und hielt verblüfft inne, als der gelbe Lichtkreis über eine schmale Tür an der gegenüberliegenden Wand glitt. Was mich so überraschte, war nicht das Vorhandensein dieser Tür – aber mir war, als hätte ich von ihr gewußt, noch ehe ich sie entdeckt hatte.
Verwirrt ging ich darauf zu, drückte die Klinke herunter und zögerte noch einmal kurz, als die Tür mit leisem Quietschen aufschwang. Dann tastete ich im Dunkeln nach dem Lichtschalter, und unter der niedrigen, unverkleideten Betondecke flammten nacheinander fast ein Dutzend grellweißer Neonleuchten auf. Ich blinzelte und hob die Hand vor die Augen, um mich an die plötzliche Helligkeit zu gewöhnen.
Der Raum war viel kleiner als der, durch den ich gekommen war, und im Gegensatz zu diesem war hier alles aufgeräumt und sauber. An den Wänden zogen sich ganze Reihen deckenhoher, bis zum Bersten vollgestopfter Regale dahin.
Mein Blick fiel auf einen Glasschrank am gegenüberliegenden Ende des Raumes. Ich ging darauf zu, ließ mich in die Hocke sinken und starrte durch die Glastür. Auf den schmalen Regalbrettern lagen Totenköpfe; zwei, vielleicht sogar drei Dutzend verschieden große Schädel, die meisten auf die eine oder andere Art geschädigt und zerstört, ein paar aber auch unversehrt. Offensichtlich bewahrte Havilland in die-

sem Raum die Fundstücke auf, die er noch nicht aufgearbeitet hatte.
Ich legte die Taschenlampe aus der Hand, öffnete den einfachen Riegel, der die Glastüren zuhielt, und griff nach einem besonders gut erhaltenen Totenschädel. Ich tat dies alles, ohne genau zu wissen, warum – es war, als bestimme ein anderer, stärkerer Wille mein Handeln.
»Was tun Sie da?« sagte eine Stimme hinter mir.
Ich fuhr erschrocken zusammen, legte den Schädel zurück und sprang so schnell auf, daß ich fast die Balance verloren hätte.
»Was tun Sie hier unten, Mr. Craven?« fragte Becker noch einmal, und in weitaus schärferem Ton als gerade. Er wirkte nicht zornig, aber der Ausdruck auf seinem Gesicht war auch alles andere als freundlich. Er war ganz offensichtlich nicht besonders erbaut von der Tatsache, mich hier unten anzutreffen.
»Ich... nichts«, stotterte ich verlegen, doch gleichzeitig erleichtert, ihn zu sehen.
Becker hob vielsagend die linke Augenbraue, und ich fuhr ein wenig kleinlaut und in nicht sehr überzeugendem Tonfall fort:
»Ich habe den Professor gesucht, wissen Sie? Die Tür stand offen, und ich dachte, er wäre vielleicht hier.«
»Die Tür stand offen?« Becker sah mich mißtrauisch an. Dann zuckte er mit den Schultern. »Ein bedauerliches Versehen. Sie ist normalerweise immer abgeschlossen. Professor Havilland mag es ganz und gar nicht, wenn jemand hier unten herumschnüffelt.«
Ich hatte nicht geschnüffelt, aber ich schluckte die scharfe Entgegnung hinunter, die mir auf der Zunge lag, und Becker hatte es plötzlich sehr eilig, den Raum wieder zu verlassen.
Ich folgte ihm, blieb dann aber plötzlich wieder stehen und blinzelte mit schräggehaltenem Kopf zu einem flachen Tisch neben der Tür hinüber. Becker verharrte ebenfalls und sah ungeduldig zu mir zurück.
»Was ist das?« fragte ich verblüfft. Auf dem Tisch lag eine langgestreckte, sehr große Gestalt. Ein Mensch, ganz eindeutig. Sein Körper war bis zum Hals von einem weißen Laken verdeckt, bloß der Kopf, umwickelt mit grauen, halbverfaul-

ten Tüchern, schaute heraus.

»Ein Toter«, murmelte Becker ungeduldig. »Die Mumie eines Wikingers.«

»Und die liegt hier einfach so herum?« fragte ich ungläubig. Beckers Geduld war sichtlich erschöpft; er seufzte und warf einen sehnsüchtigen Blick zur Tür. Aber er schien auch einzusehen, daß er erst meine Neugier befriedigen mußte, ehe wir hier heraus konnten. »Nicht einfach so«, antwortete er. »Sie wurde erst vor kurzem gefunden. Der Professor ist gerade dabei, sie zu untersuchen. Der Fund ist eine Sensation, aber Havilland möchte ihn einstweilen geheimhalten.«

»Vor kurzem?« fragte ich. »Wann genau?«

Becker zuckte die Achseln. »Ich war nicht dabei«, sagte er. »Es müssen drei Wochen sein, denke ich.«

Ich atmete tief durch. Ich hatte es gewußt, eine Sekunde, bevor Becker es sagte: Dieser Tote war am gleichen Tag aus seinem Grab geholt worden, an dem meine Alpträume begonnen hatten.

Durch seine Worte erst richtig neugierig geworden, trat ich noch näher an den Tisch heran, zog das weiße Tuch mit spitzen Fingern zur Seite und beugte mich über die verhüllte Gestalt.

Der Mann mußte mehr als zwei Meter groß gewesen sein, ein Gigant, der selbst im Tod noch imponierend wirkte. Seine Haut war da, wo sie nicht von vermodernden Bandagen, halbverfaulten Kleidern oder den Resten eines Harnisches bedeckt war, schwarz und rissig wie uraltes Leder.

»Kommen Sie endlich«, sagte Becker unwillig. »Havilland reißt mir den Kopf ab, wenn er uns beide hier unten erwischt.« Er trat neben mich und schubste mich ungeduldig zur Seite, um den Leichnam wieder zuzudecken.

Ich stolperte und schrammte mit der Hand über die scharfe Kante des Untersuchungstisches. Es tat verdammt weh.

Ich unterdrückte mit Mühe einen Schmerzensschrei und hob die Hand vors Gesicht. Quer über meine Handwurzel zog sich ein langer, blutiger Kratzer. Ein einzelner Blutstropfen fiel auf die Stirn der tausend Jahre alten Mumie herab; nicht viel mehr als ein mikroskopisch kleiner Spritzer, der mit bloßem Auge kaum auszumachen war. Aber dort, wo er den Stoff berührte, begann dieser zu schwelen, als wäre es kein

Blut, sondern Säure. Dann, fast im gleichen Moment, in dem ich es bemerkte, hörte es auch schon wieder auf, ja, ich war plötzlich nicht einmal mehr sicher, ob ich mir den Zwischenfall nicht nur eingebildet hatte. Verwirrt trat ich einen Schritt von der Mumie zurück und betrachtete abwechselnd meine lädierte Hand und den toten Wikinger.
»Das wollte ich nicht«, murmelte Becker entschuldigend. »Lassen Sie mal sehen – ist es schlimm?«
Er wollte nach meiner Hand greifen, aber ich funkelte ihn so wütend an, daß er es bleiben ließ. »Ich werde Ihnen oben einen Verband machen«, sagte er. »Es tut mir leid.«
Meine Antwort bestand nur aus einem weiteren bitterbösen Blick, so daß Becker vorsichtshalber gar nichts mehr sagte, sondern hastig an mir vorbei zur Tür ging.
Ich folgte ihm. Aber ich blieb noch einmal stehen, eine Sekunde, bevor Becker demonstrativ das Licht ausschaltete, und sah auf den schmalen Labortisch mit dem toten Krieger. Es war albern; aber die Vorstellung, daß dieser tausend Jahre alte Leichnam mit dem Blut eines lebenden Menschen in Berührung gekommen war, machte mir plötzlich Angst.

Es verging dann noch einmal eine halbe Stunde, bis ich Havilland endlich traf. Und unser Gespräch verlief so unangenehm, wie ich befürchtet hatte; fast sogar noch ein bißchen schlimmer.
Ich war noch einmal ins Gästezimmer hinaufgegangen, um meine Hand zu verarzten – die kleine Schramme, die ich mir im Keller zugezogen hatte, brannte ungemein und tat selbst dann noch weh, als ich sie gründlich mit einem Desinfektionsmittel behandelt und unter einem riesigen Heftpflaster verborgen hatte. Ich hoffte, daß sich die Wunde nicht entzünden würde, denn es bestand wenig Hoffnung, daß sich unter den knapp dreihundert Einwohnern dieses gottverlassenen Kaffs ein Arzt befand.
Becker und Havilland saßen zusammen an einem riesigen Tisch beim Frühstück, als ich die großzügige Wohnküche im hinteren Teil des Hauses betrat. Havilland begrüßte mich mit einem erfreuten Lächeln und einer stummen, einladenden Geste, während Becker mir insgeheim einen warnenden Blick zuwarf. Ich begriff: Er hatte Havilland nichts erzählt,

und sein Blick sagte mir, daß ich besser daran täte, es auch zu unterlassen. Wahrscheinlich war es sein Versäumnis, die Kellertür nicht richtig abgeschlossen zu haben. Um so besser – ich hatte weder Interesse daran, ihm Ärger zu bereiten, noch, selbst welchen zu bekommen.
Wortlos setzte ich mich an die reich gedeckte Frühstückstafel. Es muß wohl etwas daran sein, daß Seeluft den Appetit anregt, denn ich langte so tüchtig zu, daß sowohl Becker als auch Havilland nach einer Weile ein amüsiertes Grinsen nicht mehr unterdrücken konnten.
Und trotzdem – etwas stimmte nicht. Wir sprachen über dies und das, Havilland machte ein paar lahme Scherze, und Bekker redete über die Fahrt und das, was er zuvor für Havilland in New York erledigt hatte, aber während der ganzen Zeit glaubte ich eine unangenehme Spannung zu fühlen, die unsichtbar im Zimmer lag. In Havillands Blicken war wieder das Mißtrauen, mit dem er mich gestern begrüßt hatte. Hatte Becker doch geredet? Ich begann mich immer unbehaglicher in meiner Haut zu fühlen. Ich war nahe daran, von mir aus das Wort zu ergreifen und Havilland rundheraus zu sagen, warum ich wirklich hier war, als er mir die Initiative abnahm; offensichtlich war er zu dem Schluß gekommen, daß es jetzt genug der Präliminarien war. Vielleicht hatte er auch einfach nur so rücksichtsvoll sein wollen, mich in Ruhe zu Ende frühstücken zu lassen.
Ich war mit meiner dritten Tasse Kaffee beschäftigt, als Havilland unvermittelt auf meine Hand deutete und fragte: »Haben Sie sich verletzt, Mr. Craven?«
Ich fuhr merklich zusammen und rettete mich in ein ungeschicktes Lächeln. »Das ist nichts«, sagte ich. »Bloß ein Kratzer!«
Havilland lächelte pflichtschuldig, aber seine Augen blieben kalt wie bemalte Glasmurmeln. »Nun, Mr. Craven«, fuhr er fort, »wenn Sie sich ausgeruht genug fühlen, dann kann ich Ihnen ja jetzt meine kleine Sammlung zeigen, und wir können ein wenig fachsimpeln.«
Ich senkte zögernd meine Tasse. »Professor Havilland«, begann ich. »Da ist etwas, was ich Ihnen ...«
Aber Havilland hörte mir gar nicht zu. Rasch stand er auf, ging zu einem Schrank auf der anderen Seite der Küche und

öffnete eine Schublade. In seinen Händen lag ein schmaler, in saubere weiße Tücher eingeschlagener Gegenstand, als er zurückkam.
»Hier«, sagte er. »Nehmen Sie, Mr. Craven, aber seien Sie um Gottes willen vorsichtig. Das ist mein ganzer Stolz.«
Zögernd griff ich zu und begann die Tücher beiseite zu schlagen. Darunter kam ein schmaler, überraschend leichter Dolch zum Vorschein, eine elegante Waffe mit einer beiderseitig geschliffenen Klinge und einem zierlichen Griff, in den verwirrende Muster aus Schlangenlinien und Punkten eingeritzt waren.
»Was ist das?« fragte ich mit gespielter Bewunderung.
Havilland tauschte einen raschen Blick mit Becker, ehe er antwortete: »Der Zeremoniendolch eines Hetmans«, antwortete er. »Ich vermute stark, daß es Leif Ericksons eigene Waffe war. Ein phantastisches Stück, nicht?«
Ich nickte vorsichtshalber und drehte den Dolch in den Händen. Auf mich wirkte er eher wie ein Spielzeug. »Er ist sehr leicht«, sagte ich zögernd. »Woraus ist er gemacht?«
Havillands Blick wurde noch ein bißchen kälter. »Aus Plastik«, sagte er.
Verblüfft sah ich zu ihm hoch.
»Es gibt keine Zeremoniendolche bei den Wikingern«, sagte Havilland kalt. »Und es gibt unter ihnen auch keine Hetmane. Das da ist eine so billige Fälschung, daß jedes Kind sie erkannt hätte, Mr. Craven – oder wie immer Sie heißen mögen.« Er setzte sich und starrte mich mit steinernem Gesicht an.
»Oh«, murmelte ich. Betreten legte ich den Dolch aus der Hand und sah hilfesuchend zu Becker hinüber. Aber der blickte weg.
»Professor Havilland«, begann ich abermals. »Ich kann das erklären. Ich –« Havilland schien nicht an Erklärungen interessiert zu sein, denn er unterbrach mich rüde: »Wer hat Sie geschickt, Craven? Van Meer? Stanton? Lord?«
Ich hatte keinen dieser Namen jemals zuvor gehört, und das sagte ich ihm auch. Havilland schnaubte wütend. »Sie lügen!« behauptete er. »Sie sind ein Narr, Craven, und wer immer Sie geschickt hat, ist ein noch größerer Narr, zu glauben, daß ich auch nur für eine Minute darauf hereingefallen wäre. Sie hät-

ten wenigstens jemanden schicken sollen, der eine Ahnung von meinem Gebiet hat!«
»Ich verstehe überhaupt nichts von nordischer Geschichte«, gestand ich. »Aber ich –«
»Das habe ich gemerkt«, fauchte Havilland. »Schon gestern abend. Aber ich dachte, es läge an Ihrer Übermüdung.« Er beugte sich vor. Seine Augen wurden schmal. »Jeder, Mr. Craven, aber auch absolut jeder, der nur einen Deut von Archäologie versteht, wäre völlig aus dem Häuschen gewesen, als ich behauptete, das Schiff dort draußen sei das von Leif Erickson.«
»Stimmt es denn nicht?« fragte ich schüchtern.
Havilland machte sich nicht einmal die Mühe zu antworten.
»Das einzige, was mich noch daran hindert, Sie auf der Stelle aus meinem Haus zu werfen, ist meine Neugier, Craven!« sagte er wütend. »Ich will wissen, wer Sie geschickt hat.«
»Niemand«, sagte ich.
»Sie lügen!« Havilland fuhr halb aus seinem Stuhl hoch und setzte sich wieder. Es gelang ihm kaum noch, sich zu beherrschen. »Sie sind im Auftrag eines meiner sogenannten Kollegen hier, um herauszufinden, was ich wirklich weiß, um mich lächerlich zu machen!«
»Nein«, sagte ich eindringlich. »Das bin ich nicht, Professor. Hören Sie, ich weiß nicht einmal, wer diese drei Männer sind, von denen Sie gesprochen haben!«
»Spezialisten!« sagte Havilland abfällig. »Die sogenannten Koryphäen auf dem Gebiet der nordischen Geschichte.« Er ballte wütend die Faust. »In Wahrheit sind sie Ignoranten, alle drei. Sie versuchen seit drei Jahren, meine Theorie zu erschüttern und mich dem Spott der wissenschaftlichen Welt preiszugeben. Aber das wird ihnen nicht gelingen! Ich werde beweisen, daß die Wikinger fünfhundert Jahre vor Kolumbus nicht nur in Nordamerika waren, sondern auch hier. Und auch Leute wie Sie werden mich nicht daran hindern, Mr. Craven!«
»Aber das will ich doch gar nicht!« sagte ich fast verzweifelt. »Bitte, Professor – hören Sie mir eine Minute lang zu.«
Havilland schwieg, aber sein Blick sprach Bände.
»Ich bin hier, weil ich Ihre Hilfe brauche, Professor«, sagte ich. »Ich gehöre nicht zu Ihren Feinden, ganz im Gegenteil.«

Havilland lachte abfällig. »Und was wollen Sie dann hier? Archäologische Forschungen betreiben?«
»Ich habe Ihren Namen aus einem Bericht in einer populärwissenschaftlichen Zeitschrift«, gestand ich. »Es war nur Zufall, daß ich auf Sie gestoßen bin, glauben Sie mir.«
»Zufall?« Havilland schnaubte. »So? Aber wenn Sie Hilfe brauchen, warum wenden Sie sich dann nicht an Lord oder einen der anderen? Es wäre viel einfacher gewesen.«
»Die anderen arbeiten nicht in Mexiko«, sagte ich ruhig.
Das wirkte. Havilland starrte mich einen Moment lang an, und ich konnte direkt sehen, wie es hinter seiner Stirn arbeitete. Sein Mißtrauen war keineswegs besänftigt, aber ich hatte seine Neugier geweckt. Vielleicht hatte ich doch noch eine Chance.
»Ich habe mich unter einem falschen Vorwand bei Ihnen eingeschlichen, ich gebe es zu, und es tut mir leid«, sagte ich. »Aber ich habe mich über Sie erkundigt, Professor. Man hat mir gesagt, daß Sie... sehr zurückgezogen leben und fast niemanden an sich herankommen lassen.«
»Und deshalb haben Sie mir diesen Brief geschrieben und den Eindruck erweckt, daß Sie Hobby-Archäologe sind und die gleiche Theorie wie ich vertreten«, sagte Havilland. »Und Sie haben wirklich gedacht, Sie kämen damit durch?«
»Nein«, räumte ich ein. Ich zögerte, dann entschloß ich mich, ihm endgültig die Wahrheit zu sagen. Havilland war kein Mann, den man belügen konnte. »Aber wenn ich Ihnen geschrieben hätte, warum ich wirklich an Ihrer Theorie interessiert bin, hätten Sie mir wahrscheinlich nicht einmal geantwortet.«
»Und warum sind Sie es?« wollte Havilland wissen.
Jetzt kam der gefährliche Moment. Mit ein wenig Pech würde ich mich in fünf Minuten draußen auf der Straße wiederfinden. Ich griff in meine Jacke, zog den Briefumschlag mit den zehn engbeschriebenen Seiten heraus, den ich mitgebracht hatte, und legte ihn vor Havilland auf den Tisch.
»Bitte, lesen Sie das«, sagte ich.
Havilland sah mich überrascht an, griff dann aber gehorsam nach dem Umschlag und entnahm ihm das Manuskript, das er enthielt.
»Der Sturm war weitergezogen, nachdem er die Schiffe eine

ganze Nacht und einen Gutteil des Tages attackiert und hin und her geworfen hatte«, las Havilland. Er stockte, sah auf. »Was soll das?« fragte er.
»Bitte, lesen Sie es«, sagte ich. »Es sind nur wenige Seiten. Danach... werden Sie mich besser verstehen.«
Havilland zögerte, lehnte sich aber dann zurück und begann – diesmal leise und nur für sich – zu lesen...

Der Sturm war weitergezogen, nachdem er die Schiffe eine ganze Nacht und einen Gutteil des Tages attackiert und hin und her geworfen hatte. Jetzt war das Meer wieder ruhig; die Wogen, die zum Teil halbe Masthöhe erreicht und die Decks überspült hatten, hatten sich geglättet, das Heulen des Windes war einer schon fast unheimlichen Stille gewichen.

Trotzdem wurde es nicht richtig hell. Die Regenwolken hatten sich aufgelöst, aber die Sonne blieb hinter einem trüben grauen Schleier verborgen. Ihr Licht reichte kaum aus, um mehr als einen Steinwurf weit zu sehen. Feuchtigkeit lag wie farbloser Nebel über dem Meer und ließ die Schiffe der kleinen Flotte zu grauen Schatten werden, die sich lautlos wie Geister auf dem Wasser bewegten.

Und wer weiß, dachte Hellmark müde, vielleicht waren sie ja tatsächlich nichts anderes mehr als Geister. Vielleicht waren sie längst über den Rand der Welt hinausgesegelt, ohne es überhaupt zu bemerken, und begannen jetzt allmählich zu verblassen, bis sie nichts weiter als körperlose Seelen waren, auf ewig dazu verdammt, das kalte Meer der Toten zu befahren.

Er lächelte schwach. Natürlich war es nicht so. Die Schiffe, das Meer und er selbst waren höchst real, ebenso wie der Sturm, der sie eine Nacht und einen Tag lang gebeutelt hatte, der Hunger, der in ihren Eingeweiden fraß, und der Skorbut, der den ersten Männern bereits die Zähne ausfallen ließ.

Aber es war nicht verwunderlich, an einem Tage wie heute, daß seine Gedanken plötzlich auf Wegen wandelten, die ihm sonst fremd waren. Und vielleicht sollte er sich diese kleine Schwäche sogar gestatten.

Es war ein Tag der bösen Götter und Dämonen, nicht der Menschen, und das unbestimmte Gefühl von Furcht, das sich schon während der Nacht in Hellmarks Seele eingenistet hatte, war stärker geworden, ganz gleich, wie angestrengt er versuchte, es zu ignorieren oder mit Spott zu ersticken. Furcht war eine wichtige und gute Sache, im richtigen Moment, aber sie konnte auch zur Gefahr werden. Vor allem für einen Mann wie ihn, der es sich nicht leisten durfte, Furcht zu zeigen.

Es war nicht die Furcht vor dem Sturm. Der rothaarige Hüne war praktisch auf dem Meer geboren und hatte mehr Zeit auf den Planken eines Schiffes als auf festem Boden zugebracht, und er wußte, daß die zerbrechlich aussehenden Drachenboote eine ganze Menge mehr vertrugen als diesen Sturm. Nein, es war nicht der Orkan.

Es war eine Furcht, wie er sie noch nie zuvor kennengelernt hatte, quälend und bohrend, und er war ihr wehrlos ausgesetzt.

Der Blick seiner großen hellblauen Augen bohrte sich in die grauen Nebelschleier, die die Flotte der Drachenboote wie eine substanzlose Mauer in allen Richtungen umgab. Irgendwo vor ihnen, nicht mehr als eine halbe Tagesreise entfernt, wenn der Sturm sie nicht weiter vom Kurs abgetrieben hatte, als er glaubte, lag die Küste eines neuen unbekannten Landes. Er hatte sie gesehen, kurz bevor sich der Himmel verdunkelte und ein zorniger Gott eisige Regenschleier und Windböen auf sie niedersausen ließ: eine dünne, schnurgerade Linie, über der es grün schimmerte.

Das Meer an ihrem Fuß hatte weiß geschäumt, was auf Riffe hinwies, so daß sie an dieser Stelle wahrscheinlich nicht an Land gehen konnten, ohne sich die Rümpfe der Boote zu zerschlitzen. Aber sie waren fast drei Monde unterwegs gewesen, da spielte es kaum mehr eine Rolle, ob sie ein paar Tage mehr oder weniger vor diesem fremden Gestade kreuzen mußten, um einen geeigneten Ankerplatz zu finden.

Eigentlich hätte Hellmark allen Grund gehabt zu triumphieren. Der breitschultrige Wikinger war alles andere als ein Abenteurer, der sich und seine Schiffe leichtfertig in Gefahr brachte, aber diese Reise war gefährlich gewesen, vielleicht gefährlicher als alles, was ein Mann seines Volkes jemals vollbracht hatte.

Aber es hatte sich gelohnt. Der Winter hatte vor der Tür gestanden, als sie aufgebrochen waren, um einem Ziel entge-

genzusegeln, von dem sie nicht einmal wußten, ob es existierte, und die heimatlichen Fjorde und Häfen mußten längst zugefroren und unpassierbar sein, selbst für die flachrümpfigen Drachenboote. Nicht einmal die wagemutigsten Kapitäne konnten es jetzt noch wagen aufzubrechen, sondern mußten auf den Beginn des Frühjahres warten.

Und selbst wenn ihnen jemand folgte und nicht in der unendlichen Einöde aus Wasser, die Hellmarks Flotte überwunden hatte, verscholl oder von irgendeinem Sturm oder einer der anderen unzähligen Gefahren, die auf dem Meer lauerten, vernichtet wurde, dann würde er die neue Welt bereits fest in seinen, Hellmarks Händen finden.

Der Wikinger lächelte. Bald, in wenigen Tagen schon, würde er als erster seinen Fuß auf den Boden dieses neuen Landes setzen.

Seine Hand legte sich in einer unbewußten, kraftvollen Geste um den Griff seines Schwertes. Er hatte eine gute Mannschaft, jeder einzelne der hundertzwanzig Männer, die auf den fünf drachenköpfigen Booten segelten, war ein hervorragender Krieger, ein Mann ohne Furcht und Schwächen, den er persönlich ausgesucht hatte. Sollte diese neue Welt bewohnt sein, so würde er ihren Einwohnern rasch zeigen, wer ihr neuer Herr war.

Hellmark hatte Erfahrung in solchen Dingen, und auch der Gedanke, daß ein Heer von hundertzwanzig Mann lächerlich klein war, um einen ganzen Kontinent zu erobern, schreckte ihn nicht. Er hatte schon oft bewiesen, daß es nicht auf die Anzahl der Krieger, sondern auf ihren Mut und die Intelligenz des Mannes an ihrer Spitze ankam.

Und trotzdem wollte sich das Hochgefühl, das er eigentlich jetzt empfinden sollte, nicht einstellen. Es war etwas in diesem Nebel, an dieser jetzt unsichtbaren Küste, das in beunruhigte und warnte. Die Götter dieses Landes?

Hellmark überlegte einen Moment und tat den Gedanken dann mit einem Achselzucken ab. Auch darin hatte er Erfahrung, und es wäre nicht das erstemal, daß er bewies, daß es keine stärkeren Götter als Thor und Odin gab.

Einer seiner Unterführer trat neben ihn und räusperte sich respektvoll, um seine Aufmerksamkeit zu erwecken. Hellmark drehte sich von der Reling weg. Er rückte mit einer

halb unbewußten Bewegung den gewaltigen Hörnerhelm, der seiner imposanten Erscheinung gewissermaßen den letzten Schliff gab und ihn noch ein gutes Stück größer erscheinen ließ, als er ohnehin schon war, zurecht und sah den Mann fragend an. Er hatte während der gesamten Reise streng auf Disziplin geachtet, sowohl auf seinem als auch auf den anderen Schiffen der Flotte.
Vielleicht war es das, was ihn von den meisten anderen Wikingern unterschied. Aber vielleicht machte ihn das auch so erfolgreich, wenn auch nicht unbedingt beliebt.
»Nun?« fragte er. Eine kaum hörbare Spur von Ungeduld schwang in seiner Stimme mit, und der Mann zuckte sichtlich zusammen.
»Wir haben das Lot ausgeworfen, Herr«, sagte der Mann unsicher. »Die Wassertiefe nimmt bedrohlich ab.«
Hellmark schwieg einen Moment. Seiner Schätzung nach hätten sie noch weit, sehr weit von der Küste entfernt sein müssen. »Vielleicht eine Sandbank«, murmelte er, mehr zu sich als zu dem anderen, aber der Mann nickte und sagte: »Es wäre besser, wenn wir Anker werfen und warten, bis sich die Sicht geklärt hat.«
Hellmark wollte auffahren. Der Gedanke, so kurz vor dem Ziel noch einmal anzuhalten, nur wegen einer Sandbank oder einer lächerlichen Untiefe, versetzte ihn in Zorn. Aber der Gedanke, nach einer so langen Reise wie der ihren vielleicht auf Grund zu laufen und wenige Seemeilen vor dem Ziel jämmerlich zu ersaufen, nur um ein paar Stunden zu sparen, erschien ihm noch absurder, und so nickte er.
»Gib Befehl dazu«, sagte er. »Und dann ruf die Hauptleute zu mir, auch die von den anderen Schiffen. Wir nähern uns unserem Ziel, und es gibt eine Menge zu bereden.«
Der Mann nickte und entfernte sich rasch, froh, aus seiner Nähe verschwinden zu können. Überhaupt, das war Hellmark während der letzten Wochen der Reise immer stärker aufgefallen, schienen ihn die Männer zu meiden, wo sie konnten, wenn sie auch auf einem so kleinen Schiff wie dem Drachenboot nicht sehr weit kamen. Trotzdem bestand eine Grenze zwischen ihnen, eine unsichtbare Mauer, die er sich nicht erklären konnte. Aber vielleicht war es auch ganz gut so. Es war nicht unbedingt ratsam für einen Flottenführer,

sich zu sehr mit seinen Männern zu verbrüdern.
Er wandte sich wieder um, stützte sich schwer mit den Unterarmen auf der hölzernen Reling ab und blickte in den Nebel hinaus. Wenn er nur lange genug hinsah und seinen Gedanken erlaubte, sich in den monotonen Rhythmus der Wellen zwängen zu lassen, die gegen den Rumpf klatschten, dann begann der Nebel zu leben, und er meinte Figuren und Gesichter und Gestalten zu erkennen.
Sah diese Nebelwolke da drüben nicht aus wie ein gewaltiger Krieger mit Hörnerhelm und Schwert, und die daneben nicht wie Thor selbst, der seinen Hammer schleuderte? Hellmark lächelte, aber es wirkte nicht echt. Er wußte, daß die Einöde des Meeres auf Dauer auch den stärksten Geist zermürben konnte, und er wäre nicht der erste gewesen, der plötzlich anfing, Dinge zu sehen, die nicht da waren. Aber waren sie wirklich nur Einbildung?
Mit einer heftigen Bewegung stieß er sich von der Reling ab und ging zum Heck des Schiffes, wo sich sein rot-weiß gestreiftes Zelt erhob. Es war eine jämmerliche Unterkunft für einen Heerführer wie ihn, und doch schon ein unglaublicher Luxus gegen den freien Himmel und die Wolken, die seine Männer während der letzten zwölf Wochen als Decken und Kissen gehabt hatten. Ächzend ließ er sich auf seinem Lager nieder, griff nach dem Schlauch mit Wein, der immer griffbereit neben ihm hing, und trank einen Schluck. Er fror plötzlich. Der Wein war schal und das Obst in dem Korb neben ihm angefault, wie fast alle Lebensmittel an Bord, und die Kissen, auf denen er saß, waren feucht; eine Feuchtigkeit, die während der letzten drei Monate in jede Pore des Schiffes gekrochen war und alles durchdrang. Mehr als Hunger und Durst hatte Hellmark diese klamme, kalte Nässe zu schaffen gemacht.
Das Schiff erbebte fast unmerklich, als der Anker geworfen wurde und schon dicht unter der Wasseroberfläche Grund fand.
Während die Männer rings um ihn darangingen, das Segel, das sie gerade erst gesetzt hatten, wieder einzuholen und die Ruder wie ein gewaltiges Spalier beiderseits der Reling aufzurichten, ließ sich Hellmark zurücksinken und versuchte sich zu sammeln.

Immerhin hatte er mit seinen Unterführern zu reden, und sie brauchten nicht unbedingt zu merken, wie nervös er war. Sie würden es nur falsch deuten und als Schwäche auslegen. Aber es gelang ihm nicht, die bedrückenden Gedanken ganz zu vertreiben.
Was, wenn es nun keine Einbildung gewesen war? Vielleicht hatte der Nebel nicht zufällig gerade diese Umrisse gebildet, und vielleicht war diese unbestimmte Angst in ihm nichts anderes als eine Warnung, die ihm die Götter schickten. Aber eine Warnung wovor? Er hatte keine Feinde, keine jedenfalls, die ihm bis hierher, ans andere Ende der Welt, gefolgt sein könnten, und vor den Bewohnern dieses Landes – wenn es überhaupt bewohnt war – fürchtete er sich nicht.
Er vertrieb den Gedanken mit einem ärgerlichen Schnauben, trank einen weiteren Schluck Wein, und versuchte, den schalen Geschmack zu ignorieren. Nach und nach kehrte Ruhe auf dem Boot ein, als die Männer Ruder und Segel eingezogen hatten und sich nach einer durchwachten Nacht zum erstenmal eine Pause gönnten.
Langsam wurde es heller, und auch die Nebel lichteten sich, auch wenn sie nicht vollends verschwanden, sondern sich nur zurückzogen wie lauernde Geister, die ihre Opfer umschlichen. Hellmarks Blick glitt sinnend auf das offene Meer hinaus. Noch einmal versuchte er, die treibenden Formen in den Nebeln zu erkennen, vermochte es jedoch diesmal nicht mehr.
Er stand auf, verließ das Zelt wieder und begann unruhig auf Deck auf und ab zu gehen. Zwei der anderen Drachenboote hatten in geringer Entfernung Anker geworfen; Beiboote wurden zu Wasser gelassen, und durch den Nebel zeichneten sich die hochgewachsenen Gestalten von Lars und Tjelsund, den beiden Kapitänen der Schiffe, ab. Hellmark hieß ihre Vorsichtsmaßnahme im stillen gut. Normalerweise wäre es das einfachste gewesen, wenn die beiden Schiffe beiderseits seines eigenen Bootes längsseits gegangen wären, aber sie kannten die Gewässer hier nicht, und er wollte auch nicht mehr das mindeste Risiko eingehen.
Die beiden Beiboote kamen rasch näher, während die zwei anderen Drachenschiffe – die von Erickson und Tronje – mit geblähten Segeln eine Pfeilschußweite entfernt kreuzten.

Hellmark runzelte die Stirn, drängte sein Mißtrauen aber zurück. Die beiden waren gute Männer; wahrscheinlich hatten sie seinen Befehl noch nicht bekommen, oder das Meer war dort drüben tiefer, und sie suchten eine flache Stelle, um Anker zu werfen.

Er richtete sich auf und wartete reglos, bis die beiden flachen Ruderboote angekommen und ihre Insassen ausgestiegen waren.

Die beiden Männer, die ihnen entstiegen, hätten auf den ersten Blick als Zwillingsbrüder Hellmarks gelten können, obgleich der eine ein gutes Stück größer und breitschultriger war als er selbst. Zudem war einer blond und der andere – für einen Wikinger ungewöhnlich genug – schwarzhaarig. Aber es waren Männer des gleichen Schlages: stark – nicht nur in rein körperlicher Beziehung –, hart und mit dem Blick des Eroberers. Männer wie sie waren es gewesen, denen die Seefahrer aus dem Norden ihren Ruf als gefürchtete Krieger zu verdanken hatten. Hellmark begrüßte die beiden Kapitäne mit einem stummen Kopfnicken und deutete auf sein Zelt.

»Warten wir nicht, bis Erickson und Tronje kommen?« fragte der größere von ihnen.

Hellmark sah wieder zu den beiden Schiffen hinüber. Sie waren näher gekommen, aber nicht so rasch, wie er erwartet hatte. Erneut beschlich ihn ein ungutes Gefühl, und erneut drängte er es zurück.

»Trinken wir einen Schluck Met, bis es soweit ist«, sagte er ausweichend.

Sie gingen zum Zelt, und Hellmark und die beiden anderen Kapitäne nahmen auf den durchweichten Kissen Platz.

»Wir haben es fast hinter uns«, sagte Lars mit einem Blick nach Westen, wo die Küste des fremden Landes noch immer hinter treibenden Nebelschwaden verborgen war. Er lächelte unsicher. »Eine Weile habe ich fast gezweifelt, daß wir jemals wieder festes Land finden.«

Hellmark lachte leise; ein dunkler, durchdringender Laut, von dem keiner so recht wußte, was er wirklich bedeutete. Hellmarks Lachen war unter seinen Männern fast so gefürchtet wie sein Schwert.

»Seit wann bist du unter die Zweifler gegangen, Lars?« fragte er und versetzte dem hünenhaften Wikinger einen spieleri-

schen Schlag auf den Rücken. »Odin ist auf unserer Seite. Ich wußte, daß er uns sicher durch alle Gefahren leiten würde.« Der andere nickte, aber sein Blick blieb ernst. »Odin straft aber auch die, die nach dem Unmöglichen greifen und sich seiner gleich dünken«, unkte er.

Hellmark lächelte weiter, aber in seine Augen trat ein seltsamer Ausdruck, der Lars unwillkürlich zusammenzucken ließ. »Ich handle nach dem Willen der Götter«, sagte er kalt. »Was bringt dich auf den Gedanken, ich dünke mich ihnen gleich?« »Nur Götter finden neue Welten«, antwortete Lars, beeilte sich aber hinzuzufügen: »Es sei denn, sie bedienen sich eines Menschen als Werkzeug ihres Willens.«

Die Spannung, die plötzlich in der Luft lag, war direkt greifbar. Hellmarks Gestalt straffte sich unmerklich, und die Hand, die den tönernen Trinkbecher hielt, senkte sich ein wenig. Sie war jetzt näher am Griff seines Schwertes. Hellmark setzte dazu an, etwas zu sagen, aber in diesem Moment berührte ihn Tjelsund, der Kapitän des dritten Drachenbootes, am Arm und deutete nach Westen.

»Sieh, Hellmark«, sagte er stirnrunzelnd. »Erickson und Tronje haben gewendet.«

Für einen Moment zögerte Hellmark, als befürchtete er eine Falle. Dann wandte er doch widerwillig den Kopf und sah in die Richtung, in die der schwarzhaarige Nordmann deutete. Der andere hatte recht. In den wenigen Augenblicken, die er nicht aufs Meer hinausgesehen hatte, hatten die beiden Drachenboote gewendet und hielten jetzt direkt auf sein Schiff zu. Die Segel waren gebläht und trieben die schlanken Rümpfe mit erstaunlicher Geschwindigkeit durch die Wellen; gleichzeitig klatschten die langen Ruder in raschem Takt in die Wellen und verliehen ihnen noch mehr Tempo. Die geschnitzten Drachenköpfe am Bug der Schiffe hüpften im Rhythmus der Wellen auf und ab, so daß es im unsicheren Zwielicht fast so aussah, als näherten sich zwei bizarre Seeungeheuer dem Schiff.

Hellmark runzelte die Stirn. »Was haben sie vor?« fragte er. »Wenn sie nicht ihre Geschwindigkeit senken, dann werden sie uns rammen.« Seine Augen preßten sich zu schmalen Schlitzen zusammen. Er ließ den Becher vollends sinken, stand auf und griff nach seinem Schwert. Die Berührung des kalten, mit dünnen Lederstreifen umwickelten Griffes gab ihm ein trügerisches Gefühl der Beruhigung. Sein Blick streifte Lars' Gesicht, aber das zernarbte Antlitz des breitschultrigen Hünen blieb ausdruckslos. Nicht so Tjelsund. In plötzlichem Zorn sprang er ebenfalls auf, ballte die Fäuste und riß sein Schwert aus dem Gürtel.

»Verrat!« keuchte er. »Es ist Verrat im Spiel, Hellmark! Erickson und Tronje –«

»Nicht nur Erickson und Tronje«, unterbrach ihn Lars ruhig. Etwas war in seiner Stimme, das Hellmark warnte. Für die Dauer eines Herzschlags erstarrte er, dann drehte er sich bewußt langsam, um den anderen nicht zu einer Unbesonnenheit zu reizen, herum und starrte Lars an. Der Wikinger hatte sein Schwert gezogen und war ein paar Schritte zurückgewichen. Sein Blick huschte aufmerksam zwischen Tjelsund und Hellmark hin und her. Er schien genau zu wissen, wie gefährlich die beiden Gegner waren, denen er gegenüberstand. Aber es war keine Furcht in seinem Blick.

»Bist du von Sinnen?« entfuhr es Hellmark. Er tauschte einen raschen Blick mit Tjelsund, aber der war mindestens genauso überrascht wie er. Die Waffe in seiner Hand zitterte; er zögerte sichtlich, sich auf Lars zu stürzen. Lars' Schwert war unter den Männern fast so gefürchtet wie das Hellmarks. Und nicht einmal Hellmark war sicher, ob er ihn wirklich schlagen konnte.

»Ich weiß sehr wohl, was ich tue«, sagte Lars. »Und die anderen dort drüben« – er deutete mit der Schwertspitze auf die heransausenden Schiffe, die nur mehr wenige Bootslängen von ihnen entfernt waren – »ebenfalls. Du hast die Männer ein wenig zu sehr geschunden, Hellmark. Sie haben dir ihr Leben anvertraut, aber du hast ihr Vertrauen mißbraucht.«

Hellmark lachte roh. »Was willst du?« fragte er. »Die meisten leben noch, und in ein paar Tagen sind Hunger und Entbehrungen vergessen.«

»Aber nicht deine Grausamkeit«, antwortete Lars. »Wie viele hast du zu Tode prügeln lassen, wegen einer kleinen Verfehlung, wegen eines Schlückchen Wassers, das sie sich genommen haben?«

»Fünf«, antwortete Hellmark ungerührt. »Und sie haben das Wasser nicht genommen, sie haben es gestohlen. Was habt

ihr vor, Erickson und du? Eine Meuterei?« Aus den Augenwinkeln sah er, wie die beiden anderen Schiffe näher kamen. Die Ruder schlugen jetzt Gegentakt, um das Tempo zu drosseln, aber zumindest Tronjes Schiff würde es nicht mehr ganz schaffen. Hellmark spreizte ein wenig die Beine, um auf den Zusammenprall vorbereitet zu sein.
»Wenn du es so nennen willst«, sagte Lars. *»Es wäre sinnlos, wenn du kämpfst, Hellmark. Nur eine Handvoll Männer würde sich auf deine Seite stellen.«*
Hellmark warf einen raschen Blick über das Deck. Der Zwischenfall war nicht unbemerkt geblieben, fast alle Männer sahen gebannt und verwirrt zu ihm und Lars oder zu den beiden Schiffen hinüber, und einige waren auch aufgesprungen und hatten ihre Waffen ergriffen.
Aber es war nicht sicher, für welche Seite sie Partei ergreifen würden. Nervös fuhr er sich mit der Zungenspitze über die Lippen. Tjelsund versuchte an ihm vorbeizugehen, um in Lars' Rücken zu gelangen, aber der andere war viel zu erfahren, um darauf hereinzufallen. Sein Schwert schlug in einem mehr als Warnung gedachten Hieb nach Tjelsunds Gesicht und trieb ihn zurück.
»Weißt du, was ich glaube?« fragte Hellmark ruhig. Er mußte Zeit gewinnen. Ericksons Schiff hatte beigedreht, so daß sie die Reling mit den dicht an dicht aufgestellten, buntbemalten runden Schilden sehen konnten. Darüber waren gespannte Bögen zu erkennen, Dutzende von Pfeilspitzen, die drohend auf sein Schiff und die Männer deuteten. Niemand unternahm auch nur einen Versuch, Widerstand zu leisten. Und Tronjes Schiff jagte weiter heran.
»Ich glaube, daß es Erickson und dir gar nicht um Gerechtigkeit geht«, fuhr er fort. *»Ihr wollt nur den Ruhm für euch. Ihr wollt es sein, die die neue Welt entdeckt haben.«* Lars kniff die Augen zusammen, aber er antwortete nicht und Hellmark sprach in ruhigem Ton weiter: *»Wir sprachen gerade über die Götter. Glaubst du wirklich, sie ließen es zu?«*
Lars lachte nervös. *»Es interessiert sie wohl kaum, ob ein Menschenschinder wie du lebt oder nicht, Hellmark«,* sagte er. *»Leg dein Schwert ab und ergib dich, und ich garantiere für dein Leben.«*
Es waren die letzten Worte, die er sprach. Ein gewaltiger

Schatten legte sich zwischen ihn und Hellmark. Er sah auf, stieß einen keuchenden Laut aus und hob instinktiv die Arme, als er den geschnitzten Drachenkopf über sich aufragen sah. Dann bohrten sich die beiden Schiffe mit einem ungeheuren Krachen und Knirschen ineinander. Der Schlag war gewaltig genug, um Hellmark, Lars, Tjelsund und jeden an Bord von den Füßen zu reißen, aber Hellmark sprang sofort wieder auf, und das Schwert schien wie von selbst in seine Hand zu fliegen. Tjelsund kam ihm um eine Winzigkeit zuvor.

Mit einem gellenden Wutschrei stürzte er sich auf Lars, ließ seine Klinge heruntersausen und strauchelte, als der andere den Hieb im letzten Moment parierte und gleichzeitig nach seinem Knie trat. Er fand sein Gleichgewicht wieder, aber die winzige Zeitspanne, die er verloren hatte, hatte seinem Gegner gereicht. Er sprang auf, trieb ihn mit drei, vier raschen Schlägen vor sich her und holte zu einem gewaltigen, beidhändig geführten Hieb aus. Tjelsund riß seine Waffe schützend in die Höhe, aber Lars' Kraft hatte er nichts entgegenzusetzen. Seine Klinge zersplitterte wie Glas, und Lars' Schwert zerschlug auch noch seinen ledernen Brustharnisch und drang tief in seine Brust.

Lars überlebte sein Opfer nicht einmal um einen Atemzug. Hellmark sprang hinter ihn, rammte ihm den Schwertknauf in die Nieren und wirbelte blitzschnell um die eigene Achse, als Lars mit einem keuchenden Schmerzenslaut in die Knie brach.

Seine Hände umklammerten den lederbezogenen Griff der Waffe, und in dem Hieb, den er führte, lag die ganze Kraft der Drehung. Die Klinge durchbrach mühelos Lars' Brustharnisch. Der Wikinger taumelte, drehte sich halb herum und starrte ihn mit ungläubig aufgerissenen Augen an. Er wollte etwas sagen, aber aus seinem Mund kamen keine Worte. Dann kippte er lautlos nach hinten und fiel über Bord. Das Meer schäumte einen Moment und war dann wieder still.

Hellmark sah sich kampfbereit um. Der Bug von Tronjes Boot hatte sich in die Reling seines eigenen Schiffes gebohrt und Rumpf und Planken schwer beschädigt. Hellmark sah auf den ersten Blick, daß es sinken würde. Sehr schnell sogar. Aber an Bord fand kein Kampf statt. Ein paar seiner Männer hat-

ten Waffen und Schilde ergriffen, aber die Übermacht war erdrückend. Es wäre Selbstmord zu kämpfen.
»Erickson!« schrie Hellmark mit vollem Stimmaufwand. »Komm her und zeige dich, du Feigling! Wenn du gegen mich kämpfen willst, dann tue es, und verstecke dich nicht wie ein feiges Weib hinter den Rücken deiner Männer.« Seine Stimme mußte weit über das Meer zu hören sein, doch Erickson reagierte nicht. Sein Boot schwenkte in weitem Bogen herum und legte sich auf der anderen Seite des Schiffes längsseits, aber der Pfeilhagel, auf den Hellmark halbwegs gewartet hatte, blieb aus. Sein Blick suchte die anderen beiden Schiffe.
Auf ihren Decks war Aufregung und Bewegung entstanden, aber die Männer schienen nicht in den Kampf eingreifen zu wollen.
Hellmark begriff. Das Ganze war alles andere als eine spontane Meuterei. Der Überfall war lange, vielleicht schon vor Anbruch der Reise, geplant worden. Die Verräter hatten nur gewartet, bis das Ziel der Fahrt erreicht war. Wahrscheinlich waren Tjelsund und er die einzigen, die nichts von dem geplanten Aufstand gewußt hatten.
Er trat ein Stück von der Reling zurück und sah sich um. Die Männer hatten einen weiten, aber undurchdringlichen Halbkreis um ihn gebildet, und die Spitzen ihrer Waffen wiesen auf ihn.
»Nun gut«, knurrte Hellmark. »Wenn ihr mich töten wollt, dann versucht es!« Er hob sein Schwert und trat einen Schritt auf die Krieger zu. Die Männer drängten sich angstvoll zusammen, obwohl sie ihm in zwanzigfacher Übermacht gegenüberstanden.
»Ihr Feiglinge!« schrie Hellmark. »Kämpft!« Mit einem gellenden Schrei sprang er weiter vor, stieß einen Mann mit einem wuchtigen Hieb seines Schildes über Bord und schlug einen zweiten mit einem Schwertstreich nieder. Die Männer wichen mit einem vielstimmigen, erschrockenen Aufschrei zurück, aber das Boot war zu klein, um Platz für eine Flucht zu bieten. Hellmark lachte dröhnend, wehrte einen nur mit halber Kraft geführten Schwerthieb ab und tötete den Mann mit einem blitzschnellen Gegenschlag. Sein Schwert schnitt einen blitzenden, tödlichen Halbkreis vor ihm in die Luft,

krachte auf Rüstungen und Schilde. Noch immer wehrte sich kaum einer von ihnen. Es war nicht so sehr Hellmarks Kraft, die sie lähmte, als vielmehr die ungestüme Wut seines Angriffes. Der hünenhafte Wikinger focht mit der Wildheit eines tobenden Bären, schrie und schlug wie ein Irrsinniger um sich und streckte einen nach dem anderen zu Boden. Ein Schwertstreich durchbrach seine Deckung und riß seine Seite auf, aber er schien die Verletzung nicht einmal zu spüren.

Wie ein leibhaftig gewordener Rachegott trieb er die Männer vor sich her. Sein Schild zerbrach unter einem wuchtigen Hieb; er schleuderte ihn fort, packte das Schwert mit beiden Händen und kämpfte weiter. Bereits nach wenigen Augenblicken blutete er aus zahllosen Wunden, doch die Schmerzen steigerten seine Wut eher noch, und er tötete Mann auf Mann. Schon bald war fast ein Dutzend der Krieger tot oder schwer verwundet, und die, die seinem Toben bisher entkommen waren, sprangen in blinder Angst über Bord und schwammen auf die anderen Schiffe zu. Hellmark ließ keuchend die Waffe sinken und sah sich um.

Das Schiff bot einen Anblick des Grauens. Überall lagen Tote und Sterbende, und das Wasser ringsum schäumte von den verzweifelten Bewegungen der Männer, die zu entkommen versuchten. Es war nicht das erstemal, daß Hellmark ein Bild wie dieses sah. Der Tod gehörte zu seinem Leben wie ein dunkler Bruder, der ihn vom ersten Tag an begleitet hatte, aber noch nie hatte er eine so hilflose, ohnmächtige Wut verspürt wie jetzt; einen Zorn, der sogar den furchtbaren Schmerz hinwegspülte, der sich in seinen Körper gekrallt hatte.

Es waren seine Männer, die er hier tot oder sterbend vor sich liegen sah, gestorben unter seinen Schwerthieben.

Sekundenlang blieb Hellmark reglos stehen und starrte in den Nebel, der sich wieder dichter um die kleine Flotte zusammengezogen hatte. Seine dunklen Vorahnungen hatten ihn nicht getäuscht. Aber die Gefahr war aus einer Richtung gekommen, aus der er sie am allerwenigsten vermutet hatte. Es waren nicht die Götter gewesen, die ihm gedroht hatten, nicht die dieses Landes und schon gar nicht seine eigenen.

Hellmark lachte; leise, hart und sehr bitter. Das Boot erzitterte unter seinen Füßen und legte sich ein wenig auf die

Seite. So schnell und gefährlich die Drachenboote waren, so rasch konnten sie sinken, wenn ihre schlanken, nur aus einer einzigen Kammer bestehenden Rümpfe beschädigt waren. Es würde bald vorbei sein; sehr bald. Es war eine grausame Ironie des Schicksals – er hatte eine Reise überstanden, die noch keiner vor ihm lebend hinter sich gebracht hatte, und jetzt sollte er, das Ziel vor Augen, sterben.

Sterben, weil ein anderer den Ruhm beanspruchte, diese neue Welt entdeckt zu haben. Ericksons Boot trieb langsam auf das seine zu. Männer zogen sich über die Reling, und die Ruder wurden wieder zu Wasser gelassen. Hinter dem geschnitzten Drachenkopf an seinem Bug erschien eine gewaltige, hünenhafte Gestalt, schwarz gegen den hellen Hintergrund des Himmels.

»Erickson«, rief Hellmark noch einmal. »Komm her und kämpfe mit mir, wenn du den Mut hast.«

Erickson antwortete nicht, aber er hob langsam die Hand und zog einen Pfeil aus dem Köcher auf seinem Rücken. Hellmark spannte sich, aber nur für einen Augenblick. Vielleicht konnte er dem Pfeil ausweichen, vielleicht auch einem zweiten oder dritten, aber das würde das Ende nur um wenige Augenblicke hinauszögern. Und er wollte Erickson nicht den Triumph bieten, ihn in den Rücken schießen zu können.

»Gut, Leif Erickson«, rief er mit weit schallender Stimme. »Du hast mich besiegt, aber nicht im Kampf, sondern durch Verrat und Intrige. Vielleicht wird die Welt deinen Namen als den des Mannes behalten, der die neue Welt entdeckt hat, aber die Wahrheit wird an den Tag kommen, irgendwann. Du hast mich verraten, mich und alle, die dir vertraut haben. Ich verfluche dich im Namen Odins!«

Erickson antwortete auch diesmal nicht, aber der Bogen in seinen Händen spannte sich, und für einen winzigen Moment blitzte die metallene Spitze des Pfeiles auf wie der Stachel eines tödlichen Insektes. Hellmark schloß die Augen, als Leif Erickson die Sehne losließ.

Er schrie, als der Pfeil mit Wucht durch seinen Harnisch fuhr und tief und tödlich in seine Brust biß, aber der Schrei erstarb und wurde zu einem würgenden Laut, der im Wind verklang, und Hellmark brach mit einem Stöhnen in die Knie. Noch einmal reckte er beide Arme in die Höhe, wandte den Blick

zum Himmel und murmelte: »Odin, Gott der Gerechtigkeit, räche diesen Verrat! Sie sollen bezahlen für ihre Schandtat – ein Leben gegen hundert! Leif Erickson, ich ... verfluche ... dich ...«
Niemand hörte die Worte, und als Hellmarks Arme niedersanken und er nach vorne auf die Schiffsplanken stürzte, war er bereits tot. Nur über ihm, weit über ihm am Himmel ballten sich plötzlich schwarze Gewitterwolken zusammen, und als der erste Blitz niederfuhr, sah die größte von ihnen wie ein gewaltiger, nachtschwarzer Rabe aus.
Aber auch das bemerkte niemand. Und als die kleine Flotte wenige Stunden später die Küste erreichte und die ersten Europäer den Fuß auf einen Kontinent setzten, der später – sehr viel später – noch einmal entdeckt und Amerika getauft werden sollte, hatten sie seinen Fluch schon fast vergessen.
Aber die Götter vergessen niemals, und für sie sind hundert Jahre weniger als ein Augenblick. Und bis sich Hellmarks Worte auf grausame Weise erfüllen würden, sollten noch mehr als eintausend Jahre vergehen ...

Havilland brauchte fast eine halbe Stunde, um die wenigen Seiten zu lesen, auf denen ich meinen stets wiederkehrenden Alptraum niedergeschrieben hatte, was allerdings sicher nicht an der literarischen Qualität des Textes lag. Aber ich sah, daß er manche Stellen mehrmals las, ehe er zum nächsten Absatz überging, manchmal saugten sich seine Blicke regelrecht an einer Zeile fest, und ein- oder zweimal wurde er merklich blaß.
Als er die erste Seite zu Ende gelesen hatte, legte er sie nicht auf den Tisch zurück, sondern gab sie Becker, der sie kommentarlos überflog – und genauso reagierte wie der Professor. Wie gesagt – die beiden brauchten eine halbe Stunde, um die knapp zehn Seiten zu lesen, und ein paarmal flüsterten sie miteinander und warfen mir sonderbare Blicke zu.
Als Havilland endlich die letzte Seite aus der Hand legte und mich wieder ansah, da war der Zorn aus seinem Blick gewichen, und statt dessen gewahrte ich eine Mischung aus Unsicherheit und Schrecken. Aber noch hatte ich nicht gewonnen, das wußte ich. Die größte Hürde stand mir noch bevor.
»Das ist ... höchst interessant«, sagte Havilland. »Eine beach-

tenswerte Theorie für einen Mann, der von sich behauptet, nichts von nordischer Geschichte zu verstehen.« Er sprach stockend, in der Art eines Mannes, der nach den richtigen Worten suchte und sie nicht fand.
»Es ist keine Theorie«, antwortete ich. »Und das wissen Sie so gut wie ich, Professor Havilland.«
Havilland biß sich auf die Unterlippe und tauschte einen fast hilflosen Blick mit Becker. Dann wandte er sich wieder an mich. »Sind Sie Schriftsteller, Mr. Craven?« fragte er. »Ich vermute, es handelt sich um den Anfang eines Romans und Sie wünschen, daß ich Ihnen helfe.«
»Nein«, sagte ich. »Ich brauche Ihre Hilfe, Professor. Aber das da« – ich deutete auf die Blätter, die wieder vor ihm auf dem Tisch lagen – »ist kein Roman. Es ist ein Traum.«
»Ein Traum?« Havillands Augen wurden groß.
»Ein Traum, den ich niedergeschrieben habe, in allen Einzelheiten, an die ich mich erinnere«, bestätigte ich. »Ich träume diesen Traum seit drei Wochen, in jeder Nacht.«
Havilland schwieg. Er gab sich Mühe, möglichst beherrscht auszusehen, aber er konnte seine Erregung nicht ganz verbergen.
»Und ich glaube, daß es weit mehr ist als ein Traum, Professor Havilland«, fuhr ich fort.
»Und was soll es sein?« fragte Becker. Auch er wirkte unsicher, aber angespannter als Havilland.
Ich zuckte mit den Schultern. »Eine Art... Vision«, sagte ich. »Eine Botschaft. Eine Warnung – irgend etwas in dieser Art.«
»Was sind Sie wirklich, Mr. Craven?« fragte Becker. »Sie sind kein Amateur-Forscher, Sie sind kein Schriftsteller, und ich glaube Ihnen sogar, daß Sie nicht im Auftrag der anderen hier sind, um den Professor zu kompromittieren. Aber was sind Sie?«
»Ein Magier«, antwortete ich.
Jetzt war es heraus. Mit klopfendem Herzen starrte ich Bekker und Havilland abwechselnd an, und die Reaktion auf meine Worte war genau so, wie ich befürchtet hatte: Becker sperrte einfach den Mund auf und starrte mich an, aber auf Havillands Gesicht machte die anfängliche Überraschung sehr schnell einer Aufwallung von Zorn Platz.
»Sie sind –«

»Nicht die Art von Magier, die Sie vermuten, Professor«, sagte ich rasch. »Bitte, lassen Sie mich erklären.«
Havillands Gesicht war kalt wie Stein, aber er zwang sich ein Kopfnicken und ein kaum verständliches »Bitte« ab.
»Ich bin kein Varieté-Zauberer, wenn Sie das meinen«, sagte ich. »Auch kein Taschenspieler oder einer von diesen Okkultismus-Spinnern.«
»Nein, Sie sind ein wirklicher Zauberer, selbstverständlich«, sagte Havilland. Seine Stimme troff vor Hohn. Ich konnte es ihm nicht einmal übelnehmen – ich kannte diese Reaktion zur Genüge. Trotzdem ärgerten mich seine Worte.
»Aber Sie geben doch zu, daß sich das, was ich da aufgeschrieben habe, genau mit Ihrer Theorie deckt, oder?« fragte ich, schärfer, als ich eigentlich vorgehabt hatte.
»Es gibt ein paar... interessante Parallelen«, gestand Havilland zögernd. »Aber das –«
»Parallelen?« unterbrach ich ihn. »Ich schwöre Ihnen, Professor, es war so. Sehen Sie, es ist nicht das erstemal, daß ich diese Art von Träumen habe. Es ist schon ein paarmal vorgekommen, und fast immer ist danach... irgend etwas Schreckliches passiert.«
»Oh, eine Art Warnung, wie?« sagte Havilland. »Dann sind Sie ein Hellseher. Der einsame Rufer in der Wüste, auf den niemand hört.« Der Spott in seiner Stimme klang nicht echt; er täuschte ihn nur vor, um seine Unsicherheit zu überspielen. Ich hatte ihn vorhin bloß zu beobachten brauchen, um genau zu wissen, daß ihn das Gelesene nicht nur überrascht, sondern regelrecht erschüttert hatte. Und ich glaubte auch zu wissen, warum.
Ich deutete auf das Manuskript. »Da sind nicht nur ein paar zufällige Parallelen, stimmt's? Das da deckt sich hundertprozentig mit Ihren Forschungsergebnissen.«
»Blödsinn«, sagte Becker. Aber Havilland schwieg, und sein Blick sagte viel mehr als Beckers etwas zu heftige Reaktion. Ich konnte direkt sehen, wie es hinter seiner Stirn arbeitete.
»Wer sind Sie?« fragte er schließlich. »Wer sind Sie wirklich, Mr. Craven?«
Und ich sagte es ihm. Ich nahm mir Zeit, und ich erzählte ihm – fast – die ganze Geschichte: Von meiner Jugend, die ich zusammen mit meinem Großvater verbracht hatte, von

den schrecklichen Ereignissen, die kurz nach meinem zwanzigsten Geburtstag begonnen und mit dem Tode meines Vaters geendet hatten – und der Entdeckung, daß ich nicht das unbedarfte Waisenkind war, als das mein Großvater mich aufgezogen hatte, sondern niemand anders als Robert Craven II., der Sohn und Erbe des gleichnamigen Hexers. In mir schlummerten Kräfte, die ich selbst noch nicht richtig verstand und vielleicht auch gar nicht verstehen wollte, das magische Erbe meines Vaters, das ich in den letzten Jahren erst ganz behutsam zu entdecken begonnen hatte.

Es dauerte lange, bis ich mit meiner Erzählung zu Ende gekommen war, aber Havilland unterbrach mich kein einziges Mal, und selbst Becker hörte wortlos und mit wachsendem Staunen zu. Auch als ich fertig war, schwieg der Professor noch eine ganze Weile.

»Was Sie da erzählen, ist schwer zu glauben, Mr. Craven«, sagte er schließlich.

»Ich weiß«, antwortete ich. »Und ich verlange es auch gar nicht, Professor. Hätte mir irgend jemand vor einigen Jahren die gleiche Geschichte erzählt, hätte ich ihn einfach für verrückt erklärt. Aber sie ist wahr.« Ich deutete wieder auf das Manuskript. »Es ist nicht das erstemal, daß ich diese Art von ... Vision habe«, fügte ich hinzu. »Ich weiß nicht, was sie bedeuten. Vielleicht ist es wirklich eine Art ... Hellsehen. Aber ich habe gelernt, auf diese Warnungen zu hören, Professor.«

»Und was verlangen Sie jetzt von mir?« fragte Havilland.

Ich zuckte hilflos mit den Schultern. »Ich weiß es nicht«, gestand ich. »Ich weiß nur, daß das, was ich in diesem Traum gesehen habe, sich genau so zugetragen hat, und zwar hier ganz in der Nähe. Und ich weiß, daß irgend etwas passieren wird. Bald.«

Havilland verzog die Lippen. Er versuchte vergeblich, seiner Stimme einen abfälligen Klang zu verleihen. »Sie meinen, daß die Toten wieder auferstehen und Hellmarks Fluch wahrmachen werden?«

»Vielleicht«, sagte ich ernst. »Vielleicht passiert aber auch etwas ganz anderes. Ich weiß zu wenig von diesen Dingen. Deshalb bin ich hier, Professor Havilland. Ich brauche jemanden, der mir hilft, dieses Rätsel zu lösen. Bevor etwas Schreckli-

ches geschieht.«
»Ich glaube nicht an Zauberei oder übersinnliche Wahrnehmungen«, sagte Havilland. »Ich bin Wissenschaftler, Mr. Craven.«
»Auch die Magie ist eine Art Wissenschaft«, antwortete ich. »Sie hat nichts mit Zauberei zu tun, Professor. Aber es gibt Kräfte in der Natur, die wir noch nicht verstehen und die uns deshalb wie Zauberei vorkommen. Arbeiten Sie mit mir zusammen, Professor. Lassen Sie uns gemeinsam versuchen, dieses Rätsel zu lösen. Was haben Sie zu verlieren?«
Havilland antwortete auch diesmal nicht sofort, sondern tauschte einen langen, sehr langen Blick mit Jake Becker. Dann seufzte er tief und drehte sich mit einer müde wirkenden Bewegung wieder zu mir herum.
»Bitte lassen Sie uns einen Moment allein, Mr. Craven«, sagte er. »Jake und ich müssen darüber reden.«
»Selbstverständlich.« Ich stand auf, verließ die Küche und schloß sorgsam die Tür hinter mir. Äußerlich war ich ganz ruhig, aber diese Ruhe war so vorgetäuscht und falsch wie die Gelassenheit Havillands. Hinter meiner Stirn tobte ein wahrer Sturm einander widersprechender Gefühle und Gedanken – auf der einen Seite war ich erleichtert, Havilland endlich die Wahrheit gesagt zu haben, auf der anderen Seite war ich mir vollkommen darüber im klaren, daß meine Chancen, die nächste Stunde noch in diesem Haus zu verbringen, nicht allzu gut standen. Havillands Reaktion auf mein Manuskript hatte mir bewiesen, daß ich ins Schwarze getroffen hatte – wahrscheinlich standen auf diesen zehn Seiten nicht nur eine Menge Dinge, die seine Theorie bestätigten, sondern auch die Antworten auf eine ganze Reihe von Fragen, die er bisher noch nicht hatte klären können.
Aber Havilland war Wissenschaftler mit Leib und Seele. Selbst wenn er es wollte – er konnte mir unmöglich so mir nichts, dir nichts glauben, daß ich ein Magier war, denn das würde bedeuten, daß er so ziemlich alles widerrufen mußte, woran er Zeit seines Lebens geglaubt hatte.
Ich blieb etwa zehn Minuten in der Diele stehen und wartete darauf, daß Havilland oder Becker herauskamen, dann hielt ich es einfach nicht mehr aus und ging zurück. Aber ich ging nicht wieder in die Küche, sondern tat etwas, was eigentlich

gegen meine Natur verstieß – ich legte das Ohr gegen die Tür und lauschte.
Durch das dicke Holz konnte ich nur Wortfetzen verstehen, aber was ich mitbekam, das war keine Diskussion mehr, sondern schon fast ein ausgewachsener Streit.
».. . völlig ausgeschlossen, Jake!« sagte Havilland gerade. »Es muß eine andere Erklärung geben!«
»Aber er wußte sogar die Namen!« antwortete Becker erregt. »Dabei haben Sie sie selbst erst vor ein paar Tagen entziffert! Nicht einmal ich kannte sie, bis gestern abend! Und dieser Bericht! Es ist, als ob er dabeigewesen wäre!«
»Trotzdem«, widersprach Havilland. »Ich –«
Hinter mir bewegte sich etwas.
Es war wie vorhin in der Halle – ganz plötzlich war dieses Gefühl wieder da, das unerschütterliche Wissen, nicht mehr allein zu sein, beobachtet, nein, schlimmer – belauert zu werden. Ich fuhr herum und fand mich allein. Der Korridor erstreckte sich hinter mir noch vier oder fünf Yards weit, ehe er vor einer geschlossenen Tür endete, und durch das große Fenster auf der linken Seite fiel heller Sonnenschein herein, der jeden Winkel des kleinen Raumes ausleuchtete. Es gab nicht einmal ein Versteck, das groß genug gewesen wäre, eine Maus aufzunehmen.
Ich atmete erleichtert auf, wollte mich wieder herumdrehen – und erstarrte ein zweites Mal, als mein Blick auf meinen Schatten fiel, der sich deutlich von der weißen Wand abhob. Aber das war nicht meine Silhouette, die er nachzeichnete. Es war der Schatten eines Riesen, breitschultrig und so muskulös, daß er schon fast mißgestaltet wirkte. Auf seinem Kopf saß ein gewaltiger, mit zwei riesenhaften Hörnern geschmückter Helm. In der rechten Hand hielt er etwas, das ich mit jähem Schrecken als ein fast meterlanges Schwert erkannte und das sich, obwohl ich weiter starr und wie gelähmt dastand, jetzt ganz allmählich hob, wie zu einem tödlichen Streich –
In diesem Moment wurde die Küchentür geöffnet, und von einer Sekunde auf die andere war der Spuk verschwunden, der Schatten wieder mein eigener Schatten. Erschrocken fuhr ich herum, starrte in Beckers leicht verwundert dreinblickendes Gesicht und wandte dann abermals den Kopf, darauf ge-

faßt, wieder die schreckliche Erscheinung zu sehen. Aber sie war fort. Und erst jetzt bemerkte ich, daß auch das Gefühl der Gefahr verschwunden war. Mein Herz hämmerte. Ich spürte, wie meine Hände zitterten.
»Ist Ihnen nicht gut?« fragte Becker besorgt.
Ich schüttelte ein wenig zu hastig den Kopf. »Alles in Ordnung«, log ich. »Ich bin nur ... ein wenig nervös.« Ich deutete mit einer Kopfbewegung auf die Küche. »Was hat der Professor gesagt?«
Ich las die Antwort auf meine Frage in Beckers Augen, ehe ich sie hörte. »Es tut mir leid«, sagte er. »Aber er möchte nicht mehr mit Ihnen sprechen.«
»Aber –«
»Das ist sein letztes Wort«, unterbrach mich Becker. »Er dankt Ihnen für die Mühe, die Sie sich gemacht haben, und bittet Sie, ihm Ihr Manuskript noch ein Weilchen dazulassen, damit er sich eine Kopie anfertigen kann. Und im übrigen hat er mich gebeten, Ihnen beim Packen zu helfen.«

Ich sah Professor Havilland nicht einmal mehr wieder, um mich von ihm zu verabschieden. Becker begleitete mich auf mein Zimmer und half mir dabei, meine wenigen Habseligkeiten wieder in der Reisetasche zu verstauen, aus der ich sie erst vor ein paar Stunden herausgenommen hatte, aber ich spürte genau, daß dies nur ein Vorwand war – in Wirklichkeit paßte er auf mich auf, damit ich mich nicht noch einmal im Haus verirrte. Er war höflich, und sein Bedauern wirkte echt, aber er schüttelte unerbittlich den Kopf, so oft ich ihn auch bat, Havilland wenigstens noch einmal sprechen zu dürfen. Kaum eine Stunde nach dem so unglückselig verlaufenen Frühstück verließen wir Havillands Villa und stiegen in Beckers altersschwachen Dodge.
Er startete den Motor, fuhr aber noch nicht los, sondern sah mich fragend an. »Es gibt zwei Möglichkeiten«, sagte er. »Ich kann Sie mit dem Wagen in die nächste Stadt fahren, in der es einen Bahnhof gibt. Oder Sie mieten Crandells Boot und lassen sich nach Nueva Arenia übersetzen. Eine kleine Insel, eine halbe Stunde entfernt«, fügte er auf meinen fragenden Blick hinzu. »Es gibt dort einen Flugplatz, auf dem Sie eine Maschine chartern können.«

Ich überlegte nicht lange. Mir stand wahrlich nicht der Sinn nach einer weiteren endlosen Auto- oder Bahnfahrt. Ich teilte Becker meine Entscheidung mit, und er fuhr wortlos an.
Der Weg war nicht weit – Havillands Villa lag ja praktisch am Strand, und obwohl die Straße ein paar völlig überflüssige Kehren und Windungen machte, brauchten wir kaum zehn Minuten, um den winzigen Hafen von Santa Maria de La Arenia zu erreichen, der eigentlich nur aus einer windschiefen Hütte und einem wackeligen Steg bestand, an dem nur ein einziges Boot festgemacht war: eine kleine, relativ moderne Yacht, nichts für die offene See, aber sicher und groß genug, den Halbstunden-Trip zu der von Becker genannten Insel zu wagen. Becker bat mich, einen Moment im Wagen zu warten, stieg aus und ging zu der Yacht hinüber. Ich sah, wie er unter Deck verschwand. Kaum zwei Minuten später kam er in Begleitung eines jungen Mannes in ausgewaschenen Jeans und Lederjacke zurück.
Ich stieg aus dem Wagen und ging den beiden entgegen. Bekker stellte seinen Begleiter als Hendrick Crandell vor, den Besitzer des Bootes, und erklärte, daß er bereits alles mit ihm ausgemacht habe. Crandell würde mich übersetzen, noch dazu zu einem Preis, der überraschend niedrig war, selbst für mexikanische Verhältnisse. Havilland schien es wirklich verdammt eilig zu haben, mich wieder loszuwerden.
Das Meer war ungewöhnlich ruhig. Während der Nacht hatte es Sturm gegeben, aber gegen Morgen hatte sich der Wind gelegt, und seit beinahe einer Stunde war es sogar völlig windstill. Es war auch nicht mehr so kalt wie am Vortag, obwohl mir ein eisiger Hauch von der Wasseroberfläche entgegenschlug, als ich das Boot betrat.
Becker trug mein Gepäck unter Deck, und Crandell ging ins Ruderhaus und startete die Maschine. Überrascht beobachtete ich, wie Becker sich daranmachte, die Taue zu lösen, die das Boot am Steg hielten.
»Sie fahren mit?« fragte ich.
»Der Professor hat mich darum gebeten«, antwortete er mit erstaunlicher Offenheit. »Es ist nur eine Stunde hin und zurück.«
»Und er wollte sichergehen, daß ich auch wirklich verschwinde«, fügte ich finster hinzu.

Becker wirkte fast verlegen, als er nickte. »Ich fürchte, ja«, gestand er. »Sie müssen Havilland verstehen, Mr. Craven. Er hat eine Menge schlechter Erfahrungen gemacht, seit er seine Forschungsergebnisse veröffentlicht hat.« Er machte eine gleichzeitig entschuldigende wie erklärende Geste und griff nach der niedrigen Reling, als sich das Boot mit einem leichten Ruck in Bewegung setzte. »Kennen Sie seine Theorie?«
»In groben Umrissen«, gestand ich. Fröstelnd schlug ich den Jackenkragen hoch und blickte auf das Meer hinaus. Die Kälte war jetzt deutlicher zu spüren, aber irgendwie bereitete mir der Gedanke, unter Deck zu gehen, Unbehagen.
»Ich habe sie zu Anfang auch nicht geglaubt«, fuhr Becker fort. »Aber er hat mich überzeugt. Ich glaube, daß er recht hat. Und Ihr... Erlebnis scheint das ebenfalls zu beweisen.«
»Was?« fragte ich. »Daß die Wikinger vor Kolumbus hier waren? Das weiß doch jedes Schulkind.«
»Eben nicht«, antwortete Becker. »Es gibt Vermutungen, daß sie in Nordamerika waren, aber das hier...« Er stockte, schien nach Worten zu suchen. »Es würde so viel erklären. Havillands Funde beweisen, daß mindestens eine Expedition der Wikinger auch Mittelamerika erreichte. Und es gibt Legenden der Azteken.«
»Was für Legenden?« fragte ich.
»Die weißen Götter der Mayas und Azteken«, erläuterte Becker. »Ihre Legenden sind voll davon – weiße Götter, die aus dem Norden kamen, über das Meer. Bisher waren es nur Legenden, aber jetzt...«
»Dann verstehe ich um so weniger, warum Havilland mein Angebot, ihn bei seinen Forschungen zu unterstützen, nicht annimmt«, sagte ich aufgebracht.
»Er kann es nicht, Mr. Craven«, sagte Becker ruhig. »Glauben Sie mir, ich habe versucht, ihn zu überzeugen.«
»Ich weiß«, sagte ich.
Becker war überrascht. »Können Sie auch Gedanken lesen?« fragte er amüsiert, aber auch ein ganz kleines bißchen verunsichert.
»Nein«, gestand ich. »Ich habe an der Tür gelauscht.«
Becker grinste. »Es ist nicht so, daß wir Ihnen nicht glauben, Mr. Craven«, sagte er. »Im Gegenteil. Havilland war tief be-

eindruckt von ihren Aufzeichnungen.«
»Aber warum nimmt er mein Angebot dann nicht an?«
»Weil er es sich nicht leisten kann«, antwortete Becker ernsthaft. »Bitte nehmen Sie es nicht persönlich, aber Sie haben es selbst gesagt: Sie sind kein Wissenschaftler, sondern ein ...«
»Magier«, half ich ihm aus, als ich spürte, daß er Hemmungen hatte, das Wort auszusprechen.
»Ja«, sagte Becker. »Genau das ist es. Der Professor befindet sich in einer äußerst präkeren Situation. Die meisten seiner Kollegen lehnen seine Theorie ab. Man hat ihn in den letzten Jahren wiederholt angegriffen, hat versucht, ihn lächerlich zu machen. Wenn jetzt herauskäme, daß er sich von jemandem wie Ihnen helfen läßt ...«
»Ich verstehe«, sagte ich.
»Nein«, behauptete Becker überzeugt. »Das glaube ich nicht. Sehen Sie, es ist so, daß wir ganz kurz vor dem endgültigen Durchbruch stehen. Havilland ist felsenfest davon überzeugt, daß es sich bei dem Toten, den Sie gesehen haben, um Leif Erickson handelt. Und er glaubt, es beweisen zu können. Aber er darf jetzt nicht das geringste Risiko eingehen. Nicht in dieser Situation.«
Ich dachte an den Schatten, den ich gesehen hatte. Für einen Moment war ich nahe daran, Becker davon zu erzählen, aber dann tat ich es doch nicht. Becker würde mir nicht glauben, das wußte ich.
»Leif Erickson«, murmelte ich. »Ist er sich da ganz sicher?«
Becker schwieg einen Moment. »Nicht ganz«, gestand er. »Aber beinahe.«
»Eine kühne Behauptung«, wandte ich ein. »Angesichts einer Leiche, die nichts mehr sagen kann.«
»Oh, er ist nicht ganz stumm«, antwortete Becker beleidigt. »Dieser Mann war kein gewöhnlicher Seefahrer. Er wurde in einem Fürstengrab gefunden. Einem Grab, das bis ins letzte Detail denen glich, mit denen hochstehende Persönlichkeiten der Wikinger bestattet wurden.«
»Aber wer sagt ihm, daß dieser Tote Erickson ist?«
»Die Grabbeigaben«, antwortete Becker. »Die Wikinger begruben ihre Fürsten zusammen mit ihren Schiffen – und zusammen mit einer Unmenge anderer Dinge. Und er hat Inschriften mit Namen gefunden – Ericksons und denen einiger

anderer. Seine Forschungen sind noch nicht ganz abgeschlossen, aber er ist fast sicher, daß es sich bei diesem Mann um Leif Erickson persönlich handelt. Wenn Havilland es beweisen kann...«
Er sprach nicht weiter, aber ich verstand ihn auch so. Ich begriff sogar, warum Havilland so heftig reagiert hatte – wenn er recht hatte und wenn er das auch noch beweisen konnte, dann konnte er mit einer Sensation aufwarten, die ungefähr der Entdeckung Trojas gleichkam. Aber irgend etwas sagte mir, daß die Geschichte einen Haken hatte. Ich sah Becker forschend von der Seite an.
»Sie selbst sind nicht so überzeugt, daß der Tote Leif Erickson ist, stimmt's?«
Becker wich meinem Blick aus, zuckte mit den Achseln und schlug fröstelnd die Arme um den Oberkörper. »Warum gehen wir nicht unter Deck?« fragte er, das Thema abrupt wechselnd, ohne meine Frage zu beantworten.
Ich schüttelte den Kopf. Auch mir war kalt, aber nicht so kalt, daß ich es nicht mehr ausgehalten hätte. Und ich wurde zunehmend nervöser. Ich hatte das Gefühl – nein, das sichere Wissen, daß etwas passieren würde, aber ich wußte noch nicht, was.
»Dann hole ich uns wenigstens einen Becher Kaffee«, sagte Becker. »Crandell hat immer eine Thermoskanne voll, bei diesem Wetter.« Er grinste. »Laufen Sie mir nicht weg.«
Das Boot bewegte sich langsam weiter nach Osten, während Becker in der winzigen Kajüte der Yacht verschwand. Ich trat dichter an die Reling heran und versuchte, die Insel, von der Becker gesprochen hatte, am Horizont zu entdecken, aber es gelang mir nicht. Dabei konnte sie nicht mehr weit entfernt sein, denn Becker hatte von einer knappen halben Stunde Fahrt gesprochen, und das Boot war nicht sehr schnell. Aber die Sicht war nicht besonders gut – über dem Meer lag Nebel in dichten, wogenden Schwaden, als wäre eine Wolke vom Himmel gefallen, und die Meeresoberfläche war seltsam glatt; man sah kaum Wellen.
Becker kam zurück, in jeder Hand einen Becher mit dampfendem Kaffee. Ich nahm einen davon wortlos entgegen und nippte an dem heißen Getränk. Der Kaffee schmeckte scheußlich, aber die Wärme tat gut. Wir sprachen nicht viel

während der nächsten zehn Minuten, aber ich spürte, daß sich Becker fast genauso unwohl in seiner Haut fühlte wie ich.
Nach einer Weile wurde die Tür des Ruderhauses geöffnet, und Crandell kam heraus. Er trug jetzt einen dicken Parka mit pelzgefüttertem Kragen, und sein Atem kondensierte zu kleinen rhythmischen Dampfwölkchen vor seinem Gesicht, als er sprach. Ich hätte nie gedacht, daß es an der mexikanischen Küste so kalt werden kann!
»Der Nebel wird dichter«, sagte Crandell, an Becker gewandt. »Wollen Sie noch weiter, oder fahren wir zurück?«
»Zurück?« Becker runzelte die Stirn. »Wir haben doch schon fast die halbe Strecke hinter uns!«
»Trotzdem«, sagte Crandell mit einer Geste auf die Nebelbank. Sie war tatsächlich dichter geworden, wenn auch längst nicht so dicht, daß sie wirklich eine Gefahr darstellen würde. »Es wird schlimmer.« Seine Stimme klang beunruhigt. Ich hatte das Gefühl, daß er Angst hatte. Und seine nächsten Worte schienen meine Vermutung zu bestätigen.
»Ich habe so etwas noch nie erlebt«, sagte er kopfschüttelnd. »Diese Kälte und dieser Nebel! Dabei lebe ich schon seit über zehn Jahren hier.«
Becker überlegte einen Moment. »Ist es so schlimm, daß wir zurückfahren müssen?«
»Nein«, antwortete Crandell. »Aber es kann sein, daß wir auf der Insel festsitzen, bis sich die Suppe wieder aufgelöst hat.«
»Dann fahren wir weiter«, bestimmte Becker.
Hendrick resignierte. Mit einem lautlosen Seufzer wandte er sich um, um zu dem winzigen Ruderhaus im Bug des Schiffes zurückzugehen. Aber dann blieb er mitten im Schritt wieder stehen und deutete nach vorne.
»Was ist denn das?« fragte er verblüfft.
Auch Becker und ich sahen angespannt nach vorne. Der Nebel hatte sich, während wir miteinander gesprochen hatten, weiter verdichtet, und dahinter schienen gewaltige, massige Schatten zu wogen, deren Umrisse hinter den grauen Schwaden zerflossen.
Ich blinzelte, fuhr mir mit der Hand über die Augen und sah noch einmal hin. Nein, es war keine Täuschung. Irgend etwas bewegte sich dort vorne.

»Was ist das?« fragte Becker stockend. »Ein anderes Schiff?« Crandell runzelte die Stirn und setzte dazu an, etwas zu sagen, trat aber dann mit einem stummen Kopfschütteln an uns vorbei und starrte aus zusammengekniffenen Augen in den Nebel. Die brodelnde Wolke war näher gekommen.

»Da treibt etwas auf uns zu«, murmelte er. »Etwas verdammt Großes, würde ich sagen.«

»Vielleicht ein Schiff?« sagte Becker noch einmal. Hendrick schüttelte überzeugt den Kopf. »Kaum. Das Meer ist hier viel zu seicht für ein größeres Schiff. Sogar mit einer Nußschale wie unserer können wir auf Grund laufen, wenn wir nicht aufpassen.«

»Aber das Ding dort vorne ist so groß wie ein Schiff,« mischte ich mich ein. »Man hört gar nichts... Seltsam.«

Becker sah mich unsicher an. »Vielleicht ist es doch besser, wenn wir zurückfahren«, sagte er plötzlich. »Der Professor wird das verstehen. Wir versuchen es noch einmal, wenn sich der Nebel verzogen hat. Ich habe keine Lust, von einem Öltanker gerammt zu werden.«

Das war nicht der wahre Grund, das spürte ich ganz genau. Aber weder Crandell noch ich widersprachen. Etwas an diesem Nebel war unheimlich. Er kam mir plötzlich gar nicht mehr vor wie Nebel, sondern wie ein Versteck, eine Tarnkappe, in deren Schutz irgend etwas herankroch...

Hendrick wollte sich herumdrehen und wieder ins Ruderhaus treten, aber in diesem Moment ergriff ihn Becker am Arm und drückte so heftig zu, daß Hendrick vor Schmerzen die Luft ausstieß. Er fuhr herum und wollte die Hand beiseite schlagen. Dann erstarrte er mitten in der Bewegung.

Und auch ich konnte einen erschrockenen Ausruf nur im letzten Moment unterdrücken. Beckers Arm deutete aufs Meer hinaus, auf eine Stelle, die keine zwanzig Yards von unserem Boot entfernt war. Das Wasser, das eben noch so still und ruhig gewesen war, als wäre es mit Öl übergossen worden, begann plötzlich zu brodeln und zu wogen. Große, schillernde Blasen stiegen aus der Tiefe empor und zerplatzten. Ich glaubte einen Schatten zu sehen, der ganz langsam unter der Wasseroberfläche heranwuchs.

»Was ist das?« fragte Becker. Seine Stimme bebte, und als er den Kopf wandte und erst Hendrick und dann mich anstarrte,

flackerte Furcht in seinen Augen.
Hendrick streifte seine Hand mit sanfter Gewalt ab, trat dicht an die Reling heran und beugte sich vor, so weit es ging. »Ich habe keine Ahnung«, gestand er. Zögernd trat ich neben ihn. Das Herz hämmerte mir bis zum Hals. Ich mußte plötzlich wieder an den Schatten denken, den ich in Havillands Haus gesehen hatte, und mit einemmal war ich völlig sicher, daß es keine Einbildung gewesen war. Ich schalt mich in Gedanken einen Trottel, Becker nichts von meiner unheimlichen Beobachtung erzählt zu haben.
Aber es war zu spät. Das Wasser brodelte immer stärker, als begänne es zu kochen, und das dunkle Gebilde unter der Oberfläche wurde immer deutlicher.
»Da taucht etwas auf«, murmelte Crandell.
Ich kam nicht einmal dazu, zu antworten. Als wäre seine Bemerkung ein Stichwort gewesen, brach in diesem Moment ein gewaltiger, schwarzer Umriß schäumend aus dem Wasser hervor.
Mit einer erschrockenen Bewegung prallte ich zurück. Das Boot erzitterte wie unter einem Faustschlag und legte sich stöhnend auf die Seite, und eine Welle eisigen Salzwassers spülte über Bord und durchnäßte uns bis auf die Haut. Doch davon spürte ich kaum etwas.
Fassungslos starrte ich auf das unglaubliche Ding, das direkt vor uns wie ein Schatten aus einer fernen, längst vergangenen Zeit auf den Wellen schaukelte.
Becker keuchte und rieb sich mit dem Handrücken das Salzwasser aus den Augen, und Crandell stand wie gelähmt mit weit offenem Mund da. Und noch ehe wir uns aus unserer Erstarrung lösen konnten, drehte sich die gespenstische Erscheinung langsam herum, so daß der gewaltige, geschnitzte Drachenkopf an ihrem Bug direkt auf das Schiff deutete...
»Großer Gott!« stammelte Becker. »Aber das ist doch unmöglich!«
Und doch war es wahr. Das Ding vor uns war kein Spuk, sondern Realität, so unglaublich es schien. Es war ein Wikingerschiff, ein langgestrecktes, graues Boot mit nur einem Mast und dem berüchtigten Drachenkopf am Bug. Vom Mast und den Aufbauten hingen feuchtes Seegras und Tang, und der Rumpf war über und über mit Muscheln verkrustet, als hätte

es jahrhundertelang auf dem Meeresgrund gelegen. Hinter der niedrigen Reling reihten sich Dutzende von runden, rostzerfressenen Schilden, und dicht vor seinem Heck waren noch Fetzen der gestreiften Zeltbahn zu erkennen, die seiner Besatzung Schutz vor Wind und Wetter gegeben hatte. Dünne graue Rauchfäden stiegen von seinem Deck auf, und wieder glaubte ich eine Bewegung in den tanzenden Schwaden wahrzunehmen, Umrisse, die immer wieder auseinandertrieben, kurz bevor sie Gestalt annehmen konnten. Es war unheimlich. Es machte mir Angst. Und nicht nur mir.
Langsam, dem Sog der Strömung folgend, trieb das Wikingerschiff auf unser Boot zu, bis die Rümpfe knirschend gegeneinander stießen.
Die Erschütterung warf mich um ein Haar von den Füßen, aber sie riß mich auch in die Wirklichkeit zurück. Im letzten Moment klammerte ich mich an der Reling fest. Mein Blick glitt über das Deck des Wikingerschiffes. Es war dick mit Tang und Schlamm bedeckt, nur da und dort lugte ein Stück rostiges Metall aus der Masse. Keine Bewegung. Keine Schatten. Es war bloß ein Streich gewesen, den mir meine überreizten Nerven gespielt hatten, dachte ich erleichtert.
»Was bedeutet das?« keuchte Becker neben mir. »Wie kommt dieses Schiff hierher? Das...« Seine Stimme versagte. Seine Augen waren so weit aufgerissen, daß es aussah, als würden sie jeden Moment aus den Höhlen quellen.
»Das weiß ich so wenig wie Sie«, murmelte ich, ohne den Blick von dem fremden Schiff zu wenden. Meine Furcht wich allmählich, und statt dessen ergriff eine kaum mehr zu bezwingende Erregung von mir Besitz. Jetzt würde Havilland mir glauben müssen. Wenn wir dieses Schiff zurückbrachten, dann würde er sich eher die Hand abhacken lassen, als mich fortzuschicken.
Die beiden Schiffe lagen Rumpf an Rumpf im Wasser. Zögernd hob ich die Hand, berührte einen der rostigen Metallschilde, die hinter der Reling des Wikingerbootes befestigt waren, und beugte mich darüber. Das Langboot war sehr viel größer als unsere Yacht, lag aber deutlich tiefer im Wasser, so daß ich das ganze Deck gut überblicken konnte.
»Was haben Sie vor?« fragte Crandell, aber ich antwortete gar nicht.

»Es muß Jahrhunderte auf dem Meeresgrund gelegen haben«, murmelte Becker neben mir. »Das ist... phantastisch. Unglaublich!« Er schüttelte ein paarmal den Kopf, wandte den Blick und sah mich an. »Haben Sie eigentlich eine Ahnung, was wir da entdeckt haben?« fragte er. »Das Ding ist mindestens acht- oder neunhundert Jahre alt! Es... es muß ein Teil der Flotte sein, mit der Erickson hierhergekommen ist!«
Er richtete sich plötzlich auf und sah sich suchend an Deck um. »Ich brauche das Tau dort hinten«, sagte er.
»Was haben Sie vor?« Crandell rührte sich nicht von der Stelle, aber Becker stieß ihn einfach beiseite, lief hastig zum Heck und kam mit dem Tau in der Hand zurück. »Helfen Sie mir, Craven!« sagte er.
Unter Crandells verblüfften Blicken knotete er das eine Ende um die Reling der Yacht und warf den Rest auf das Deck des Wikingerschiffes hinunter.
»Tun sie das nicht«, sagte Crandell. Er sprach sehr leise, aber in seiner Stimme war ein Unterton, der mich aufhorchen ließ. Ich sah ihn an. Sein Gesicht war bleich vor Furcht.
»Sind Sie verrückt, Hendrick?« antwortete Becker aufgeregt. »Ich werde unseren Fund in Schlepp nehmen – oder glauben Sie wirklich, ich lasse das Schiff hier? Das ist eine Sensation!«
Crandell biß sich nervös auf die Lippen. Sein Blick suchte die wogende Nebelbank und tastete dann unsicher über den Rumpf des Wikingerbootes. »Wahrscheinlich haben Sie recht«, murmelte er. »Aber...«
»Nichts aber«, unterbrach ihn Becker. »Hier, halten Sie das!« Er drückte dem völlig verblüfften Crandell das Seil in die Hand, stieg mit einer entschlossenen Bewegung auf die Reling hinauf und sprang in das Wikingerschiff hinunter. Dann winkte er mir, ihm zu folgen.
Ich zögerte einen Moment. Irgend etwas sagte mir, daß Crandells Furcht nicht ganz unbegründet war. Aber dann verscheuchte ich diesen Gedanken und kletterte rasch hinter Becker auf das Wikingerschiff hinunter.
Das morsche Holz knirschte hörbar unter meinem Gewicht, und für einen winzigen Moment fürchtete ich, glattweg durch den Boden zu brechen. Aber er hielt.
Becker sah sich einen Augenblick unschlüssig um, nahm das

Tauende auf und ging damit zum Bug des Wikingerbootes. Sorgfältig knotete er es um den Hals des geschnitzten Drachen, überzeugte sich von seinem festen Sitz und drehte sich wieder um. Sein Blick glitt über den schlammbedeckten Boden.
»Unglaublich!« sagte er immer wieder. Erregt kam er auf mich zu, packte mich bei den Rockaufschlägen und schüttelte mich, bis ich seine Hand mit sanfter Gewalt abstreifte.
»Das ist ungeheuerlich!« rief er aufgeregt. »Wissen Sie eigentlich, was wir da gefunden haben?«
Ich glaubte es zumindest zu wissen, aber es gefiel mir nicht. Mit jeder Sekunde, die ich an Bord dieses Schiffes verbrachte, fühlte ich mich unwohler. Für einen Moment hatte Beckers wissenschaftliche Euphorie mich mitgerissen, aber das Gefühl verging rasch, und zurück blieben ein deutliches Gefühl der Beklemmung und eine ganze Menge ungelöster Fragen, die mir ganz und gar nicht gefielen – wie zum Beispiel die, wo dieses Boot herkam, ausgerechnet jetzt. Ich zweifelte nicht an Beckers Behauptung, dieses Schiff sei Teil von Leif Ericksons Flotte gewesen – ganz im Gegenteil: Ich wußte, daß es so war. Aber das bedeutete, daß dieses Schiff tausend Jahre lang auf dem Meeresgrund gelegen hatte, eingehüllt in Schlick und Muschelkalk, und, verdammt noch mal, Schiffswracks lösen sich nicht einfach vom Meeresgrund und steigen wieder auf.
»Unglaublich!« stammelte Becker. Erregt ließ er sich auf die Knie herabfallen und grub etwas Kleines, Glänzendes aus dem Schlamm, der das Deck fast knöcheltief überzog. »Schauen Sie sich das an, Craven!«
Vom Deck unseres eigenen Bootes erklang ein gellender Schrei.
Ich fuhr herum, blickte erschrocken hinüber und sah, daß Crandell wie gebannt in Richtung der Nebelwand starrte. Und mein Herz machte einen schmerzhaften Sprung, als ich den Blick wandte und ebenfalls in das wogende graue Nichts sah. Die Schatten, die wir beobachtet hatten, waren nähergekommen. Aber es waren keine Schatten mehr.
Es waren ... Schiffe.
Schiffe, wie das, auf dem wir selbst standen!
Drei, vier, schließlich fast ein halbes Dutzend schlanker, dra-

chenköpfiger Wikingerboote brachen aus der Nebelwand und hielten direkt auf uns zu. Sie waren in ähnlich verrottetem Zustand wie das Boot, auf dem wir uns befanden, die Rümpfe waren mit Schlamm und Muschelkalk verkrustet, die Segel hingen in Fetzen von den Rahen. Trotzdem bewegten sie sich mit einer geradezu unglaublichen Geschwindigkeit.
Becker schrie gellend auf, und ich selbst hatte das Gefühl, von einer eisigen, unsichtbaren Hand gestreift zu werden, als die Schiffe nahe genug waren, daß wir mehr Einzelheiten erkennen konnten: Auch hinter ihren Bordwänden reihten sich runde, von Rost und Jahrhunderten zernagte Schilde, genau wie auf diesem Boot. Aber anders als bei diesem waren die Decks der Schiffe nicht leer! Über die Ränder der metallenen Schilde blickten Dutzende von grauen, mit gewaltigen Hörnerhelmen gekrönte Totenschädel...
Und die Toten bewegten sich!
Die Schiffe waren schon fast heran, als Becker und ich endlich aus unserer Erstarrung erwachten. Wir wirbelten herum und rannten mit weit ausgreifenden Schritten auf Crandells Yacht zu.
Becker schaffte es. Und ich auch – beinahe.
Ich war noch einen Schritt von der Reling des Wikingerbootes entfernt, als die morschen Planken unter meinen Füßen nachgaben. Ich spürte, wie ich einbrach, warf mich mit einer verzweifelten Bewegung nach vorne und bekam den rostigen Rand eines der Rundschilde zu fassen.
Alles geschah gleichzeitig: Ich sah, wie Becker mit einer kraftvollen Bewegung auf das höher gelegene Deck der Yacht hinaufflankte, wie Crandell mit einem einzigen Satz im Ruderhaus verschwand und Becker wieder herumfuhr, mit ausgestreckten Armen nach meinen Händen greifend, um auch mich in Sicherheit zu ziehen. Gleichzeitig gab das morsche Holz unter meinen Füßen endgültig nach; ich brach bis an die Hüften ein, klammerte mich aus einem blinden Reflex heraus noch fester an den rostzernagten Schild und schrie vor Schmerz, als das spröde Eisen wie ein Messer in meine Handflächen schnitt. Blut lief an meinen Armen herab und tropfte auf das Deck.
Und im gleichen Moment erwachten die Schatten.
Es war, als würde eine unsichtbare Tür aufgestoßen, eine Tür

in eine düstere, verbotene Welt, hinter der das Grauen lauerte. Ein dumpfer, an- und abschwellender Ton heulte plötzlich über das Deck des Langbootes, ein Laut wie ein Schrei aus einer tausend Jahre alten Kehle, und obwohl ich nicht sah, was sich hinter mir abspielte, sagte mir das jähe Entsetzen in Beckers Gesicht genug.
Seine Augen weiteten sich. Er schrie auf, aber seine Stimme ging in jenem entsetzlichen Heulen und Wimmern unter, und alle Farbe wich aus seinem Gesicht. Dann war plötzlich ein Schatten über mir, ein riesiger, mißgestalteter Schatten, dessen Kopf in zwei gewaltigen, gegeneinander geneigten Hörnern auslief.
Blind vor Angst und halb verrückt vor Entsetzen zog ich mich mit einem Klimmzug an dem Metallschild hoch und strampelte wie wild mit den Füßen, um mich aus den zersplitterten Planken zu befreien.
Becker warf sich vor, packte meine Handgelenke und versuchte mich an Deck der Yacht hinaufzuzerren. Fast im gleichen Moment brüllten die beiden Dieselmotoren des Bootes auf, und die Yacht schoß los.
Das Wikingerboot leider auch.
Für einen kurzen, schrecklichen Moment hing ich wie über einem Abgrund. Die Reling des Langbootes glitt unter mir hinweg, wobei die Kanten der Rundschilde eine schmerzhafte Spur quer über meinen Brustkorb zogen, dann spannte sich das Tau, das Becker zwischen dem Drachenkopf und der Yacht geknüpft hatte, und das Wikingerboot jagte ebenfalls schäumend durch die Wellen!
»Festhalten!« brüllte Becker – und ließ meine Hände los.
Ich reagierte ganz instinktiv. Verzweifelt klammerte ich mich an die metallene Reling der Yacht, während Becker mit großen, grotesk aussehenden Sprüngen über das Deck jagte und in der Kajüte verschwand. Hinter mir erscholl wieder dieses entsetzliche, an- und abschwellende Heulen und Wimmern, und plötzlich berührte etwas meinen linken Fuß und krallte sich hinein.
Ich drehte den Kopf – und erstarrte vor Schrecken!
Was ich sah, war einfach unmöglich – ein Bild, das geradewegs aus einem Pinewood-Hammer-Film zu stammen schien. Und doch war es Realität, wie mir der immer schlimmer wer-

dende Schmerz in meinem linken Unterschenkel bewies.
Hinter mir stand ein Wikinger; ein Riese von gut sechs Fuß Größe, in einen zerfetzten schwarzen Mantel und einen ledernen Harnisch gehüllt. Er sah aus, als wäre er seit mindestens tausend Jahren tot, und wahrscheinlich war er das auch – was ihn freilich nicht daran hinderte, mit aller Gewalt mein Bein festzuhalten.
Allerdings nur mit einer Hand. Mit der anderen schwang er eine riesenhafte, rostige Axt...
Die Zeit schien stehenzubleiben. Wie in Zeitlupe sah ich, wie der riesige Wikingerkrieger seine Axt schwang und dabei drehte, so daß die schartige Klinge direkt auf meinen Fuß deutete, versuchte verzweifelt, mich zu befreien, und spürte, daß meine Kräfte nicht ausreichten. Die Axt erreichte den höchsten Punkt ihrer Bahn und schwenkte zurück.
Und ich trat mit aller Gewalt zu.
Mein rechter Fuß traf in das erstarrte Totenkopf-Grinsen des Mumienkriegers und löschte es aus. Der Tritt war nicht wuchtig genug, den Wikinger ganz zurückzuschleudern, aber er brachte ihn aus dem Gleichgewicht. Er schwankte. Die Axt, die mich um einen Fuß kürzer hatte machen sollen, traf einen der Rundschilde an der Reling und spaltete ihn auf voller Länge. Gleichzeitig riß ich meinen linken Fuß los – und schrie vor Schmerz und Enttäuschung auf, als sich mein Bein nun zwischen zwei der rostigen Schilde verhakte. Der Wikinger kam taumelnd wieder hoch und ergriff seine Axt mit beiden Händen. Das auf ewig erstarrte Grinsen seines Totenschädels schien mich zu verhöhnen.
Hinter mir flog die Tür der Kajüte auf. Becker kam zurück, und in seinen Händen lag ebenfalls eine Axt. Im ersten Moment dachte ich beinahe, er wollte sich dem Mumienkrieger zum Kampf stellen, aber er sprang mit zwei gewaltigen Sätzen an mir vorbei, schwang seine Waffe – und ließ sie mit aller Wucht auf das Tau niedersausen, das unsere Yacht mit dem Drachenboot verband. Funken stoben. Das armdicke Tau zerriß mit einem peitschenden Knall, das Wikingerschiff fiel ein Stück zurück – und dann hatte ich das Gefühl, als würden mir die Arme aus den Gelenken gerissen.
Das Wikingerboot folgte der Yacht noch immer, aber jetzt war ich es, der als unfreiwilliges Schlepptau herhalten mußte,

denn mein Fuß hing noch immer wie festgenagelt zwischen den beiden Rundschilden, während ich mich auf der anderen Seite an der Reling der Yacht festhielt. Aber wie lange noch? Meine Kräfte begannen bereits zu erlahmen. Ich spürte, wie ich, Zoll für Zoll, meinen Halt zu verlieren begann...
»Loslassen, Robert!« brüllte Becker. »Um Gottes willen – laß es endlich los!«
Ich weiß nicht, ob ich auf seine Worte reagierte oder ob meine Hände einfach nachgaben – aber einen Augenblick später fand ich mich kopfunter im Wasser. Mein Gesicht schrammte unsanft am Rumpf des Wikingerschiffes entlang, dann ging ein fürchterlicher Ruck durch mein Fußgelenk, und plötzlich war ich frei. Ich sank wie ein Stein. Das Wikingerboot glitt schäumend über mich hinweg.
Ich unterdrückte mit aller Macht den Impuls, nach Luft zu schnappen – schließlich befand ich mich fünf Yards unter der Wasseroberfläche –, paddelte verzweifelt mit Armen und Beinen und tauchte keuchend wieder auf.
Eine Sekunde später, kaum daß ich meine Lungen mit Luft vollgesogen hatte, wünschte ich mir fast, es nicht getan zu haben.
Die Gefahr war keineswegs vorbei.
Das Wikingerboot war ein gutes Stück über mich hinweggeschossen, aber es wendete jetzt mit einer schier unmöglich erscheinenden Bewegung auf der Stelle und glitt wieder auf mich zu. Hinter dem hochgereckten Drachenkopf erschien ein hörnergekröntes Totenkopf-Grinsen. Die hoch erhobene Axt in der rechten Hand des Mumienkriegers schien mir spöttisch zuzuwinken.
Und dann hörte ich hinter mir das Aufbrüllen eines Dieselmotors. Crandells Yacht schoß heran. Der rasiermesserscharfe Bug verfehlte mich um weniger als einen Yard. Die gewaltige Bugwelle erfaßte mich, schleuderte mich wie einen Korken zur Seite und fegte mich zehn, zwanzig Yards weit davon. Ich tauchte unter, schluckte Wasser und kam prustend und würgend wieder nach oben, gerade rechtzeitig, um zu sehen, wie Crandells Yacht das Wikingerboot genau mittschiffs rammte und säuberlich in zwei Hälften zerschnitt...

Eine Stunde später saß ich in Hallivands Wohnküche, trank die vierte oder fünfte Tasse Tee und fror noch immer zum Gotterbarmen. Der Tee war so heiß, daß ich mir fast die Zunge verbrühte, aber der Eisklumpen in mir wollte einfach nicht auftauen. Vielleicht war es auch nicht nur die Kälte, die ich spürte. Vielleicht war es einfach Angst, die sich wie ein kalter Stein in meinem Magen festgesetzt hatte.

»... und diese anderen Schiffe, die Sie gesehen zu haben glauben –«, sagte Havilland in diesem Moment.

»– sind verschwunden«, unterbrach ihn Crandell, »im gleichen Moment, in dem das Schiff versank. Und wir haben nicht geglaubt, sie zu sehen, Professor. Sie waren da. So wahr ich hier stehe.«

Es war das achte oder neunte Mal, daß wir die ganze Geschichte durchkauten, seit wir wieder in Havillands Haus angelangt waren. Crandell und Becker hatten mich aus dem Wasser gefischt, aber ich erinnerte mich kaum, wie wir zurückgekommen waren. Die beiden hatten mich in eine Decke gewickelt, doch die Kälte war so grausam gewesen, daß ich praktisch das Bewußtsein verloren hatte und erst wieder zu klarem Denken fähig gewesen war, nachdem mich Becker und Havilland unter eine heiße Dusche bugsiert hatten.

Seitdem redeten wir. Unentwegt. Das heißt: Becker, Crandell und Havilland redeten, und ich fror.

Natürlich glaubte Havilland kein Wort von dem, was Crandell und Jake Becker berichteten – und wie konnte er auch? Schließlich war er ein Wissenschaftler, jemand, der – wie man so schön sagt – mit beiden Beinen fest auf dem Boden der Tatsachen stand, und wie er auf alles, was nicht in sein wissenschaftlich untermauertes Weltbild paßte, reagierte, das hatte er mir vor weniger als zwei Stunden anschaulich demonstriert, als er mich aus dem Haus geworfen hatte.

»Und Sie, Mr. Craven?« wandte er sich jetzt an mich. »Sie behaupten auch, diesen ... Zombie gesehen zu haben?«

Das Wort ärgerte mich. Es weckte Erinnerungen an schlechte Viedo-Filme und Groschenheftchen, aber ich begriff auch, daß das ganz genau der Grund war, aus dem Havilland es gewählt hatte. Ich verbiß mir die scharfe Antwort, die mir auf der Zunge lag.

»Ich ganz besonders«, antwortete ich, mühsam beherrscht.

»Sie haben mein Bein doch gesehen, oder?«
Havilland antwortete vorsichtshalber nicht darauf. Er hatte mein Bein gesehen, genau wie alle anderen. Ich trug jetzt einen frischen Verband über dem linken Fußgelenk, aber darunter war meine Haut rot und aufgerissen, und selbst der Dümmste hätte die Umrisse der riesigen Hand erkannt, die ihren Abdruck darauf hinterlassen hatte.
»Es muß eine Sinnestäuschung gewesen sein«, beharrte Havilland. Aber seine Stimme klang jetzt fast verzweifelt.
»Sinnestäuschungen hinterlassen keine Wunden, Professor«, wandte Becker schüchtern ein.
Ich war ein wenig überrascht, daß er so offen meine Partei ergriff, aber Havilland reagierte eher wütend darauf.
»Manchmal schon«, behauptete er. »Wenn man sich etwas nur fest genug einbildet, dann...«
»Dann schauen Sie sich den Schaden an meinem Schiff an, Professor«, unterbrach ihn Crandell. »Ich glaube nicht, daß sich meine Yacht nur eingebildet hat, dieses Boot zu rammen«, fügte er spöttisch – aber auch hörbar verärgert – hinzu.
Havilland seufzte. Er wirkte wie ein in die Enge getriebenes Tier, daß noch immer um sich beißt, obgleich es längst begriffen hat, daß es keine Chance mehr hat. »Nein«, gestand er. »Natürlich nicht. Ich glaube Ihnen ja, daß Sie irgend etwas gerammt haben. Ich glaube Ihnen sogar, daß es dieses Boot gegeben hat. Aber der ganze Rest... ich meine, diese anderen Schiffe, und der... dieser Tote...« Er lachte. Es klang unsicher. »Sie müssen zugeben, daß es nicht besonders glaubhaft klingt. Für den Schaden an Ihrem Boot komme ich natürlich auf, Hendrick.«
Crandell nickte, aber es war ihm anzusehen, daß es ihm in diesem Augenblick wahrhaftig nicht darum ging. Gleichzeitig schien er allerdings auch einzusehen, daß es wenig Zweck hatte, jetzt noch weiter in Havilland zu dringen. Der Professor wollte einfach nicht glauben, was wir ihm erzählten.
»Dann werde ich jetzt zurückfahren und mich um mein Schiff kümmern«, sagte er.
»Tun Sie das, Hendrick«, sagte Havilland fast hastig. »Und noch eines...«
Crandell sah auf. »Ja?«
»Ich muß Sie nicht extra darum bitten, niemandem von

Ihrem ... Erlebnis zu erzählen, nicht wahr?«
Crandell lachte leise. »Kaum. Glauben würde es mir ja sowieso keiner.« Er verabschiedete sich mit einem Kopfnicken von uns und ging, aber sowohl Havilland als auch Becker schwiegen, bis nach einer Weile das Zuschlagen der schweren Eingangstür bewies, daß er das Haus endgültig verlassen hatte. Dann wandte sich Havilland mit einem Seufzer wieder an mich.
»Und nun zu Ihnen, Mr. Craven«, begann er.
Ich zog eine Grimasse. »Wollen Sie mir auch einreden, zu niemandem davon zu sprechen?« fragte ich.
»Bitte seien Sie doch vernünftig«, sagte Havilland. »Lassen Sie uns in aller Ruhe darüber reden – bitte.«
»Was gibt es da zu reden?« fragte ich verärgert. »Wir haben Ihnen erzählt, was wir erlebt haben, und Sie glauben es nicht.«
»Aber das stimmt doch gar nicht«, antwortete Havilland.
Ich blickte ihn verblüfft an, und plötzlich lächelte er. »Schauen Sie, ich wollte warten, bis Hendrick weg ist. Er ist ein netter Bursche, aber niemand, der Verständnis für ... solche Dinge hätte.«
Ich dachte einen Moment lang darüber nach, was er wohl mit *solchen Dingen* genau meinte, entschied dann aber, daß es für unser ohnehin angeknackstes Verhältnis vielleicht besser war, dies nicht zu genau zu ergründen. »Dann glauben Sie mir?«
»Ja«, antwortete Havilland. »Und nein.« Er lächelte abermals und machte eine erklärende Geste. »Schauen Sie, ich glaube Ihnen, daß Sie – Sie alle drei – der festen Überzeugung sind, dies alles erlebt zu haben. Ich glaube, daß es dieses Schiff wirklich gegeben hat und daß es jetzt dort draußen auf dem Meeresgrund liegt, von Crandells Yacht in zwei Teile zerschnitten. Aber alles andere ...«
»Professor, dieser Mann war da«, sagte Becker eindringlich. »Ich habe ihn gesehen. Ich habe ihn gehört. Ich ... ich habe ihn ... gerochen.«
Havilland seufzte. Langsam ging er zu seinem Stuhl zurück, setzte sich und blickte Becker und mich eine Weile abwechselnd an. Dann seufzte er wieder.
»Ja, er war da«, sagte er. »Aber nicht wirklich, sondern nur

hier oben.« Er berührte mit zwei Fingern seine Stirn. Dann sah er mich durchdringend an. »Gerade Sie sollten verstehen, was ich meine, Mr. Craven.«
»So?« sagte ich.
Havilland nickte. »Schauen Sie, ich war heute morgen ein wenig... rüde zu Ihnen. Aber ich glaube, Jake hat Ihnen erklärt, warum das so ist.«
»Heute morgen war die Situation völlig anders«, sagte ich, aber Havilland unterbrach mich sofort wieder.
»Ich habe Sie nicht hinausgeworfen, weil ich Ihnen nicht glaube, Mr. Craven«, sagte er. »Im Gegenteil. Ich bin zwar Wissenschaftler – auch wenn einige meiner geschätzten Kollegen dies bezweifeln –, aber ich glaube durchaus an übersinnliche Wahrnehmungen. Sie haben es ja selbst gesagt: Vielleicht ist das, was wir im allgemeinen mit Magie bezeichnen, nichts anderes als eine Wissenschaft, deren Grundlagen wir nur noch nicht begreifen. Einem Steinzeitmenschen wäre ein Fernseher auch wie Zauberei erschienen, nicht wahr?«
»Dann glauben Sie also auch, daß mein Traum –«
»Auf Wahrheit beruht?« Havilland machte ein bekümmertes Gesicht und nickte. »Oh ja. Ich habe keine Sekunde lang daran gezweifelt. Ich möchte fast sagen, ich weiß, daß es so war. Schauen Sie, Ihr Manuskript enthält so viele Beweise, die Antworten auf so viele Fragen... Ich bin sicher, daß es ganz genau so gewesen ist. Bis hin zu dem Fluch, den Hellmark ausgesprochen hat.«
»Und vielleicht erfüllt er sich jetzt gerade«, sagte ich düster.
»Aber nicht in der Form, daß die Toten aus ihren Gräbern aufsteigen«, sagte Havilland leise. »Ich glaube durchaus, daß der menschliche Geist... mehr ist als ein elektrisches Spannungsfeld. Vielleicht ist er wirklich unsterblich, und vielleicht kann er unter gewissen Umständen wirklich die Jahrtausende überdauern.« Er stockte. Er wirkte nervös, ja, fast ängstlich, aber ich schob diesen Eindruck auf das, was er gehört hatte.
»Außerdem sind Sie wohl kaum der Verantwortliche für das, was Hellmark geschah«, fuhr er nach einer Weile fort. »Warum sollten sie sich an Ihnen rächen, Mr. Craven?«
Für eine Sekunde hatte ich das Gefühl, die Antwort zu kennen. Aber der Gedanke entschlüpfte mir, ehe ich ihn voll-

ends ergreifen konnte.
»Und was gedenken Sie jetzt zu unternehmen?« fragte ich.
Havilland zuckte mit den Schultern. »Was sollte ich tun? Es gibt nichts, was ich unternehmen könnte, Mr. Craven – so wenig wie Sie.« Er stand auf. »Jake wird Sie in die nächste Stadt fahren. Ich danke Ihnen für Ihre Mühe.«
Ich starrte Havilland volle zehn Sekunden lang mit aufgerissenem Mund an, ehe ich begriff, was er mit diesen Worten meinte. »Sie... Sie wollen trotzdem, daß ich gehe?« ächzte ich.
»Natürlich.« Havilland nickte. »Jetzt mehr denn je. Ich hoffe, Sie glauben mir, daß es keine persönliche Sache ist – im Gegenteil. Ich denke, wir hätten Freunde werden können, wenn wir uns unter... sagen wir: weniger ungünstigen Umständen getroffen hätten. Aber ich kann und will mir in dem Stadium, in dem sich meine Arbeit gerade befindet, kein Risiko leisten. Ich muß Sie bitten, mein Haus zu verlassen.«
»Dann nehme ich mir eben ein Hotelzimmer«, sagte ich trotzig.
Havilland lächelte matt. »Es gibt kein Hotel hier«, sagte er. »Und auch niemand, der Sie privat aufnehmen würde. Ich kann Sie natürlich nicht zwingen, den Ort zu verlassen, aber wenn Sie darauf bestehen hierzubleiben, werden Sie wohl auf der Straße übernachten müssen.« Er lächelte wieder, aber es war ein kaltes, unpersönliches Lächeln, und als ich in seine Augen blickte, begriff ich, daß er seine Worte bitter ernst meinte. »Es wäre wirklich klüger, wenn Sie sich von Jake in die nächste Stadt bringen lassen würden.«
Und genau das tat ich dann auch.
Genauer gesagt – ich versuchte es.

Der Motor von Beckers altersschwachem Dodge klang, als wollte er jeden Augenblick auseinanderfallen, und die warme Luft, die aus den Schlitzen der Heizung im Armaturenbrett drang, roch ein bißchen nach verbranntem Gummi.
Ich bemerkte es kaum. Mein Blick war wie gebannt auf das Meer gerichtet, an dem sich die Küstenstraße entlangzog; auf das Meer und die graue, brodelnde Masse, die den Ozean zu einem Gutteil verschlungen hatte.
Es war Nebel.

Der gleiche, unheimliche Nebel, den wir schon am Morgen gesehen hatten. Aber er war dichter geworden. Dichter und irgendwie kompakter, als hätte er mehr Substanz angenommen. Wie eine undurchdringliche graue Wand lag er in einem weit geschwungenen Halbkreis vor der Küste, und obwohl es noch immer völlig windstill war, wogte und brodelte die graue Mauer, als würde sie vom Sturm gepeitscht. Dünne, halb zerfaserte Ausläufer tasteten wie zitternde Finger in Richtung Küste, und da und dort berührte das graue Nichts bereits den flachen, weißen Sandstrand. Irgend etwas Finsteres lauerte dort draußen, das spürte ich mit quälender Deutlichkeit.
Ich erwachte erst aus meinen düsteren Gedanken, als Becker auf die Bremse trat und der Dodge mit einem leichten Schaukeln zum Stehen kam. Ich sah auf. Beckers Blick irrte in die gleiche Richtung wie meiner, und ich glaubte auch in seinen Augen so etwas wie Beunruhigung zu erkennen – vielleicht sogar Furcht.
»Dasselbe wie heute morgen, nicht wahr?« fragte er.
Statt einer direkten Antwort deutete ich auf die Nebelbank.
»Haben Sie ein Fernglas im Wagen, Jake?«
Er nickte, beugte sich halb über mich und öffnete das Handschuhfach. Unter einem Wust von Papieren, zusammengeknüllten leeren Zigarettenschachteln und Bierdosen förderte er einen zerschrammten Armee-Feldstecher zutage, den er mir reichte.
Ich setzte das Glas an und blickte einen Moment lang mit klopfendem Herzen in den Nebel hinaus. Aber ich konnte auch durch die vergrößernde Optik nichts erkennen. Wenige hundert Yards vor der Küste schien das Meer einfach aufzuhören, gefressen von dem wogenden grauen Nichts.
Wortlos reichte ich den Feldstecher Becker zurück, der ebenfalls hindurchsah, sehr lange und sehr angespannt, wie ich registrierte.
»Fahren Sie zurück, Jake«, bat ich. »Ich ... ich muß noch einmal mit Havilland sprechen. Wenn er das da sieht, dann wird er mir glauben.«
Becker setzte den Feldstecher ab, sog hörbar die Luft ein und warf mir einen resignierten Blick zu.
»Das hat keinen Sinn, Robert«, sagte er. »Es geht nicht

darum, ob Havilland Ihnen glaubt oder nicht. Ganz im Gegenteil – er glaubt Ihnen ja ohnehin.«
»Und gerade da liegt das Problem, nicht wahr?« fragte ich.
Becker starrte mich einen Moment lang mit eng zusammengepreßten Lippen an, dann nickte er. Ich konnte direkt sehen, wie schwer ihm die kleine Bewegung fiel.
»Es gibt da etwas, was Sie mir nicht erzählt haben, Jake«, fuhr ich fort. »Wie ... kommen Sie darauf?« fragte Becker nervös. Er wich meinem Blick aus und starrte wieder den Nebel an. Aber ich spürte, daß ich mit meiner mehr oder weniger blind abgeschossenen Bemerkung genau ins Schwarze getroffen hatte. Havillands Nervosität hatte einen Grund; einen ganz anderen Grund, als ich bisher vielleicht angenommen hatte.
»Erzählen sie es mir, Jake«, bat ich. »Es könnte wichtig sein. Vielleicht lebenswichtig für Havilland.«
Becker atmete tief ein und wich abermals meinem Blick aus. Aber ich beging nicht den Fehler, weiter in ihn zu dringen. Und nach einer Weile begann er auch ganz von selbst:
»Heute morgen, Robert, als Sie an der Tür gelauscht haben – was haben Sie da gehört?«
»Nicht viel«, gestand ich mit einem verlegenen Grinsen. »Jedenfalls nicht das, worauf es anzukommen scheint. Was hat ihn an meinem Bericht so erschreckt?« Becker zündete sich mit zitternden Fingern eine Zigarette an, ehe er antwortete: »Was wissen Sie über den Professor, Robert?«
Ich zuckte mit den Schultern. »Nur das, was ich in ein paar Fachzeitschriften gelesen habe.«
Becker nickte, als hätte er nichts anderes erwartet. »Die meisten halten ihn für einen Amerikaner«, begann er. »Sein Name klingt amerikanisch, und er spricht ein so gutes Englisch, daß er selbst einen Harvard-Professor täuschen könnte.«
»Aber das ist er nicht«, vermutete ich.
»Nein. Havilland ist Norweger.«
»Norweger?« Ich starrte ihn an. Ein furchtbarer Verdacht stieg in mir empor. »Sie wollen sagen, daß – «
»Die Geschichte ist ein bißchen komplizierter, als die meisten glauben«, unterbrach mich Becker. »Sehen Sie, Havilland ist ... ist davon überzeugt, daß es einer ... einer seiner Vorfahren war, der Amerika wirklich entdeckte. Er kann es be-

weisen, Robert.«
»Und der Name dieses Vorfahren war...«
Becker sah mich auf eine Art an, die mich abrupt verstummen ließ. Nervös sog er an seiner Zigarette. Seine Hände zitterten, und er stieß den Rauch wieder aus, ohne ihn zu inhalieren. Man mußte wahrlich kein großer Menschenkenner sein, um zu erkennen, wie schwer es ihm fiel weiterzusprechen.
»Hören Sie zu, Robert«, sagte er. »Ich... ich habe Havilland mein Ehrenwort gegeben, zu keinem Menschen darüber zu sprechen, verstehen Sie, zu niemandem, ganz egal, was auch passieren mag. Aber ich... ich glaube, es muß sein. Vielleicht hängt sein Leben davon ab.«
»Oder das zahlloser anderer«, fügte ich hinzu.
Becker nickte. Er wirkte sehr müde. »Ich weiß«, sagte er. »Dieser Urahne, von dem ich gesprochen habe, Robert. Es ist Erickson.«
»Erickson?« Ich starrte ihn fassungslos an. »Leif Erickson?«
»Ja. Ich... habe genau dasselbe gedacht wie Sie, als er es mir sagte, aber mittlerweile... hat er mich fast überzeugt. Ich glaube, daß er die Wahrheit sagt. Havilland ist ein Urururururur-oder-was-weiß-ich-wievielter-Enkel Leif Ericksons. Und er kann es beweisen, wenn man ihm nur die Gelegenheit dazu gibt.« »Aber dann... Großer Gott!«
Ich fuhr herum und starrte wieder auf das Meer hinaus. Ich war mir nicht sicher, aber es kam mir so vor, als wäre die Nebelbank näher gekommen. An seinen Enden schien der gewaltige Halbkreis aus wogendem, grauem Nichts bereits die Küste zu berühren.
»Mein Gott, Jake, dann ergibt alles einen Sinn!« keuchte ich. »Dann ist nichts von dem, was hier passiert ist, Zufall! Dann haben Sie auf ihn gewartet!«
»Ich weiß«, flüsterte Becker. »Und Havilland weiß es auch.«
»Wir müssen zurück, Jake!« rief ich. »Sofort! Bevor sie wiederkommen!«
Becker starrte mich eine Sekunde lang an, denn richtete er sich im Fahrersitz auf und griff nach der altertümlichen Lenkradschaltung des Dodge. Aber er führte die Bewegung nicht zu Ende, sondern starrte aus entsetzt aufgerissenen Augen an mir vorbei.

»Mein Gott!« stöhnte er. »Ich glaube fast, sie sind schon da...«

Alarmiert sah ich auf und blickte aus zusammengekniffenen Augen in die Richtung, in die Beckers ausgestreckte Hand wies.

Durch den Nebel schimmerte etwas Dunkles, Langgestrecktes. Es war noch immer zu weit entfernt und zu sehr hinter wogenden Schwaden verborgen, als daß wir viel mehr als einen dunklen Schatten ausmachen konnten, doch es handelte sich eindeutig um ein Schiff; ein großes Schiff, sehr viel größer als Crandells Yacht oder irgendein anderes Boot, das man in diesen flachen Gewässern anzutreffen erwartete.

Becker wollte den Wagenschlag öffnen, aber ich hielt ihn mit einer raschen Bewegung zurück. »Warten Sie«, sagte ich. »Das gefällt mir nicht.«

Aber Becker schien meine Worte gar nicht zu hören. Er schob meine Hand beiseite, langte nach dem Türgriff und zog ihn auf.

»Was haben Sie vor?« rief ich alarmiert. Becker reagierte auch diesmal nicht auf meine Worte, sondern umrundete den Dodge, verließ die Straße und begann mit sonderbar steifen Schritten die Düne hinunterzugehen.

Und das gewaltige Schiff im Nebel kam näher; rasch, sehr viel rascher, als ich bisher geglaubt hatte. Als Becker die Flutlinie erreichte, brach sein Bug aus der Nebelwand hervor.

Ich unterdrückte im letzten Moment einen Schrei. Es war ein Wikingerschiff, genau wie jenes, das Crandell auf den Meeresgrund geschickt hatte!

Der Rumpf war aus Holz gebaut und lag sehr tief im Wasser. Ein zerfetztes, rot-weiß gestreiftes Segel hing schlaff von dem einzigen Mast, und weiter zum Heck hin erhob sich eine zeltähnliche Konstruktion aus dem gleichen Stoff. Ein Dutzend verrotteter, zum Teil abgebrochener Ruderblätter ragte zwischen den buntbemalten Rundschilden hervor, die die Reling zu beiden Seiten säumten, und dazwischen bewegten sich Schatten. Der Bug war bis fast zur Höhe des Segels hochgezogen und endete in einem geschnitzten Drachenkopf.

Es dauerte endlose Sekunden, bis ich aus meiner Versteinerung erwachte. Dann riß ich die Tür auf, sprang aus dem Wagen und rannte ein paar Meter hinter Becker her, blieb aber auf halber Strecke stehen.

»Jake!« brüllte ich verzweifelt. »Kommen Sie zurück!«

Aber Becker hörte nicht. Hoch aufgerichtet und reglos stand er am Strand und starrte dem näher kommenden Drachenboot entgegen. Und dann sah auch ich, was es war, das Bekker vor Schreck wie gelähmt hatte...

Unter dem geschnitzten Drachenschädel am Bug des Schiffes war ein menschlicher Körper festgebunden. Wie eine bizarre Galionsfigur bewegte er sich im Takt der Wellen auf und ab. Ich kannte diesen Körper – und auch Becker mußte die zerschlissene Lederjacke, die verwaschenen Jeans und die halbhohen Westernstiefel erkannt haben...

Es war der Körper von Hendrick Crandell!

Becker machte einen Schritt, keuchte hörbar und erstarrte wieder. Das Schiff mit seiner schrecklichen Last kam näher, glitt mit einem lauten Knirschen ein Stück auf den Sandstrand hinauf und blieb liegen, auf die abgebrochenen Ruderblätter gestützt wie auf ein Dutzend bizarrer hölzerner Insektenbeine. Und dann schrie Becker so gellend auf, daß ich wie unter einem Schlag zusammenfuhr: »Robert! Er lebt noch!«

Er hatte recht. Im gleichen Moment – vielleicht auch als Reaktion auf Jakes Stimme – öffnete Crandell mühsam die Augen und stöhnte. Ich sah, wie er die Arme bewegte und vergeblich versuchte, sich aus den Fesseln zu befreien, die ihn wie eine makabre Galionsfigur am Drachenbug des Schiffes hielten.

Becker und ich stürmten im gleichen Augenblick los, aber er erreichte das Schiff zwei Schritte vor mir. Mit einer unglaublich kraftvollen Bewegung schwang er sich über die niedrige Reling, zog ein Taschenmesser hervor und begann an den Stricken herumzusäbeln, die Crandells Oberarme hielten. Gleichzeitig zerrte ich mit fliegenden Fingern an den Knoten um seine Beine. Ich hatte das Gefühl, daß dieses Schiff nicht alles war, was uns an unangenehmen Überraschungen erwartete; längst nicht alles.

Und ich sollte recht behalten. Ich war eine Sekunde vor Becker fertig und fand gerade noch Zeit, Crandells Knie mit den Armen zu umklammern, als er das Seil mit seinem Taschenmesser kappte und Crandell seufzend in meine Arme sank.

Er war schwerer, als ich erwartet hatte. Ich verlor auf dem

lockeren Sand die Balance und fiel hintenüber, Crandell halbwegs mit mir reißend. Aber trotzdem sah ich, wie das Unglück geschah:
Das Seil war so plötzlich gerissen, daß auch Becker für einen Moment das Gleichgewicht verlor. Er fing sich zwar fast sofort wieder, doch die Klinge seines eigenen Taschenmessers fuhr über seinen Handrücken und fügte ihm einen tiefen, blutenden Schnitt zu. Einige wenige Tropfen seines Blutes fielen auf das Deck herab.
Und im gleichen Moment wußte ich, was ich vergessen hatte...
Hinter Becker erwachten die Schatten.
Die dunklen Umrisse, die ich schon vorhin zu bemerken geglaubt hatte, waren plötzlich keine vagen Schemen mehr, keine wogenden Trugbilder, die der Nebel geschaffen hatte, sondern Körper, ein Dutzend große, in Fetzen gehüllte Körper mit mörderischen Schwertern und Äxten in den Händen!
Aber es waren keine Menschen...
Unter den gewaltigen, rostzerfressenen Hörnerhelmen auf ihren Köpfen grinsten schwarze, lederhäutige Totenköpfe hervor. Die Schwerter und Äxte, die sie trugen, waren von Rost und Salzwasser zerfressen und zum Teil kaum mehr als solche zu erkennen, der Verwesungsgestank, den sie verströmten, drang bis zu mir herunter.
Ich wälzte Crandell von mir hinunter, schrie Becker eine Warnung zu und sprang gleichzeitig auf die Füße. Becker wirbelte herum, erkannte die Gefahr und brachte sich im letzten Augenblick mit einem fast grotesk aussehenden Hüpfer in Sicherheit, als eines der schartigen Schwerter der toten Krieger auf ihn heruntersauste. Die Klinge fuhr knirschend in das morsche Holz neben Jake, aber er reagierte mit erstaunlicher Kaltblütigkeit: Statt weiter zurückzuweichen – was ihn nur in die Reichweite eines anderen Wikingers gebracht hätte –, packte er den Arm des Angreifers, verdrehte ihn und entrang ihm mit einer kraftvollen Bewegung das Schwert. Fassungslos beobachtete ich, wie er die Waffe so selbstverständlich schwang, als hätte er sein Leben lang nichts anderes getan, und den Zombie mit einem einzigen, blitzartigen Hieb niederstreckte. Dann fuhr er herum und sprang zu Crandell und mir herab.

Aber nicht nur er. Fast ein Dutzend der entsetzlichen Kreaturen sprang ihm über die niedrige Bordwand nach und lief auf uns zu!

Becker raste los, verlor auf dem feuchten Sand den Halt und fiel auf die Knie, raffte sich aber sofort wieder auf und begann den Strand hinaufzuhetzen, und ich selbst packte Crandell und riß ihn mit der Kraft der Verzweiflung in die Höhe.

Wir schafften es nicht. Die Untoten bewegten sich nicht annähernd so schnell wie wir, aber einer der Wikinger hob seine Axt, stieß ein markerschütterndes Brüllen aus und schleuderte die Waffe. Sie beschrieb einen perfekten Halbkreis und traf mit entsetzlicher Präzision den fliehenden Bekker. Ich sah, wie der fast armdicke Stiel ihn genau zwischen den Schulterblättern traf und ihn nach vorne riß. Er stolperte, ließ das erbeutete Schwert fallen und prallte hilflos gegen den Kotflügel des Dodge.

Ich zerrte Crandell einfach mit mir und verdoppelte meine Anstrengungen, die flache Düne zur Straße hinaufzukommen, aber der lockere Sand gab immer wieder unter meinen Füßen nach, so daß ich für jeden Schritt, den ich vorwärts machte, einen zurückzurutschen schien. Gottlob wurden meine Verfolger auf die gleiche Weise behindert, wie ich mit einem raschen Blick über die Schulter feststellte.

Trotzdem wurde es zu einem Wettlauf mit dem Tod, von dem ich bis zum letzten Augenblick nicht wußte, ob wir ihn gewinnen würden. Irgendwie erreichte ich den Dodge, warf Crandell regelrecht in den Wagen und bückte mich dann zu Becker. Er war bei Bewußtsein, schien aber nicht in der Lage, sich zu bewegen, und verzog gequält das Gesicht, als ich ihn anzuheben versuchte.

»Lassen Sie mich, Robert!« stöhnte er. »Hauen sie ab! Retten Sie sich!«

»Blödsinn!« knurrte ich, warf aber trotzdem noch einen Blick über die Schulter zurück. Der erste der Wikinger-Krieger war kaum noch zwanzig Schritte vom Wagen entfernt. Mein Herz machte einen schmerzhaften Sprung, als ich sah, wie der hühnenhaft gebaute Nordmann seine Axt schwang.

Ich duckte mich, ließ mich zur Seite fallen und zerrte Jake einfach mit mir. Die gewaltige bronzene Axt grub sich knirschend zwei Inches neben meiner Schulter in den Sand. Ich

fluchte, rappelte mich hoch und zerrte Jake um den Wagen herum, wobei ich weitere wertvolle Sekunden verlor. Er keuchte vor Schmerzen, als ich die hintere Tür des Dodge aufriß und ihn hineinstieß, aber ich achtete gar nicht darauf, sondern ließ mich hinter das Steuer fallen.
Mit bebenden Fingern drehte ich den Zündschlüssel, warf den Gang hinein und trat das Gaspedal bis zum Anschlag durch. Die Reifen des Wagens griffen auf dem lockeren Sandboden nicht und drehten durch; hinter dem Kombiwagen schoß eine Sandfontäne in die Höhe, und ich nahm erschrocken den Fuß vom Gas. Mit einer verzweifelten Bewegung warf ich den Rückwärtsgang hinein und gab abermals Gas. Wieder drehten die Reifen wimmernd durch, und der Wagen drohte sich endgültig festzufressen. Dann fanden die breiten Reifen irgendwo Halt, und der Dodge schoß mit einem Satz zurück.
Keine Sekunde zu früh. Der zweite Wikinger hatte seine Axt geschleudert – und sie hämmerte in die Motorhaube des Wagens, dort, wo einen Augenblick zuvor noch die Windschutzscheibe gewesen war.
Vor lauter Schreck drückte ich nochmals das Gaspedal durch. Der Wagen sprang zurück, krachte gegen ein Hindernis – und kam mit einem Ruck zum Stehen. Der Motor erstarb würgend. Ich drehte verzweifelt am Zündschlüssel. Der Anlasser mahlte ächzend, und auf dem Armaturenbrett begann eine rote Lampe zu blinken. Die Axt mußte den Motor beschädigt haben!
Ein triumphierender, vielstimmiger Schrei erklang aus den Reihen der Wikinger. Die Krieger stürmten in breiter Front heran; zehn, vielleicht fünfzehn hünenhafte Gestalten, die wie Ausgeburten einer Fieberphantasie über den Strand herangejagt kamen.
Aber es waren keine Mumien mehr!
Noch während ich der heranjagenden Schar aus schreckgeweiteten Augen entgegensah, verwandelten sie sich auf bizarre Weise! Die pergamentartige, grauschwarze Haut glättete sich, aus den vermoderten Fetzen, die sie am Leibe trugen, wurden Kleider und lederne Rüstungen, und ihre Waffen begannen zu blinken und funkeln, als wären sie frisch poliert. Es war, als würde die Zeit zurückgedreht...

Ich reagierte im letzten Moment, als ich den Schatten auf mich zurasen sah. Ich ließ mich zur Seite fallen, riß die Arme über den Kopf und krümmte mich auf der Sitzbank zusammen. Die Windschutzscheibe des Wagens zersplitterte mit einem berstenden Knall und überschüttete mich mit einem Hagel kleiner, scharfkantiger Glasscherben. Etwas Dunkles, Großes sauste sirrend über mich hinweg, fetzte ein Stück aus der Nackenstütze meines Sitzes und fuhr krachend in die Rückbank.
Halb wahnsinnig vor Angst richtete ich mich auf, drehte noch einmal den Zündschlüssel und trat auf das Gaspedal – und das Wunder geschah! Der Motor des Dodge sprang stotternd an. Der Wagen machte einen Satz nach vorne und kam schlingernd auf die Straße.
Ein harter Schlag traf die Karosserie, und ich sah aus den Augenwinkeln, wie einer der Wikingerkrieger in hohem Bogen durch die Luft geschleudert wurde und irgendwo am Straßenrand aufprallte. Eine dritte Axt zischte heran, verfehlte den Wagen um Zentimeter und grub sich tief in den Boden. Ich drehte wie verrückt am Lenkrad, um den schleudernden Wagen unter Kontrolle zu bekommen. Das Heck des Dodge brach aus, fegte zwei weitere Krieger von den Beinen, und der Wagen drehte sich einmal um die eigene Achse. Diesmal gab ich behutsamer Gas, der Dodge schoß abermals vorwärts. Ein Wurfspeer flog hinter uns her, durchschlug das Dach und blieb zitternd im Blech stecken, wie eine bizarre Antenne. Die bronzene Spitze der Waffe befand sich nur wenige Inches über dem Gesicht Hendrick Crandells, der sich auf dem Beifahrersitz zusammengekrümmt hatte.
Und dann war es vorbei. Der Motor des Wagens heulte schrill, als ich ihn gnadenlos bis an die Grenzen der Belastbarkeit hochjagte. Wie ein Spuk blieben die Wikingerkrieger zurück. Die Beile und Speere, die dem Wagen nachgeworfen wurden, fielen weit hinter uns harmlos zu Boden.
Aber es war kein Spuk gewesen. Die zertrümmerte Windschutzscheibe und der Speer, der zitternd über uns aus dem Wagendach ragte, bewiesen das eindeutig! Ich versuchte in diesem Augenblick gar nicht erst zu verstehen, was ich erlebt hatte. Halb von Sinnen vor Angst und Panik jagte ich den Wagen über die schmale Straße, die zum Dorf hinaufführte.

Über den Dünen tauchten die ersten Dächer von Santa Maria De La Arenia auf.
Ich warf einen Blick über die Schulter auf Becker, der von der Rückbank gefallen und zwischen die Sitze gerutscht war, dann trat ich das Gaspedal entschlossen bis zum Boden durch und raste auf Havillands Villa zu.

Wir brauchten nur wenige Minuten, um Havillands Haus zu erreichen. Ich fuhr den Wagen rücksichtslos auf den Rasen hinauf und über den schmalen Kiesweg bis direkt vor die Haustür, wo ich ihn quietschend zum Stehen brachte. Dann sprang ich heraus und kümmerte mich um Crandell und Bekker. Der junge Bootsbesitzer war weniger schlimm verletzt, als ich im ersten Moment befürchtet hatte. Er krabbelte benommen aus dem demolierten Wagen und blieb auf dem Rasen hocken, aber es war nur der Schock – eine erste, flüchtige Untersuchung bewies mir, daß er mit ein paar Hautabschürfungen und Prellungen davongekommen war.
Jake Becker hatte es schlimmer erwischt. Er stöhnte leise auf, als ich versuchte, ihn aus dem Wagen zu ziehen. Seine Schulter mußte verrenkt sein, wenn nicht gar gebrochen.
»Gibt es einen Arzt hier?« wandte ich mich an Crandell.
»In diesem Kaff?« Crandell zog eine Grimasse und schüttelte den Kopf. »Nein. Aber der Professor versteht ein wenig von Erster Hilfe. Die Einheimischen kommen zu ihm, wenn sie kleine Verletzungen haben.«
»Dann helfen Sie mir«, sagte ich und fügte hinzu: »Wenn Sie sich kräftig genug fühlen.«
Crandell grummelte eine Antwort, die ich nicht verstand, stemmte sich aber bereitwillig in die Höhe und half mir, Bekker aus dem Wagen zu ziehen. Er lehnte es ab, von uns getragen zu werden, stützte sich aber schwer auf unsere Schultern. Ich blieb noch einmal stehen, als wir den Wagen umrundeten, blickte finster zum Haus hinüber und zog aus einem Impuls heraus die Streitaxt aus der zertrümmerten Motorhaube des Dodge. Dann wankten wir weiter.
Die Haustür war nicht verschlossen. Ich stieß sie so kräftig mit dem Fuß auf, daß sie drinnen gegen die Wand flog. Der Knall mußte im ganzen Haus zu hören sein, aber von Havilland zeigte sich trotzdem keine Spur. Allmählich mischte

sich Sorge in meinen Zorn. Was, wenn sie auch hier schon zugeschlagen hatten? Aber sie hatten nicht.
Wir humpelten durch die große Eingangshalle und den Korridor, und als ich die Tür zu Havillands Wohnküche aufstieß, saß er friedlich am Tisch, trank Kaffee und blätterte scheinbar gelangweilt in einer Zeitung. Das Geräusch an der Tür ließ ihn aufsehen, und ein jäher Schrecken flog über sein Gesicht, als er unseren bemitleidenswerten Zustand gewahrte.
»Um Gottes willen – was ist passiert?« rief er
Ich antwortete nicht gleich, aber mich brachte der Anblick, wie er dasaß und in aller Seelenruhe Zeitung las, so auf, daß ich ein wenig unbeherrschter reagierte als gewohnt. Wütend stampfte ich auf ihn zu, hob die Streitaxt und ließ sie so wuchtig auf den Tisch niedersausen, daß die Klinge fast zur Hälfte in der Platte verschwand. Heißer Kaffee und Porzellansplitter spritzten in alle Richtungen, und Havilland sprang mit einem erschrockenen Ausruf hoch.
»Das ist passiert, Havilland!« antwortete ich zornig. »Crandell und Becker sind fast tot, und Ihr Dodge hatte die Halluzination, von einem Kampfspeer durchbohrt zu werden!«
Havilland starrte mich einen Moment lang aus weit aufgerissenen Augen an, blickte fassungslos auf seinen demolierten Tisch herab und fand endlich seine Beherrschung wieder. Ohne ein weiteres überflüssiges Wort dirigierte er Jake zu einer Bank neben der Tür, legte ihn behutsam darauf nieder und begann ihn aus der Jacke zu schälen.
»Wir –«, begann Crandell, aber Havilland unterbrach ihn sofort.
»Später, Hendrick. Ich will erst nach Jake sehen.« Er hob kurz den Blick, musterte erst Crandell und dann mich und kam daraufhin sichtlich zu dem Schluß, daß ich von uns dreien wohl noch am wenigsten mitgenommen war.
»Kümmern Sie sich um Crandell«, sagte er. »In der Schublade rechts neben dem Kühlschrank ist Verbandszeug.«
Ich sah ein, daß er recht hatte, und machte mich daran, den jungen Bootsbesitzer zu verarzten. Ich hatte nicht besonders viel Geschick in solcherlei Dingen, was man an Crandells unterdrückten Schmerzenslauten merken konnte, und als ich fertig war, sah er fast so aus wie der Wikinger in Havillands Keller. Trotzdem nickte er mir dankbar zu, ehe er sich an den

Tisch setzte und eine Tasse aus dem Chaos darauf heraussuchte. Sie hatte einen Sprung. Der Kaffee floß fast so schnell wieder heraus, wie er ihn hineingoß. Ich sah ihm einen Moment lang amüsiert dabei zu, dann wandte ich mich um und trat wieder neben Havilland.
»Wie geht es ihm?« fragte ich.
Becker stöhnte zur Antwort, aber Havilland schüttelte erleichtert den Kopf. »Es scheint nichts gebrochen zu sein«, sagte er. »Soweit ich feststellen kann, wenigstens. Was ist ihm denn zugestoßen?«
Ich setzte schon wieder zu einer ärgerlichen Antwort an, beherrschte mich dann aber und deutete mit einer rüden Kopfbewegung auf die Axt in seinem Küchentisch. »Eine unserer *Halluzinationen* hat mit dem Ding da nach ihm geworfen«, sagte ich. Havilland erbleichte sichtlich, und ich fügte hinzu: »Gottlob hat sie ihn nur mit dem Stiel getroffen, nicht mit der Schneide. Sieht aus, als hätte er noch einmal Glück gehabt.«
»Ich... glaube auch«, antwortete Havilland unsicher. »Er muß natürlich zu einem richtigen Arzt. Können Sie ihn fahren?«
»Theoretisch schon«, antwortete ich.
»Und praktisch?«
Ich schnaubte. »Warum gehen Sie nicht hinaus und sehen sich einfach den Wagen an?« fragte ich.
Zu meinem Erstaunen stand Havilland tatsächlich auf und verließ das Zimmer. Ich blickte ihm kopfschüttelnd nach, dann setzte ich mich vorsichtig neben Jake auf die Bank. »Ich hoffe, er wird jetzt endlich vernünftig«, sagte ich.
Becker verzog das Gesicht zu einer Grimasse, von der ich nicht ganz sicher war, ob sie ein Lächeln bedeuten sollte oder das Gegenteil.
»Wo haben Sie so fechten gelernt?« fragte ich, eigentlich nur, um ihn aufzumuntern.
Jake beging den Fehler, mit den Schultern zucken zu wollen. Das Ergebnis war ein neuerliches schmerzliches Aufstöhnen. »Nirgendwo«, antwortete er mit zusammengebissenen Zähnen. »Ich habe ein bißchen mit den Dingern herumgespielt, wissen Sie? Wir haben ja genug davon gefunden. Und Havilland hat mir den Rest beigebracht. Verstehen Sie was davon?«

»Vom Fechten?« Ich nickte, schüttelte aber gleich darauf wieder den Kopf. »Ein wenig, aber ich ziehe ... leichtere Waffen vor.«

Becker grinste und wurde übergangslos wieder ernst. »Sie ... werden ihm nichts sagen, okay?« fragte er. »Ich habe nichts verraten.«

Ich wollte ganz impulsiv nicken, aber dann begriff ich, wie dumm das wäre. »Es geht hier nicht mehr um ein gebrochenes Versprechen, Jake«, sagte ich eindringlich. »Begreifen Sie immer noch nicht, daß unser Leben auf dem Spiel steht? Und vielleicht auch das anderer. Havillands norwegische Freunde scheinen nicht besonders wählerisch zu sein, was ihre Opfer angeht.« Ich deutete auf Crandell.

Jake folgte meinem Blick. Einen Moment lang rührte er sich nicht, dann stemmte er sich mit schmerzverzerrtem Gesicht in die Höhe. Er ächzte, als er die verrenkte Schulter belastete.

»Was ist passiert, Hendrick?« fragte er. »Wieso sind Sie wieder hinausgefahren?« Crandell hörte endlich auf, Kaffee durch die gesprungene Tasse auf seine Hose zu gießen, und sah ihn fast vorwurfsvoll an. »Das bin ich gar nicht«, antwortete er. »Ich bin auf mein Boot gegangen. Wollte mir den Schaden ansehen. Und dann ...«

»Dann?« fragte ich, als er nicht weitersprach.

Crandell zuckte hilflos die Achseln. »Ich weiß es nicht«, antwortete er. »Ich habe nur einen Schatten gesehen, und dann hab ich eins über den Schädel bekommen. Das nächste, woran ich mich erinnere, ist der Strand.«

»Aber das ergibt überhaupt keinen Sinn!« sagte ich. »Wieso sollten sie Mr. Crandell angreifen? Er hat nichts mit Hellmarks Fluch zu tun.«

»Ebensowenig wie Sie, Robert«, sagte Becker. Sein Gesicht verdüsterte sich. »Ich fürchte, sie machen da keinen Unterschied. Ein Leben für hundert – schon vergessen?«

Havillands Rückkehr bewahrte mich davor, antworten zu müssen. Er war blaß, und er bot auch darüber hinaus einen alles andere als normalen Anblick – es sei denn, man empfindet einen fünfzig Jahre alten Archäologieprofessor als normal, der in der rechten Hand einen gut zwei Yards langen Kampfspeer und in der anderen eine 45er Smith & Wesson

Magnum trägt...
Becker blickte ihn ausdruckslos an, während Crandell ein Gesicht machte, als hätte er unversehens auf eine saure Zitrone gebissen.
»Was ist passiert?« fragte Havilland leise. Seine Augen waren weit vor Furcht. Der Speer in seiner Hand zitterte. Es war die Waffe, die im Wagendach gesteckt hatte.
Ich erzählte es ihm. Ich bemühte mich, möglichst sachlich zu bleiben, schmückte nichts aus und fügte nichts hinzu, aber ich ließ auch keine noch so unwichtig erscheinende Kleinigkeit weg. Als ich bei der Stelle angekommen war, an der sich die Zombies vor meinen Augen in lebende, atmende Menschen verwandelt hatten, wurden seine Augen groß vor Unglauben, aber er unterbrach mich auch jetzt nicht, sondern hörte schweigend zu, bis ich mit meinem Bericht zu Ende gekommen war.
Doch als ich fertig war, sagte er etwas, wofür ich ihm am liebsten an die Kehle gesprungen wäre: »Ich glaube es immer noch nicht.«
»Was glauben Sie nicht?« brüllte ich unbeherrscht. »Daß Jake um ein Haar geköpft worden wäre? Daß man Crandell entführt und kielgeholt hat? Oder daß Ihr Wagen nur noch ein Blechhaufen ist, zertrümmert von –«
»Geistern?« unterbrach mich Havilland und schüttelte den Kopf. »Nein, Mr. Craven, das glaube ich nicht. Ich glaube Ihnen, daß all dies passiert ist, aber es... es muß eine natürliche Erklärung geben.«
Statt einer Antwort riß ich ihm den Speer aus den Fingern und rammte ihn fast handtief in den Holzfußboden. Havilland lächelte nur.
»Vielleicht hat sich jemand einen Scherz erlaubt«, sagte er. »Einen mörderischen Scherz, zugegeben, aber doch nur –«
»Einen Scherz, aber sicher doch«, unterbrach ich ihn höhnisch. »Und dazu hat er mal eben eine komplette Flotte von Wikingerbooten gebaut, ein Dutzend Statisten in Originalkostüme gesteckt und zwei Menschen fast umgebracht. Drei, wenn ich mich mitrechne.« Ich trat erregt auf ihn zu und ergriff seine Schulter. Havilland streifte meine Hand ab.
»Was ist los mit Ihnen?« fragte ich. »Können Sie mir nicht glauben – oder wollen Sie nicht, Professor Erickson?«

Havilland erstarrte. Zehn, fünfzehn Sekunden lang blickte er mich aus weit aufgerissenen Augen an, dann fuhr er herum und deutete anklagend auf Becker. »Jake! Sie –«
»Er hat es mir verraten, ja«, unterbrach ich ihn erneut. »Aber ich wäre früher oder später von selbst draufgekommen, glauben Sie mir.«
Natürlich glaubte Havilland mir nicht, das sagte sein Blick mir deutlicher, als es Worte gekonnt hätten. Aber er hörte zumindest auf, Becker mit vorwurfsvollen Blicken zu bedenken, und starrte statt dessen den Speer an, der vor seinen Füßen aus den Bodenbrettern ragte.
»Wie viele Beweise brauchen Sie noch?« fragte ich.
Havilland lächelte humorlos. »Keine«, sagte er. »Jedenfalls keine weiteren wie die hier.«
»Was soll das heißen?« erkundigte sich Becker.
»Das Ding ist eine Fälschung«, antwortete Havilland. »Eigentlich hatte ich gehofft, daß Sie es von sich aus merken.«
»Eine Fälschung?« Ich sah den gewaltigen Speer mißtrauisch an. »Mir kommt er sehr echt vor.«
»Ist er auch«, sagte Havilland. »Ein bißchen zu echt, Mr. Craven. Sehen Sie ihn sich an. Es ist ein Wikingerspeer, bis ins letzte Detail. Das Holz stimmt, das Metall, die Art der Verarbeitung...«
»Aber?«
»Er ist nicht alt genug«, sagte Becker.
Havilland nickte. »Genau. Diese Waffe ist höchstens fünf Jahre alt, vermutlich sehr viel jünger. Ein Speer, der tausend Jahre lang auf dem Meeresgrund gelegen hat, sieht anders aus. Ebenso wie diese Axt da, mit der Sie freundlicherweise meinen Tisch zertrümmert haben.«
Ich überhörte die Spitze. »Ich habe Ihnen doch erzählt, daß die Krieger vor meinen Augen –«
»Jünger wurden, ich weiß.« Havilland gab sich keine Mühe, den verächtlichen Ton in seiner Stimme zu verbergen. »Möglicherweise sind sie auf dem Weg über den Strand durch einen Jungbrunnen gelaufen«, fügte er hinzu.
»Sie wollen es einfach nicht wahrhaben, wie?« fragte ich, so ruhig ich konnte – es war nicht sehr ruhig.
»Was?« erwiderte Havilland.
»Daß sich Hellmarks Fluch erfüllt«, antwortete Becker an

meiner Stelle. »Hier und jetzt, Professor.«
»Oh doch, sicher«, sagte Havilland spöttisch. Er wedelte mit der gewaltigen Pistole, die er mitgebracht hatte. »Aber ich bin darauf vorbereitet. Sowohl auf Zombies und Nachtgespenster aller Art als auch auf die kleinen Überraschungen meiner geschätzten Kollegen.« Er starrte mich an. »Wenn Crandell und Jake nicht für Sie ausgesagt hätten, dann wäre ich jetzt endgültig davon überzeugt, daß Lord und der Rest dieser Schweinebande Sie geschickt haben, Craven.«
»Sie glauben immer noch, daß das alles ein Komplott Ihrer Feinde ist?« fragte ich ungläubig.
»Mehr denn je«, antwortete Havilland. »Aber so schnell gebe ich nicht auf, Mr. Craven. Die haben einen Fehler gemacht, wissen Sie? Sie haben versucht, Crandell und Jake umzubringen, und das gibt mir das Recht, mich zu wehren. Wenn ich jetzt einen von ihnen niederschieße, dann ist das Notwehr.«
»Sie sind ja verrückt geworden!« sagte Crandell.
Havilland ignorierte ihn einfach. Seine Augen schienen zu brennen, und sein Gesicht erinnerte mich plötzlich wirklich an das eines Wahnsinnigen. Trotzdem versuchte ich ein letztes Mal, ihn zur Vernunft zu bringen.
»Mit dieser Waffe werden Sie überhaupt nichts ausrichten«, sagte ich.
Havilland lachte böse. »Das ist eine Magnum, Craven!«, sagte er. »Damit töte ich einen Elefanten, wenn es sein muß.«
»Aber die Wesen, gegen die wir kämpfen, sind bereits tot.«
»Blödsinn!« fauchte Havilland. »Hören Sie endlich auf mit dem Firlefanz, Sie ... Sie Hexenmeister! Ich bin Wissenschaftler, Archäologe, und ich werde meine Theorie gegen Scharlatane wie Sie und Ihre Freunde zu verteidigen wissen!«
»Und wenn es nun kein Zufall war, daß ausgerechnet Sie auf diese Theorie gestoßen sind?« sagte Becker leise.
Havilland wirkte irritiert, aber nur für einen Moment. Dann füllten sich seine Augen wieder mit Zorn. »Sie glauben doch nicht im Ernst, daß dieser Hellmark über tausend Jahre auf mich gewartet hat, oder?«
»Vielleicht doch«, antwortete Becker, sehr leise, aber auch sehr ernst. »Vielleicht ist es kein Zufall, daß niemand anders als Sie die Schiffe und die Gräber gefunden hat. Vielleicht ist es nicht einmal Zufall, daß Sie danach gesucht haben.«

»Und warum tauchen sie dann gerade jetzt auf?« brüllte Havilland, außer sich vor Wut. »Warum ist in den letzten drei Jahren nie etwas passiert, bis jetzt, bis dieser ... dieser Magier hier aufgetaucht ist?«
Und plötzlich fiel es mir wie Schuppen von den Augen.
Es war das zweitemal, daß ich die Wahrheit blitzartig erkannte, aber diesmal entglitt mir der Gedanke nicht sofort wieder. War ich denn blind gewesen?
»Weil sie noch nie zuvor mit Blut in Berührung gekommen sind«, sagte ich.
Crandell verschluckte sich an seinem Kaffee und begann zu husten, und Havilland starrte mich aus großen Augen an. Becker wurde kreidebleich.
»Was haben Sie da gesagt?« fragte Havilland.
»Es war das Blut«, murmelte ich, plötzlich aufgeregt, ja, fast in Panik. »Verstehen Sie doch, Professor – es begann auf dem Schiff draußen im Meer, als ich mich an einem der Schilde verletzte und mein Blut auf das Deck fiel. Und vorhin –«
»Habe ich mich an meinem Taschenmesser geschnitten, als ich Hendrick befreite – und danach tauchten sie auf«, murmelte Becker. »Wie aus dem Nichts.«
Und dann wurde er noch blasser, als er es ohnehin schon war, und seine Augen quollen fast aus den Höhlen.
»Die Mumie!« flüsterte er.
Und im gleichen Moment fiel es auch mir wieder ein. »Der Keller!«
»Was?« machte Havilland verständnislos.
Becker sprang auf. »Der Tote im Keller, Professor!« sagte – nein, schrie er.
»Was ist mit ihm?« fragte Havilland.
»Ich war heute morgen dort unten«, flüsterte ich, noch immer starr vor Schrecken. »Begreifen Sie doch, Professor – ich habe mich an der Hand verletzt. Die Mumie ist mit meinem Blut in Berührung gekommen!«

Hintereinander rannten wir in den Keller hinab. Selbst Bekker, der sich kaum von der Stelle rühren konnte, folgte uns humpelnd und – wie ich mit einem leisen Gefühl von Verwunderung feststellte – auf den riesigen Kampfspeer gestützt, den er aus dem Boden gezogen hatte.

Diesmal funktionierte das Licht. Havilland stürmte voraus, seine gewaltige Pistole entsichert und mit beiden Händen haltend wie ein Gunman aus einem schlechten Kriminalfilm, aber es wirkte eher hilflos – irgendwie spürte ich, daß die Waffe nichts ausrichen würde; nicht gegen die Wesen, die hier auf uns lauerten.

Havilland sprengte die Tür zu dem kleinen Nebenkeller mit der Schulter auf, schaltete das Licht ein – und blieb so abrupt stehen, daß erst ich gegen ihn und dann Crandell gegen mich und schließlich Becker gegen Crandell prallte; es hätte nicht viel gefehlt, und wir wären wie Dominosteine übereinandergepurzelt. Um so ernüchternder war der Anblick, der sich uns bot, als sich das Durcheinander gelegt hatte.

Alles war so, wie ich es am Morgen hinterlassen hatte. Der mumifizierte Leichnam lag noch immer starr und reglos da, ein fast unkenntlicher Körper mit nur annähernd menschlichen Umrissen, in vermoderte graue Tücher gewickelt und bis zum Hals unter einem klinisch weißen Tuch verborgen.

Havilland atmete erleichtert auf und ließ die Magnum sinken, deren Mündung genau auf die Stirn des Toten gedeutet hatte. »Nun, meine Herren?« sagte er, gleichermaßen erleichtert wie eindeutig triumphierend. »Glauben Sie jetzt, daß Sie einem hinterlistigen Trick aufgesessen sind?«

Ich antwortete nicht, sondern beugte mich vor und betrachtete den Toten. Ich hatte mich nicht getäuscht – auf seiner Stirn, dort, wo der einzelne Tropfen meines Blutes die vermoderten Tücher besudelt hatte, war ein dunkler, wie verbrannt aussehender Fleck, ein rundes Stigma. Aber die Mumie rührte sich nicht.

»Ich verstehe das nicht«, sagte ich.

Havilland kicherte. »Und jetzt sind Sie enttäuscht, wie?« fragte er hämisch. »Tja, tut mir ja leid, Herr Magier, aber mit den lebenden Toten wird es heute wieder nichts.«

»Vielleicht ... vielleicht hat der Stoff das Blut aufgesogen, bevor es seine Haut erreichen konnte«, sagte ich hilflos.

Havilland nickte. Sein Grinsen wurde noch breiter. »Sicher. Oder er fürchtet sich vor den vielen anderen Geistern, die hier in der Gegend herumschwirren, und bleibt daher lieber hübsch still liegen.« Er gab sich keine Mühe, die Genugtuung zu verbergen, die ihm der Anblick meiner Hilflosigkeit berei-

tete.
Und um ein Haar wären es die letzten Worte geworden, die er in seinem Leben sprach.
Es ging alles viel zu schnell, als daß Becker oder ich noch Gelegenheit gehabt hätten, etwas zu tun oder auch nur einen Warnschrei auszustoßen. Das weiße Laken unter dem die Mumie lag, bewegte sich. Havillands Augen weiteten sich ungläubig; sein Mund klappte auf, aber über seine Lippen kam nicht der geringste Laut. Eine gewaltige, lederhäutige Hand tastete unter dem Tuch hervor, schlug das weiße Laken zur Seite – und griff mit einer schlangengleichen Bewegung nach Havillands Kehle!
Der Leichnam des Wikingers richtete sich mit einem gewaltigen Ruck auf und sprang auf die Füße. Die grauen Tuchstreifen, die seine Beine gefesselt hatten, zerrissen wie Papier. Seine gewaltigen Pranken lagen um Havillands Hals und drückten gnadenlos zu.
Der Professor wehrte sich verzweifelt, aber den Kräften des riesenhaften Angreifers hatte er nichts entgegenzusetzen. Wie eine Puppe wurde er in die Höhe gerissen. Sein Gesicht befand sich auf gleicher Höhe mit dem des Wikingers, während seine Füße fast einen halben Meter über dem Boden baumelten.
Crandell und ich erwachten endlich aus unserer Erstarrung. Ich wollte dem Professor zu Hilfe eilen, aber Crandell riß mich mit einer blitzschnellen Bewegung zurück, entwand dem hilflos strampelnden Havilland die Pistole und zielte. Er drückte ab, noch bevor ich ihn daran hindern konnte.
Zwei, drei Schüsse peitschten hintereinander durch den Raum; so schnell, daß es sich wie eine einzige Explosion anhörte, die in dem kleinen Kellergewölbe überlaut nachhallte.
Ich taumelte zurück und schlug die Hände vor die Ohren, aber ich sah auch, wie die Geschosse den Untoten trafen; das steinhart gewordene Leder seiner Rüstung zerplatzte wie unter einem Hieb, Staub rieselte aus den gezackten Einschußlöchern, und die gewaltige Gestalt wankte.
Aber sie fiel nicht. Der Griff ihrer fürchterlichen Hände lokkerte sich, und Havilland stürzte mit einem erleichterten Keuchen zu Boden und schlug nun seinerseits die Hände gegen den Hals.

Doch die Mumie war keineswegs ausgeschaltet. Mit einer täuschend langsamen, schwerfällig wirkenden Bewegung drehte sie sich herum, öffnete die Hände und starrte aus leeren Augenhöhlen auf Crandell und mich herab. Ein zischender, häßlicher Laut kam über ihre eingetrockneten Lippen.
»Nicht!« schrie Becker, als der junge Bootsbesitzer einen Schritt zurückwich und erneut auf die grausige Erscheinung anlegte. »Das hat überhaupt keinen Sinn!«
Aber Crandell schien seine Worte gar nicht zu hören. Gelähmt vor Schrecken starrte er den breitschultrigen Giganten an. Seine Finger krampften sich um den Abzug der Waffe.
Aber er drückte nicht ab. Plötzlich war es, als erwache er aus einem Traum. Er hob die Waffe vor die Augen und blickte sie einen Herzschlag lang an, als müsse er ernsthaft überlegen, was damit anzufangen sei. Der Wikinger-Krieger hielt sich allerdings nicht mit solchen Denksportaufgaben auf – seine riesigen Hände grabschten nach Becker, der nur noch im letzten Moment ausweichen konnte.
»Zurück!« schrie er. »Um Himmels willen, raus hier!«
Aber sowohl Havilland als auch Crandell reagierten noch immer nicht. Langsam, wankend und mit stampfenden Schritten kam der gigantische Wikinger auf Crandell zu, der sich schützend vor dem Professor aufgebaut hatte. Seine Hände bewegten sich ruckartig, als hätte er Schwierigkeiten, nach einem Jahrtausend Schlaf die Kontrolle über seine Glieder wiederzugewinnen. Crandell erwachte erst aus seiner Erstarrung, als die Mumie fast bei ihm war. Er schrie auf, riß den Abzug der Magnum abermals durch und taumelte gleichzeitig zurück.
Der Schuß hatte ungefähr den gleichen Erfolg wie die vorhergegangenen: Die Kugel durchschlug den mumifizierten Körper des Untoten und klatschte in die dahinter liegende Wand. Der Wikinger schien den Treffer kaum zu spüren, doch seine Wucht reichte immerhin, ihn zurücktaumeln und gegen den Tisch prallen zu lassen, auf dem er bisher gelegen hatte. »Zurück, Professor!« keuchte Becker entsetzt. »Raus hier!«
Und diesmal – endlich – reagierte Havilland. Mit einem Schrei, der an das Gebrüll eines Wahnsinnigen erinnerte, wirbelte er herum und stürzte an Jake und mir vorbei aus

dem Keller. Crandell feuerte eine weitere Kugel auf die lebende Mumie ab, fuhr ebenfalls herum und raste los.
Es war wie draußen auf dem Strand – wir rannten schneller als der Wikinger, aber unser Vorsprung reichte trotzdem nicht. Ich erreichte als letzter die oberste Stufe der schmalen Kellertreppe, warf einen blitzschnellen Blick über die Schulter zurück und schmetterte dann mit aller Gewalt die Tür ins Schloß, als ich sah, daß das Monster uns mit kaum zwei Schritten Abstand folgte. Mit zitternden Fingern drehte ich den Schlüssel zweimal um.
Allerdings hätte ich mir diese Mühe sparen können – die Tür bestand aus fast zollstarkem Eichenholz, aber der Wikinger rannte einfach hindurch. Das Türblatt wurde aus den Angeln gerissen und dann zertrümmert, und das Ungeheuer erschien wie ein zum Leben erwachter Alptraum in der gewaltsam geschaffenen Öffnung.
Auf der anderen Seite der Halle schrie Crandell gellend auf, und als ich herumfuhr, sah ich, daß er verzweifelt und mit aller Macht an der Eingangstür zerrte. Sie rührte sich nicht.
»Den Schlüssel!« brüllte er. »Havilland – den Schlüssel!«
Aber es lag nicht am Schlüssel. Mir fielen plötzlich wieder Beckers Worte ein, wonach die Tür niemals abgeschlossen wurde. Irgend etwas hielt uns hier drinnen gefangen!
Neben mir knurrte Becker wütend, hob den mitgebrachten Kampfspeer und schleuderte ihn mit aller Gewalt nach dem Wikinger. Doch der Speer war schwer, und Beckers verletzte Schulter behinderte ihn zu sehr. Er schrie vor Schmerz auf, als er den Speer fliegen ließ, und kippte zur Seite. Aber wenn der Wurf auch nicht kraftvoll genug war, der lebenden Mumie eine ernsthafte Verletzung zuzufügen, so reichte seine Wucht doch aus, sie aus dem Gleichgewicht zu bringen und schwer auf Hände und Knie herabfallen zu lassen. Wir hatten eine Sekunde Luft – aber wirklich nicht viel mehr.
Meine Gedanken überstürzten sich, und ich spürte, daß ich nahe daran war, in Panik zu geraten. Rings um mich herrschte das schiere Chaos: Crandell zerrte noch immer aus Leibeskräften an der Tür und brüllte dabei, als würde er aufgespießt, Becker wand sich mit schmerzverzerrtem Gesicht auf dem Boden, und Havilland stand mit leerem Blick da und starrte die Mumie an, als könne er immer noch nicht begrei-

fen, was er da sah.
Der Untote stemmte sich lautlos wieder auf die Füße. Seine Hände öffneten und schlossen sich unentwegt, als wolle er irgend etwas zermalmen, und sein Kopf mit den leeren, blicklosen Augenhöhlen ruckte zwischen Becker, Havilland und mir hin und her. Ich war mit einem Schritt bei Crandell, nahm die Magnum aus seiner verkrampften Hand und kniete dann neben Becker nieder. Der Wikinger beobachtete mich, aber er rührte sich nicht – so, als wisse er genau, daß wir in der Falle saßen und ihm nicht mehr entkommen konnten...
»Wir müssen raus hier«, sagte ich. »Jake – können Sie laufen? Gehen Sie zur Tür! Ich versuche das Biest aufzuhalten.«
Becker schüttelte den Kopf. »Nein«, sagte er. »Wir müssen das Ungeheuer ausschalten, Robert.«
»Ausschalten? Haben Sie vergessen, was es mit Havilland gemacht hat?«
»Nein. Keine Sekunde.« Becker versuchte sich in die Höhe zu stemmen und sank kraftlos wieder zurück. »Deswegen müssen wir es unschädlich machen. Was glauben Sie, was passiert, wenn dieses Monster frei in der Stadt herumläuft?«
Ich dachte lieber nicht über die Antwort auf diese Frage nach, sondern konzentrierte mich wieder auf unseren unheimlichen Gegner.
Die Mumie war stehengeblieben, als lauschte sie auf unsere Worte. Jetzt bewegte sie sich weiter, hob die Arme und trat langsam und drohend auf mich zu.
Ich wartete bis zum letzten Moment. Das Ungeheuer war kaum mehr einen halben Meter von mir entfernt, und ich konnte bereits den modrigen, trockenen Geruch spüren, den es ausströmte. Seine Hände öffneten sich zu tödlichen Klauen und näherten sich meinem Hals.
Der Knall der Magnum schien die Halle in ihren Grundfesten zu erschüttern, und der Rückschlag war so gewaltig, daß ich um ein Haar das Gleichgewicht verloren hätte.
Glas klirrte, als das großkalibrige Geschoß den Mumienkörper durchschlug und splitternd in einen Schaukasten fuhr. Der Wikinger taumelte, brach in die Knie und beugte sich wie in einer grotesken Verbeugung nach vorne. In Brust- und Rückenteil seines Lederpanzers gähnten plötzlich zwei nahezu faustgroße Löcher. Aber die erhoffte Wirkung blieb

auch diesmal aus. Langsam richtete sich der Untote wieder auf, hob in einer beinahe erstaunten Bewegung die Hand an die Brust und starrte mich an. Er machte einen tapsigen Schritt auf mich zu und wieder krümmte sich mein Finger um den Abzug.
Aber ich schoß nicht. Ich hatte noch eine Kugel im Magazin, wenn ich richtig gezählt hatte. Aber der Dämon war immun gegen die Wirkung der Waffe, ganz egal, wie nahe ich ihn an mich heran ließ. Ich wußte plötzlich, daß ich mit einer Schiffskanone auf ihn hätte feuern können, ohne ihn ernsthaft zu verletzen – oder zu beschädigen, je nachdem. Ich würde nur Zeit verlieren, wenn ich die Magnum weiter benutzte.
Allerdings hätte es um ein Haar keine Zeit mehr gegeben, die ich verlieren konnte. Für den Bruchteil einer Sekunde war ich abgelenkt gewesen, und der Untote nutzte meine Unaufmerksamkeit blitzschnell aus. Er stürzte sich auf mich und schloß wie in einer tödlichen Umarmung die Arme um meinen Oberkörper. Ich bekam keine Luft mehr. Ich wollte schreien, aber ich brachte nur ein hilfloses Keuchen heraus. Der Griff des Giganten war wie die Umklammerung eines Schraubstocks. Seine Arme preßten mir mit gnadenloser Kraft die Luft aus den Lungen. Meine Rippen knackten hörbar. Ein grauenhafter Schmerz explodierte in meinem Rücken, als das Ungeheuer mich mit einer wütenden Bewegung von den Füßen riß und wie eine Puppe herumschleuderte. Meine Finger öffneten sich; die Waffe fiel polternd zu Boden. Mir wurde schwarz vor den Augen.
»Robert!« schrie Jake. Er sprang auf. Für eine endlose, quälende Sekunde stand er reglos da und starrte auf das schreckliche Bild, das sich ihm bot. Dann wirbelte er herum, rannte zurück zu dem Wikingerboot und riß verzweifelt an der Reling.
Das uralte, steinhart gewordene Holz brach mit einem trockenen Knacken entzwei. Becker wirbelte herum, war mit einem Sprung wieder hinter dem Untoten und ließ seine improvisierte Keule mit aller Wucht auf seinen Schädel heruntersausen.
Der Schlag war so heftig, daß selbst ich ihn noch spürte. Der Gigant wankte. Ein stöhnender, fast schmerzhaft klingender Laut kam über seine Lippen. Seine Arme öffneten sich.

Ich fiel, rollte mich instinktiv ab und versuchte, aus der Reichweite des Riesen zu kriechen. Jakes Hieb hatte ihn angeschlagen, aber keineswegs ausgeschaltet. Er wankte, drehte sich schwerfällig zu dem neu aufgetauchten Gegner um und hob die Arme. Jake schwang seinen Knüppel und schlug erneut zu.
Aber diesmal war der Wikinger vorgewarnt. Als Beckers Keule heruntersauste, hob er blitzschnell den Arm, wehrte den Hieb ab und griff gleichzeitig mit der anderen Hand nach dem Angreifer. Jake wich im letzten Moment zurück, aber die Finger der Mumie erwischten noch sein Hemd und rissen ein großes Stück Stoff heraus. Ein langer, blutiger Kratzer blieb auf seiner Haut zurück.
Der Wikinger entriß ihm seine Keule, brach das Holzstück mit einer wütenden Bewegung entzwei, schleuderte es fort und versuchte, Jake zu umklammern, wie er es zuvor schon mit mir getan hatte.
Und dann tat Becker etwas, was mich eine Sekunde lang ernsthaft an seinem Verstand zweifeln ließ: Statt sich in Sicherheit zu bringen, blieb er einfach stehen und riß in einer dramatischen Geste beide Arme in die Höhe. »Halt ein!« schrie er. »Ich befehle dir zurückzugehen. Du tötest Unschuldige!«
So beeindruckend seine Beschwörung auch klang – dem Wikinger schien sie herzlich egal zu sein. Statt sich in einem Funkenregen aufzulösen oder sonstwie möglichst dekorativ zu verschwinden, stieß er einen knurrenden Laut aus und grabschte abermals nach Jake.
Becker tauchte im letzten Moment unter seinen zupackenden Händen hindurch, aber wieder konnte er ihm nicht ganz ausweichen; die Faust des Kriegers streifte ihn an der Schulter, so heftig diesmal, daß er das Gleichgewicht verlor und mit hilflos rudernden Armen gegen eine Glasvitrine prallte, die unter seinem Gewicht zusammenbrach. In einem Hagel von Glasscherben und durcheinanderpurzelnden und zerbrechenden Ausstellungsstücken fiel er zu Boden.
Der Wikinger stieß ein triumphierendes Zischen aus und stürzte sich mit hoch erhobenen Armen auf sein wehrloses Opfer. Becker schrie auf, zog instinktiv die Knie an den Körper und stieß ihm die Füße in den Leib. Der Wikinger tau-

melte zurück, griff aber sofort wieder an. Becker versuchte, rückwärts davonzukriechen. Seine Hände tasteten über den Boden und bekamen einen schmalen verkrusteten Dolch zu fassen. Er riß die Waffe hoch und rammte sie dem Wikinger in die Brust, als sich der Riese erneut über ihn beugte.
Die Wirkung war erstaunlich.
Der Gigant prallte zurück. Er wankte. Ein stöhnender, schmerzhafter Laut entrang sich seiner Brust. Er brach in die Knie, stützte sich mit einer Hand ab, um nicht vollends vornüber zu fallen, und zerrte mit der anderen am Griff des Dolches, der aus dem verrotteten Leder seines Harnisches ragte. Langsam, als koste ihn die Bewegung unendliche Kraft, zog er die Waffe heraus.
Aber auch ich war mittlerweile wieder auf die Füße gekommen. Meine Rippen schmerzten noch immer höllisch, und jeder Atemzug brannte wie flüssiges Feuer in meinen Lungen. Vergeblich bemühte ich mich, die schwarzen Schleier vor meinen Augen wegzublinzeln. Fasziniert und entsetzt zugleich sah ich zu, wie der mumifizierte Wikinger den Dolch aus seiner Brust zog und langsam wieder auf die Füße kam. Die Wunde, die das Messer hinterlassen hatte, wirkte lächerlich gegen die schrecklichen Einschußlöcher der Magnum.
Und trotzdem hatte die im Verhältnis harmlose Waffe den Untoten sichtlich geschwächt!
»Ein Schwert!« keuchte Becker. »Robert – ein Schwert!«
Ich begriff nicht wirklich, was er meinte – nicht bewußt –, aber etwas in mir hatte die Wahrheit längst erkannt, und dieses Etwas ließ mich ganz instinktiv – und ausnahmsweise sogar richtig – reagieren. Ich fuhr herum, rannte zu dem Glaskasten neben der Tür und suchte eine halbe Sekunde vergeblich nach irgendeiner Möglichkeit, ihn zu öffnen, ehe ich ihn kurzerhand mit dem Ellbogen einschlug. Das geschliffene Glas zerplatzte: Scherben und Fundstücke fielen zu Boden.
Ich bückte mich, hob das Schwert auf und wirbelte erneut herum. Die Waffe lag ungewohnt schwer in meiner Hand; das Metall war oxydiert und dick mit einer schwärzlichen Masse verkrustet und nur hier und da noch als Bronze zu erkennen. Aber wenn meine Vermutung stimmte, dann würde es seinen Dienst tun. Und wenn nicht – nun, dann brauchte ich mir wahrscheinlich keine Sorgen mehr um meine Zu-

kunft zu machen...

Ich erreichte Jake Becker im gleichen Moment, in dem sich der Wikinger erneut über ihn beugte und mit seinen schrecklichen Händen nach ihm griff. Der Untote schien die Gefahr instinktiv zu spüren, denn er ließ plötzlich von seinem Opfer ab, sprang zurück und hob abwehrend die Hände vor das Gesicht.

Das Schwert mit beiden Händen haltend, holte ich zu einem mächtigen Hieb aus, und ließ die Klinge heruntersausen. Die Mumie prallte im letzten Moment zurück, so daß die Waffe ihren Schädel verfehlte, aber die schartige Klinge traf seinen Arm und grub sich knirschend durch den verrotteten Lederpanzer, der ihn umhüllte.

Der Gigant taumelte. Ich holte zu einem zweiten Schlag aus, aber das ungewohnte Gewicht der Waffe und der glatte Marmorfußboden ließen mich ebenfalls straucheln, so daß ich um ein Haar vom Schwung meines eigenen Hiebes von den Füßen gerissen worden wäre. Mühsam fand ich mein Gleichgewicht wieder und packte die Waffe fester.

Die Mumie war zwei, drei Schritte zurückgewichen. In ihre leeren Augenhöhlen war ein rötlicher, unheimlicher Schimmer getreten. Es sah aus, als wären sie mit Blut gefüllt. Aber sie griff nicht wieder an.

Ihr Blick saugte sich an der Waffe in meinen Händen fest. Schritt für Schritt wich sie zurück, bis sie gegen den Rand des Drachenbootes stieß. Ich folgte ihr. Jeder einzelne Muskel in meinem Körper war angespannt.

»Seien sie vorsichtig, Robert« sagte Jake keuchend. »Der Kerl hat Kräfte wie ein Bär.« Ich nickte, ohne den Wikinger aus den Augen zu lassen. Der Untote schob sich langsam an dem Boot entlang, bis er zwischen mir und Jake war. Sein Gesicht zuckte; es sah aus, als wolle er sprechen.

Und es sah nicht nur so aus... Ich spürte, wie sich jedes einzelne Haar an meinem Körper aufstellte, als sich die fleischlosen Lippen des Totenkopfgesichts bewegten. Der Wikinger öffnete den Mund. Ein krächzender, unmenschlicher Laut kam über seine Lippen. Seine gewaltige Gestalt straffte sich.

Ich umklammerte das Schwert instinktiv fester. Ich wußte, daß mein erster Angriff den Riesen nur überrascht hatte. Selbst mit nur einem Arm und ohne Waffen war der Mu-

mienkrieger ein Gegner, mit dem ich kaum fertig werden konnte. Und dann stürmte er vor.
Die Bewegung war so schnell, daß meine Gegenwehr viel zu spät kam. Ich hatte das Schwert nicht einmal halb erhoben, als der Riese auch schon heran war und mit der Faust nach mir hieb.
Der Schlag traf mich an der Schläfe und schleuderte mich zu Boden. Ich fiel, versuchte mich abzurollen und sank halb benommen zurück.
Verzweifelt drängte ich die schwarze Bewußtlosigkeit zurück, die wie eine erstickende Welle über mir zusammenschlagen wollte, setzte mich auf und tastete nach dem Schwert. Es lag einen halben Meter neben mir – aber ich griff nicht danach.
Ich brauchte die Waffe nicht mehr.
Ungläubig blickte ich mich in der riesigen Halle um: Der Mumienkrieger war nirgends mehr zu sehen.

»Nicht bewegen«, sagte ich warnend. »Auch wenn es weh tut.«
Jake nickte, blinzelte nervös zu mir hoch und biß die Zähne zusammen. Trotzdem konnte er einen Schmerzenslaut nicht vollends unterdrücken, als ich mit spitzen Fingern die Glasscherbe ergriff und mit einem harten Ruck aus seinem Oberschenkel zog. Der Stoff seiner Hose begann sich sofort dunkel zu färben.
»Das war die Schlimmste«, sagte ich – was eine glatte Lüge war; Jakes Bein war mit Glasscherben nur so gespickt, aber keine der Wunden war wirklich gefährlich. Jedenfalls hoffte ich es. Ich zog ein Taschentuch hervor, faltete es zusammen und preßte es auf die Wunde.
»Halten Sie das fest, Jake«, sagte ich. »Ich telefoniere nach einem Arzt.«
»Kümmern Sie sich lieber um Havilland«, preßte Jake hervor. »Ich komme schon klar.«
Ich sah ihn zweifelnd an, stand dann aber doch auf und ging zu Havilland hinüber, der zusammengesunken auf den Trümmern des Wikingerbootes hockte und ins Leere starrte. Er hatte sich die ganze Zeit über nicht bewegt. Nicht einmal, während Jake und ich um unser Leben kämpften.

Und er reagierte auch jetzt nicht, als ich neben ihm niederkniete und die Hand auf seine Schulter legte. Seine Augen waren offen, aber er schien mich nicht wahrzunehmen.
Ich winkte Crandell herbei und betrachtete auch ihn einen Moment lang sehr eindringlich. »Alles wieder in Ordnung?« fragte ich.
Er schüttelte den Kopf und sagte: »Sicher ... alles in schönster Ordnung.«
»Gehen Sie zum Telefon«, bat ich ihn. »Rufen Sie einen Arzt an. Und die Polizei.«
»Es gibt hier keinen Arzt«, antwortete Crandell. »Und auch keine Polizei. Die nächste Station ist zehn Meilen entfernt.«
»Versuchen Sie es trotzdem«, sagte ich. »Bitte.«
Crandell zögerte noch einmal, aber dann stand er gehorsam auf und schlurfte mit hängenden Schultern zum Telefon. Es ging mir gar nicht darum, daß er wirklich anrief – die Polizei konnte uns hier ebensowenig helfen wie die Schweizer Nationalgarde; ganz davon abgesehen, daß sie kein Wort glauben würden. Aber ich wollte Crandell beschäftigen. Er mußte irgend etwas tun, ehe er Zeit fand nachzudenken und vielleicht völlig ausrastete.
Ich überzeugte mich davon, daß der Professor nicht verletzt war, dann ging ich zu Becker zurück.
Er lag noch immer so da, wie ich ihn zurückgelassen hatte, aber die zahllosen Schnittwunden in seinem Bein und seinen Schultern hatten bereits aufgehört zu bluten, und sein Gesicht nahm allmählich wieder Farbe an. Es war erstaunlich, wie schnell er sich von Verletzungen erholte, die einen anderen an seiner Stelle umgebracht hätten.
»Er ist noch hier«, sagte ich, wohlweislich so leise, daß weder Crandell noch der Professor meine Worte verstehen konnten.
Becker nickte. Sein Blick war sehr ernst. »Woher wissen Sie das?«
»Ich spüre es«, antwortete ich, und das war die Wahrheit. Ich fühlte die Nähe des Ungeheuers wie einen üblen Geruch. Es war noch im Haus.
»Aber woher wissen Sie es?« fügte ich hinzu.
Becker versuchte zu lächeln, aber es wurde eher eine Grimasse daraus. »Habe ich gesagt, daß ich es weiß?«

Ich antwortete gar nicht darauf, sondern ließ mich neben ihm in die Hocke sinken und sah ihn prüfend an. »Was haben Sie damit gemeint, Jake«, fragte ich, »als Sie zu ihm sagten: Ich befehle dir zu gehen?«

Robert lächelte unsicher. »Das soll ich gesagt haben? Unsinn. Man ... man sagt viel, wenn man in Panik ist. Die Menschen tun die sonderbarsten Sachen, wenn Sie Angst haben, wissen Sie das nicht?«

»Doch«, antwortete ich, ohne auf sein Lächeln zu reagieren. »Sie lernen zum Beispiel plötzlich, mit einem nordischen Griffzungenschwert zu kämpfen, nicht wahr?«

»Aber ich habe Ihnen doch gesagt, daß ich ein bißchen geübt –«

»Blödsinn!« unterbrach ich ihn scharf. »Ich kann selbst fechten, Jake, und zwar verdammt gut. Ich nehme seit drei Jahren Unterricht bei den besten Lehrern. Es gibt nicht viele, die mir mit dem Florett beikommen, wissen Sie? Aber ich hatte Mühe, dieses Schwert überhaupt zu halten.«

Beckers Gesicht war plötzlich wie Stein. »Und?« fragte er. »Was wollen Sie damit sagen?«

»Sie verschweigen mir etwas, Jake«, unterbrach ich. »Aber ich glaube, jetzt ist nicht der Moment für Geheimnisse.«

»Unsinn«, sagte Becker. »Sie übertreiben, Robert.«

Eine Hand berührte mich an der Schulter und hinderte mich daran, zu antworten. Ich sah auf und blickte in Crandells schreckensbleiches Gesicht.

»Es geht nicht«, sagte er.

»Was geht nicht?« fragte ich.

»Das Telefon«, stammelte Crandell. »Es ... es funktioniert nicht.«

Ich sah ihn einen Moment zweifelnd an, dann erhob ich mich, ging zum Tisch und versuchte es selbst. Mit bebenden Fingern nahm ich den Hörer ab, wählte eine x-beliebige Nummer und wartete auf das Freizeichen. Es kam nicht. Das Telefon blieb stumm. Ich wartete einen Moment, schlug mit dem Handballen gegen die Muschel und lauschte erneut. Aber aus dem Hörer drang nicht der geringste Laut. Ich hängte auf, wartete einige Sekunden und versuchte es dann noch einmal, aber auch diesmal blieb das Freizeichen aus. Das Telefon war tot.

Mein Blick glitt durch den verwüsteten Raum. Die meisten Glasvitrinen und Regale waren zertrümmert; Fundstücke und Scherben lagen in wirrem Durcheinander auf dem Boden, und selbst das Boot war aus seiner Halterung gerissen und hing schräg auf seinem Sockel, als wäre es erst jetzt wirklich gestrandet.

»Wir müssen raus hier, Crandell«, sagte ich. »Glauben Sie, daß Sie den Professor tragen können, wenn ich mich um Jake kümmere?«

Crandell nickte und schüttelte gleich darauf den Kopf. »Die Tür geht nicht auf«, sagte er leise.

»Verdammt noch mal, dann schlagen Sie ein Fenster ein!« fauchte ich unbeherrscht, aber Crandell rührte sich auch jetzt nicht von der Stelle, und ich hatte wahrlich keine Lust, weiter mit ihm zu diskutieren.

Ich bückte mich, hob das massige Schwert auf und ließ die Klinge ohne ein weiteres Wort gegen eines der Fenster krachen. Es gab einen hellen, peitschenden Ton, als schlüge Stahl auf Stahl. Das Schwert wurde mir aus der Hand geprellt und schepperte zu Boden. Ich taumelte mit einem verblüfften Laut zurück. Die Klinge hatte die Fensterscheibe nicht einmal berührt, sondern war wenige Zentimeter davor gegen ein unsichtbares Hindernis geprallt!

Zwei, drei Sekunden lang blieb ich starr vor ungläubigem Schrecken stehen, dann bückte ich mich erneut, hob einen umgeworfenen Stuhl auf und schleuderte ihn mit aller Gewalt gegen das Fenster.

Das Ergebnis war das gleiche. Auch der schwere Eichenstuhl prallte von der Fensterscheibe ab, ohne auch nur den geringsten Kratzer zu hinterlassen.

»Mein Gott!« keuchte Crandell. »Das ist doch unmöglich!«

Ich war nicht einmal wirklich überrascht. Irgendwie hatte ich es erwartet. Wir saßen in der Falle. Aber so schnell würde ich nicht aufgeben!

»Sie ... Sie sind doch ein Magier, oder?« fragte Crandell plötzlich. »Ich meine, der Professor hat so etwas gesagt, und ... und ...«

»Und Sie glauben, ich könnte ihn einfach wegzaubern?« Gegen meinen Willen mußte ich lächeln, als ich den Kopf schüttelte. »Nein, Hendrick, ich fürchte, dazu reichen meine

Kräfte nicht aus. Aber wir kommen hier schon raus, keine Sorge. Gibt es noch ein zweites Telefon im Haus?«
»Ich... glaube«, antwortete Crandell. »Irgendwo oben.«
»Gut. Dann versuche ich mein Glück dort.« Ich drehte mich um, zögerte, nahm dann das verrottete Schwert auf, mit dem ich den Wikinger in die Flucht geschlagen hatte, und hielt es Crandell hin. »Nehmen Sie es. Aus irgendeinem Grund kann ihn diese Waffe verletzen.«
Crandell erbleichte. »Sie glauben, er... er kommt wieder?« fragte er.
»Kaum«, sagte ich rasch. »Aber sicher ist sicher. Können Sie damit umgehen?«
»Mit einem Schwert?« Crandell schüttelte den Kopf. »Ich weiß nicht einmal, an welchem Ende man es anfaßt.«
»Dann wollen wir hoffen, daß unser Freund das nicht weiß«, sagte ich scherzhaft. Ich lächelte mit einem Optimismus, den ich ganz und gar nicht empfand, drehte mich herum und ging auf die Marmortreppe zu. Mein Blick wanderte nervös durch den großen Raum. Das Ungeheuer war noch da, irgendwo hier im Haus; ich spürte seine Nähe wie einen üblen Geruch, der sich in den Wänden eingenistet hatte. Es war hier, und es wartete auf mich. Es lag mir nicht wirklich daran, das Telefon zu finden, denn ich war hundertprozentig sicher, daß es ebenso tot sein würde wie der Apparat in der Halle. Aber irgend etwas mußte ich unternehmen. Der Gedanke, tatenlos herumzustehen und darauf zu warten, daß das Monster zurückkam und zu Ende brachte, was es angefangen hatte, war mir unerträglich. Vielleicht fand sich unter Havillands Fundstücken etwas, was ich als Waffe gegen den Krieger einsetzen konnte.
Das Haus war unheimlich still, so ruhig, daß ich das Hämmern meines eigenen Herzens hörte und mir für einen Moment fast einbildete, das Geräusch müsse bis unter den Dachboden zu hören sein. Unschlüssig verharrte ich kurz am Fuß der Treppe und begann dann langsam die Stufen hinaufzusteigen.
Das Gefühl der Bedrohung, das ich die ganze Zeit über gespürt hatte, verstärkte sich mit jedem Schritt. Für einen Moment bedauerte ich es, das Schwert nicht mitgenommen zu haben. Der Zombie war noch irgendwo hier im Haus, und

wenn er mich allein und ohne Waffe überraschte...
Ich vertrieb den Gedanken mit einem ärgerlichen Kopfschütteln und ging schneller. Mit Gewalt hatte ich ohnehin keine Chance gegen dieses Ungeheuer, so oder so.
Schon hinter der ersten Tür, die ich öffnete, hatte ich Erfolg. Der Raum dahinter war klein und bis zum Bersten vollgestopft mit Bücherregalen und Kisten voller archäologischer Gerätschaften und Aufzeichnungen, aber auf dem mit Papier überhäuften Schreibtisch stand ein Telefon. Ich schloß die Tür hinter mir, ging zum Tisch hinüber und nahm den Hörer ab – eigentlich wider besseres Wissen. Auch dieser Apparat war tot. Ich starrte den Hörer einen Herzschlag lang vorwurfsvoll an, ehe ich ihn langsam wieder auf die Gabel sinken ließ. Nun ja – einen Versuch war es wert gewesen.
Unschlüssig sah ich mich um. Im Zimmer herrschte ein Chaos, in dem sich wohl nur der zurechtfand, der es verursacht hatte. Hier und da lagen einzelne Fundstücke, größtenteils irgendwelche Gerätschaften, deren Zweck ich nicht zu erraten imstande war, aber auch Waffen – erstaunlich viele Waffen sogar. Ich wußte ja, daß die Wikinger nicht unbedingt zu den friedliebendsten Völkern gehört hatten – aber das hier war das reinste Gruselkabinett. An einer der Seitenwände war ein halbes Dutzend runder Metallschilde aufgereiht, daneben lagen Schwerter und Äxte. Und die meisten waren in wesentlich besserem Zustand als die, die unten ausgestellt waren. Offenbar war dies hier Havillands Arbeitsraum, und wahrscheinlich lag auch hier irgendwo die Lösung des Rätsels verborgen.
Aber danach zu suchen war vollkommen sinnlos. Trotzdem verließ ich das Zimmer nicht sofort, sondern ging neugierig zu einem deckenhohen Regal neben dem Fenster hinüber. Es war vollgestopft mit Funden aus den Wikingergräbern: Helme, metallene Krüge und Schmuck.
Eines der Stücke erregte meine besondere Aufmerksamkeit. Es war eine kleine Scheibe aus Kupfer, nicht größer als meine Handfläche. Es befanden sich weit prächtigere und bemerkenswertere Fundstücke im Zimmer als dieses unscheinbare Metallblättchen, doch ohne das Gefühl begründen zu können, spürte ich einfach, daß es damit etwas Besonderes auf sich hatte.

Zögernd hob ich die Hand, nahm die Scheibe vom Regal und trat ans Fenster, um sie im Sonnenlicht genauer zu betrachten.
Es war eine Art Medaillon. In seinen Rand war ein Loch gebohrt worden, durch das früher vielleicht einmal eine Kette oder ein Lederriemen geführt hatte. Auf der Vorderseite war unter dick verkrustetem Schmutz und Grünspan ein Teil eines Wikingerschiffes zu erkennen; die Rückseite zeigte ein verschlungenes Symbol, das vage an eine Kreuzung zwischen einer Schlange und einem geflügelten Drachen erinnerte.
Ich runzelte verwirrt die Stirn. Ich hatte keine Ahnung, was das zu bedeuten hatte, doch irgend etwas sagte mir, daß dieses Medaillon mehr war als ein Stück totes Metall. Irgendwo, tief in ihm, schien etwas zu leben...
Achselzuckend – und weit beunruhigter, als ich mir eingestehen wollte – wandte ich mich um, steckte das Medaillon in die Tasche und trat erneut an das Regal heran.
Der Schritt rettete mir das Leben.
Ich sah die Bewegung aus den Augenwinkeln, aber meine Reaktion wäre viel zu spät gekommen.
Etwas Dunkles, Langes zischte weniger als eine Handbreit an mir vorbei, krachte in die Fensterbank und zertrümmerte den fünf Zentimeter dicken Marmor. Ich wirbelte herum – und erstarrte.
Die Tür hatte sich geöffnet, ohne daß ich es bemerkt hatte – und in der Öffnung stand ein gewaltiger, rothaariger Wikinger! Es war der Krieger, der uns unten in der Halle angegriffen hatte – aber er hatte sich auf bizarre Weise verändert. Sein Totenkopfgesicht war zum finster dreinblickenden Antlitz eines lebenden, atmenden Menschen geworden. Der gewaltige Hörnerhelm auf seinem Schädel funkelte und blitzte, und der halb vermoderte Brustharnisch bestand wieder aus dunklem, geschmeidigem Leder.
Die Mumie hatte sich in den Menschen zurückverwandelt, der sie einmal gewesen war! Die furchtbaren Löcher, die Crandells und meine Geschosse in ihren Brustpanzer geschlagen hatten, waren verschwunden, und selbst der verletzte Arm war wieder unversehrt.
Ich wich mit einem unterdrückten Schreckensschrei zurück, als der Krieger den Raum betrat. Er war so groß, daß er das

Haupt beugen mußte, um nicht mit seinem gewaltigen Hörnerhelm an den Türrahmen zu stoßen, und seine Schultern schienen die schmale Öffnung beinahe zu sprengen. In seiner linken Hand blitzte ein Schwert; mit der anderen hatte er die Axt geschleudert, die mich um ein Haar getötet hätte.
Ich sah mich ebenso verzweifelt wie vergeblich nach einem Fluchtweg um. Der Wikinger kam näher, blieb auf der anderen Seite des Schreibtisches stehen und musterte mich aus brennenden Augen. Er hatte ein hartes, sonnengegerbtes Gesicht, und um seinen Mund lag ein grausamer Zug. Seine Hände, jetzt keine verkrümmten Leichenkrallen mehr, schienen kräftig genug, einen normal gewachsenen Mann ohne Mühe in der Mitte durchbrechen zu können, und die Art, wie er das Schwert hielt, sagte mir, daß er ein Meister in der Handhabung dieser Waffe war.
Langsam begann ich den Schreibtisch zu umkreisen. Der Riese folgte mir, hielt sich aber stets so, daß er mir sofort den Weg abschneiden konnte, falls ich versuchen sollte, die Tür zu erreichen. Meine Gedanken überschlugen sich. Ich brauchte eine Waffe, irgend etwas, um mich zu wehren. Bei unserem ersten Aufeinandertreffen hatte ich ihn erst besiegt, als ich ihn mit seiner eigenen Waffe angriff; einem Gegenstand, der so alt war wie er selbst. Und davon gab es ja nun wahrlich genug hier...
Ich fuhr herum, riß einen der runden Schilde vom Boden hoch und griff mit der anderen Hand nach einem Schwert. Das Gewicht der Waffen überraschte mich – sie waren so schwer, daß mich der Schild fast zu Boden zog, und ich bezweifelte, daß ich das Schwert überhaupt handhaben konnte. Trotzdem drehte ich mich sofort wieder um und trat dem Giganten einen halben Schritt entgegen.
Der Wikinger war stehengeblieben und hatte meine Vorbereitungen aus spöttisch glitzernden Augen beobachtet, und plötzlich begriff ich, daß er mich wahrscheinlich mit Leichtigkeit bereits ein halbes Dutzend Mal hätte tranchieren können, wenn er es wirklich gewollt hätte. Ich kam mir vor wie bei einem Katz-und-Maus-Spiel. Leider hatte ich nicht den Part der Katze.
Der Wikinger wechselte sein eigenes Schwert von der linken in die rechte Hand, kam mit tänzelnden, in krassem Gegen-

satz zu seiner Größe und Körpermasse stehenden Schritten um den Tisch herum und trieb mich Schritt für Schritt zurück. Ich biß mir nervös auf die Lippen. Der Riese spielte nur mit mir. Gegen die ungeheuren Kräfte, über die dieser mehr als zwei Meter große Gigant verfügen mußte, würde mich nicht einmal der massive Metallschild schützen.

Der Wikinger kam langsam näher. Das Schwert, das in seinen riesigen Händen fast wie ein Spielzeug wirkte, zitterte leicht, seine Spitze zeichnete einen eleganten Halbkreis in die Luft, ehe sie sich wie zufällig auf meine Brust richtete. Ich hielt meinen Schild ein wenig höher, spreizte die Beine, um festen Stand zu erlangen, und hob meine eigene Waffe.

Der Riese lachte; ein leiser, grollender Laut, der unheimlich von den Wänden widerhallte. »Narr«, sagte er. »Glaubst du wirklich, du könntest gegen mich bestehen? Wirf dein Schwert weg und komm her. Du ersparst dir nur unnötige Qualen.«

Ich starrte den Wikinger ungläubig an. »Du ... du sprichst?« murmelte ich verwirrt. »Du sprichst meine Sprache?«

Ein unwilliger Schatten huschte über das Gesicht des Giganten. »Was willst du?« knurrte er. »Reden oder kämpfen?«

»Wer bist du?« fragte ich, seine Worte mißachtend. »Wenn du wirklich Leif Erickson bist, dann haben wir keinen Streit mit dir.«

»Erickson!« brüllte der Riese. Seine Stimme bebte vor Wut, und ich hatte plötzlich das Gefühl, etwas reichlich Dummes gesagt zu haben.

»Du kennst diesen Verräter also!« brüllte er. »Dann stirb, so wie er mich, Hellmark von Sjöde, ermordet hat!« Und mit diesen Worten stürzte der Gigant vor und schwang in einer ungeheuer kraftvollen Bewegung sein Schwert.

Ich duckte mich im letzten Moment hinter meinen Schild. Hellmarks Klinge fuhr mit einem splitternden Laut in den Rand meiner Deckung, verfehlte mich um Millimeter und glitt knirschend ab. Aber allein die Wucht dieses ersten Hiebes reichte, um mich zurücktaumeln und hilflos gegen die Wand prallen zu lassen.

Ein dumpfer Schmerz schoß durch meine Schulter und lähmte meine ganze linke Körperhälfte. Mein linker Arm mit dem Schild sank kraftlos herab, und für einen Moment begann der Raum vor meinen Augen zu verschwimmen. Auch ich war ein Meister der Fechtkunst, und schon so mancher, der geglaubt hatte, einem wehrlosen und schwachen Jüngling gegenüberzustehen, hatte rasch und schmerzhaft lernen müssen, wie falsch diese Annahme war. Aber gegen diesen hünenhaften Wikinger hatte ich nicht die geringste Chance. Allein seine Körperkraft würde jeden Versuch, ihn mit einer ausgefeilten Technik zu besiegen, schlichtweg lächerlich erscheinen lassen. Der nächste Hieb, das wußte ich, würde tödlich sein.

Da sah ich eine Bewegung an der Tür und hörte Beckers Stimme: »Das Medaillon, Robert!«

Ich handelte, ohne zu denken. Ich ließ das Schwert fallen, duckte mich im letzten Moment unter einem zweiten Streich Hellmarks weg und griff in die Tasche. Meine Finger umklammerten das Medaillon, das ich aus dem Regal genommen hatte, und streckten es Hellmark entgegen.

Die Wirkung war verblüffend. Im gleichen Moment, in dem der Wikinger das Amulett erblickte, erstarrte er mitten in der Bewegung. Seine Augen weiteten sich ungläubig. »Bei Thor!« keuchte er. »Warum hast du nicht gesagt, wer du bist? Um ein Haar hätte ich dich getötet!«

Ich war viel zu verblüfft, um zu antworten. Hellmark ließ sein Schwert sinken, schüttelte den Kopf und rieb sich nachdenklich mit der Hand über das Kinn. »Du bist ein Narr«, murmelte er. »Verbündete sollten sich zu erkennen geben, damit sie sich nicht aus Versehen umbringen.« Plötzlich grinste er. »Ich gestehe es nicht gerne, aber du bist ein guter Gegner. Wenigstens für eine halbe Portion, wie du es bist. Die wenigsten überleben meinen ersten Hieb. Wenn du lange genug lebst, dann wird noch einmal ein großer Krieger aus dir.«

»Danke«, antwortete ich. Verwirrt blickte ich zur Tür und suchte nach Jake, aber er war nicht da. Verdammt, ich hatte mir seine Stimme doch nicht bloß eingebildet!

Ich verstand überhaupt nichts mehr, aber ich hielt es für besser, den Riesen wenigstens für den Moment noch in dem Glauben zu lassen, ich stünde auf seiner Seite. »Aber wer –«

»Es ist keine Zeit zum Reden«, unterbrach mich Hellmark. Er wies mit einer Kopfbewegung zum Fenster, hob das Schwert auf, das ich fallengelassen hatte, und drückte es mir in die

Hand. Automatisch griff ich zu.

»Die Sonne hat den Zenit bereits überschritten«, fuhr Hellmark fort. »Sobald die anderen da sind, brechen wir auf.« Sein Gesicht verfinsterte sich. »Wir haben lange genug gewartet, bei Thor.«

»Aufbrechen?« murmelte ich. »Ich verstehe nicht...«

Hellmark lachte dröhnend. »Du wirst es verstehen, Bursche. Es wird Blut fließen, und es wird nicht das unsere sein, mein Wort darauf.« Seine Hand ballte sich zur Faust, so heftig, daß seine Knöchel knackten.

»Erickson«, murmelte er. »Er wird sterben. Er und viele, viele andere. Hundert Leben für eines, so will es Odins Fluch.«

»Warte!« sagte ich verzweifelt. Aber es war zu spät. Der Riese fuhr herum und ging aus dem Raum, ohne mich noch eines weiteren Blickes zu würdigen. Als ich eine halbe Sekunde nach ihm durch die Tür stürmte, war der Korridor leer...

Jake kam mir mit schmerzverzerrtem Gesicht entgegen gehumpelt, als ich die Treppe erreichte. Er blieb stehen, öffnete den Mund, brachte aber keinen Laut hervor, sondern starrte nur verblüfft zu mir herauf.

»Wo ist er?« rief ich.

»Wer?«

»Hellmark!« antwortete ich ungeduldig. »Er muß hier entlanggekommen sein!«

»Ich... verstehe nicht ganz«, murmelte Becker. »Von wem reden Sie? Ich...«

Becker brach ab, schüttelte verwirrt den Kopf und sah mich erneut und durchdringend an. Entweder, dachte ich, er wußte wirklich nichts, oder er war der mit Abstand beste Schauspieler, der mir je untergekommen war.

»Ich habe Lärm gehört«, sagte er, »und wollte nach dem Rechten sehen. Was ist passiert?«

Ich schwieg einen Moment. Mein Blick glitt unschlüssig über den leeren Korridor hinter mir. Es gab keinen anderen Weg hier heraus als den über diese Treppe, und Hellmarks Vorsprung hatte weniger als eine Sekunde betragen.

Ich merkte jetzt erst, daß ich noch immer das Schwert in der einen und den gewaltigen runden Schild in der anderen Hand trug. Kein Wunder, daß Becker mich so seltsam ansah!

Fast verlegen ließ ich die Waffen sinken, ging langsam die Treppe hinunter und blieb vor Becker stehen. »Ich habe unseren Freund wieder getroffen«, sagte ich. »Hellmark.«
»Hellmark?« wiederholte Becker.
»Das ist sein Name«, bestätigte ich. Seine Art, sich dummzustellen, begann mir allmählich gehörig auf den Wecker zu gehen. »In diesem Punkt hat sich der Professor gründlich geirrt. Der Tote war nicht Leif Erickson. Im Gegenteil. Und Sie sind sicher, daß er nicht hier entlanggekommen ist?«
Jake nickte. »Vollkommen«, sagte er. »Aber ich verstehe nicht – was um Himmels willen ist denn nur passiert? Und woher wissen Sie, daß der Tote nicht Erickson ist?«
»Ich habe mit ihm gesprochen«, sagte ich ruhig. »Und er ist ganz und gar nicht tot, Jake. Aber das wissen Sie wahrscheinlich besser als ich, nicht wahr? Genauso wie sie längst wußten, daß er Hellmark ist.«
Becker blickte mich an, und irgend etwas geschah mit seinen Augen. Plötzlich – und nur für eine halbe Sekunde – war etwas in seinem Blick, das mich erschauern ließ. Aber da war es auch schon wieder vorüber, und auf sein Gesicht trat wieder dieser Ausdruck perfekt geschauspielerter Unwissenheit.
»Was ist da oben passiert?« fragte er.
Ich resignierte. Mit wenigen, knappen Worten erzählte ich ihm, was in Havillands Arbeitszimmer geschehen war. Bekker hörte schweigend zu, ohne mich anzusehen, und auch als ich geendet hatte, blickte er nur stumm zur Seite.
»Erklären Sie mir, was das alles bedeutet«, sagte ich eindringlich. »Sie wissen es!« Irgend etwas muß in meinem Tonfall gewesen sein, was ihn davon überzeugte, daß ich diesmal nicht mehr nachgeben würde. Er wandte den Kopf und blickte mich an, und wieder trat dieser sonderbar beunruhigende Ausdruck in seine Augen. Aber jetzt verschwand er nicht mehr.
»Ich kann es Ihnen nicht sagen, Robert«, sagte er. »Aber ich stehe auf Ihrer Seite. Glauben Sie mir.«
»Dann verscheuchen sie dieses... Ding«, sagte ich. »Wer immer Sie sein mögen.« »Ich kann es nicht«, antwortete Becker gequält. »Ich... ich bin im Moment so verwundbar wie Sie, Robert. Und er... er gehorcht mir nicht mehr. All dieser Haß muß ihn blind gemacht haben. Er weiß nicht mehr, was er

107

tut.«

Seine Worte ließen mich innerlich erschauern. Ich war jetzt sicher, daß Jake Becker ganz und gar nicht der harmlose junge Mann war, als den ich ihn kennengelernt hatte. Aber wer war er dann? Die einzige Erklärung, die mir einfiel, war einfach zu phantastisch, um den Gedanken auch nur zu Ende zu denken.

»Er sprach von anderen«, sagte ich leise. »Bedeuten diese Worte das, was ich glaube?«

Becker nickte. »Ich fürchte«, sagte er.

»Aber das ergibt doch keinen Sinn! Wenn Hellmark wirklich vorhat, sich an Leif Erickson zu rächen, warum... warum dann erst jetzt, tausend Jahre später?« Becker seufzte. »Ich fürchte, im Reich der Toten existiert der Begriff der Zeit nicht, da sind tausend Jahre nicht mehr als ein einziges.«

Niedergeschlagen ließ er sich auf die unterste Treppenstufe sinken und starrte vor sich hin, und nach einer Weile setzte ich mich neben ihn. Es war eine absurde Situation: Wir hatten den sicheren Tod vor Augen, jeden Moment konnte Hellmark wieder auftauchen und allem ein Ende machen, aber wir hockten einfach da und taten – nichts.

Meine Finger spielten unbewußt mit dem Medaillon, das ich in Havillands Arbeitszimmer gefunden hatte. Die geflügelte Schlange auf seiner Rückseite schien sich zu bewegen, als ich es langsam drehte.

»Was haben Sie da?« fragte Jake neugierig. Ich sah auf und hielt ihm das Medaillon hin. »Das Amulett, von dem ich Ihnen erzählt habe«, sagte ich, »und mit dem Sie mir das Leben gerettet haben, Jake.«

Jake überhörte auch diese Bemerkung geflissentlich, nahm mir den Anhänger vorsichtig aus der Hand, drehte ihn unschlüssig zwischen den Fingern und versuchte, mit dem Fingernagel den schwärzlichen Belag abzukratzen. Ich beugte mich vor und blickte über seine Schulter.

»Es ist seltsam«, murmelte ich. »Ich verstehe nicht viel davon, aber das Symbol auf der einen Seite ist eindeutig ein Wikingerschiff. Und die andere...«

»...stellt Quetzalcoatl dar«, sagte Becker.

»Wen?«

Jake lächelte. »Quetzalcoatl«, wiederholte er. Oder auch Tla-

huizcalpantecuhtli genannt, aber das ist noch unaussprechlicher. Die geflügelte Schlange der Azteken. Einer ihrer obersten Götter.«
»Und?« machte ich. »Was bedeutet das?«
»Nach der Auffassung der meisten von Havillands Kollegen nichts«, sagte Jake. »Aber Havilland hat , was wir hier sehen, im Umkreis von fünf Meilen ausgegraben.«
»Nachdem Sie ihm gezeigt haben, wo er zu suchen hat, nicht?« sagte ich. »Jake, glauben Sie nicht, daß Sie mir endlich sagen sollten, wer Sie ...«
Aus dem dämmrigen rückwärtigen Teil der Halle hinter uns, drang ein dumpfes Bersten und Splittern, gefolgt von einem markerschütternden Schrei und einem neuerlichen Krachen; einem Geräusch, als schlüge ein schwerer Körper auf. Becker und ich sprangen gleichzeitig hoch, aber trotz seiner Verletzungen war er schneller als ich. Mit zwei, drei wahren Riesensätzen durchquerte er die Halle – und blieb so abrupt stehen, daß ich um ein Haar erneut gegen ihn geprallt wäre, wie unten im Keller.
Ein besonders perfider Teil meiner Phantasie hatte sich die Szene so genau ausgemalt, daß ich eigentlich auf den Anblick hätte vorbereitet sein sollen. Dennoch erstarrte ich vor Entsetzen.
Crandell lag in der Nähe des Wikingerbootes am Boden. Er lebte und war sogar bei Bewußtsein, blutete aber heftig aus einer üblen Platzwunde an der Stirn, und seine Augen starrten ins Leere. Hellmark stand mit gespreizten Beinen über ihm, aber er beachtete ihn gar nicht. Sein rechter Arm, der das Schwert hielt, war drohend auf Professor Havilland gerichtet, der endlich aus seiner Lähmung erwacht und bis zur hinteren Wand zurückgewichen war.
»Hellmark!« schrie Becker. »Halt ein! Ich befehle es dir!«
Hellmark machte sich nicht einmal die Mühe, sich zu ihm herumzudrehen, »Misch dich nicht ein«, sagte er nur – in fast freundschaftlichem Ton, aber auch in einem, der sehr deutlich machte, wie wenig ihn Beckers Worte beeindruckten.
Aber gut – schließlich hatte er nur zu Becker gesagt, er solle sich nicht einmischen, nicht zu mir. Als der Wikinger einen weiteren Schritt auf Havilland zu machte und das Schwert hob, sprang ich ihn an.

Ich hatte ja bereits einige Kostproben seiner unglaublichen Stärke erhalten, und ich beging nicht den Fehler, ihm die Waffe entreißen oder ihn etwa niederringen zu wollen – ich packte einfach den schweren Bronzeschild mit beiden Händen und rammte ihn Hellmark zwischen die Schultern. Und das reichte, um selbst diesen Giganten zu Fall zu bringen. Mich allerdings auch.
Aber ich war eine Sekunde vor Hellmark wieder auf den Füßen, und ich nutzte diese Chance. Blitzschnell versetzte ich ihm einen zweiten, nicht ganz so heftigen Hieb mit dem Schild, der ihn erneut nach hinten kippen ließ, und als er die Augen wieder öffnete und benommen zu mir emporblinzelte, berührte die Spitze meines Schwertes die Stelle, wo unter dem struppigen Vollbart seine Kehle sein mußte.
»Oh«, sagte Hellmark. Seltsamerweise zeigte er nicht die mindeste Spur von Furcht. Aber das machte nichts – ich hatte durchaus Angst genug für uns beide... »Beweg dich nicht!« sagte ich so drohend, wie ich nur konnte. »Oder –«
»Oder?« fragte Hellmark. Plötzlich grinste er und entblößte dabei die schlechtesten Zähne, die ich je gesehen hatte. »Willst du mich umbringen, kleiner Mann?«
Ich antwortete nicht darauf, aber mein Schweigen schien Hellmark als Antwort zu genügen. Mein Schwert kurzerhand ignorierend, setzte er sich auf, so daß ich die Klinge ein Stück heben mußte, um ihn nicht aufzuspießen.
»Willst du mich umbringen, Knirps?« wiederholte er feixend. »Na dann viel Spaß. Aber es wird ziemlich schwierig werden, fürchte ich. Ich bin nämlich schon tot, weißt du?« Er griff gemächlich nach meinem Schwert, drückte es zur Seite und stand auf, wodurch er mich plötzlich wieder um gute zehn Inches überragte. Hellmark lächelte fast gutmütig auf mich herab, bückte sich nach seinem Schwert und betrachtete die Waffe einen Moment lang nachdenklich, so, als überlege er, ob es sich überhaupt lohnte, sie zu beschmutzen, indem er mir den Schädel damit einschlug.
Ich wich einen Schritt zurück und hob drohend Schild und Schwert. »Rühr dich nicht!« sagte ich. »Ich lasse nicht zu, daß du einen Unschuldigen tötest.«
»Gib dir keine Mühe«, sagte Becker hinter mir. Seine Stimme klang resigniert. »Er weiß, daß du ihn nicht umbringen wür-

dest.«
»Da wäre ich nicht so sicher«, antwortete ich mit gespielter Entschlossenheit. »Ich lasse nicht zu, daß er den Professor –«
»Er wird sterben!« unterbrach mich Hellmark, und ganz plötzlich war seine Stimme wieder kalt wie Eis. »So will es der Fluch! Ein Leben für hundert, und Rache an den Ericksons bis ins letzte Glied! Es ist das Gesetz der Götter!«
»Das ist es nicht!« sagte Becker. »Du frevelst sie! Nie sollten Unschuldige sterben!«
»Niemand ist unschuldig«, erwiderte Hellmark grollend. »Dieses Land hätte uns gehört. Mir! Wir wurden betrogen und alle, die mir die Treue hielten, erschlagen. Auge um Auge, Leben um Leben, so will es Odins Fluch!«
Und damit kam er wieder näher. Ich wich weiter zurück, stellte mich schützend vor den Professor und suchte fieberhaft nach einer Rettung. Daß ich einen ernstgemeinten Kampf mit diesem Giganten nicht eine Minute durchstehen würde, war mir nur zu klar. Aus irgendeinem Grund hielt Hellmark mich für so etwas wie seinen Verbündeten, und das war wohl auch der einzige Grund, warum ich überhaupt noch am Leben war. Aber ich zweifelte keine Sekunde daran, daß er auch mich und Becker umbringen würde, wenn wir versuchten, Havilland zu schützen. »Ich verbiete es!« schrie Becker.
»Das kannst du nicht«, antwortete Hellmark. »Nicht einmal du kannst mich zurückhalten. Es sind deine Gesetze, und sie müssen erfüllt werden.« Ich verstand endgültig kein Wort mehr, aber ich hatte auch nicht viel Zeit, darüber nachzudenken, welche Rolle Becker hier wirklich spielte, denn Hellmark schlug in diesem Moment fast spielerisch mit seinem Schwert nach mir, so daß ich mich mit einem hastigen Hüpfer in Sicherheit bringen mußte.
»Du solltest mir aus dem Weg gehen, kleiner Mann«, sagte Hellmark lachend. Aber ich tat es nicht – im Gegenteil: Auch wenn ich innerlich in diesen Sekunden vor Angst tausend Tode starb, war ich fest entschlossen, bis zum letzten zu kämpfen, wenn es sein mußte. Es ging nicht nur um Havillands und mein Leben. Ich hatte Hellmarks Worte und unser schreckliches Erlebnis am Strand keineswegs vergessen. Die Wikingerkrieger würden diese ganze Stadt auslöschen, wenn

es uns nicht gelang, sie aufzuhalten.

»Ich lasse es nicht zu«, sagte ich noch einmal – es klang allerdings eher trotzig als entschlossen. Und trotzdem blieb Hellmark abermals stehen, legte den Kopf schräg und betrachtete mich aufmerksam. Ein neuer, verwirrter Ausdruck erschien in seinen Augen.

»Wer bist du, daß du glaubst, dich in die Geschicke der Götter mischen zu können?« fragte er. »Antworte, oder ich vernichte dich.«

»Warum tust du das?« fragte ich. »Die Menschen, die du tötest, sind unschuldig. Selbst Havilland hat nichts mit deinem Fluch zu tun. Es ist über tausend Jahre her!«

»Unschuldig!« Hellmark lachte, aber es war ein Lachen, das mich innerlich erstarren ließ. »Unschuldig!« sagte er noch einmal. »Kein Mensch ist unschuldig, du Narr! Und wäre er es – was zählt ein Menschenleben gegen den Fluch, der im Namen eines Gottes ausgesprochen wurde? Ein Leben gegen hundert, das war es, was ich im Namen Odins schwor, des Obersten der Asen. Und der Schwur wird eingelöst!«

»Aber es sind unschuldige Menschen!« rief ich verzweifelt. »Was nutzt eine Rache, wenn sie an Unschuldigen vollzogen wird?«

»Es ist Odins Fluch«, wiederholte Hellmark stur. »Kein sterblicher Mensch wird mich daran hindern, ihn zu vollziehen!«

»Es ist zu spät, Hellmark«, antwortete ich. »Deine Zeit ist vorbei. Die Welt, in deren Geschicke du dich einmischst, ist nicht mehr die deine. Die Zeiten der Asen sind längst vorüber.« Diesmal dauerte es einen Moment, ehe Hellmark antwortete. Und er wirkte unsicher. Ich spürte, daß ich ihn getroffen hatte.

»Welche Rolle spielen hundert oder auch tausend Jahre, wenn es um Gerechtigkeit geht?« sagte er. Aber er kam nicht näher. Das Schwert, das er schon zum entscheidenden Schlag erhoben hatte, verharrte reglos in der Luft. »Du hast recht – deine Welt ist nicht mehr die der Asen, und Walhalla ist längst im Nebel der Vergangenheit versunken. Aber das Wort der Götter gilt noch immer. Ich verfluche Erickson im Namen Odins, und nicht einmal er selbst wird mich daran hindern, den Fluch einzulösen.«

»Und du glaubst, ein Unrecht mit einem anderen, noch größe-

ren wiedergutmachen zu können?«
»Vielleicht erscheint es dir wie ein Unrecht, kleiner Mann«, sagte Hellmark. »Was zählt schon deine Meinung?«
»Willst du, daß man auf deinen Namen spuckt, Hellmark von Sjöde?« sagte Becker leise. »Willst du wirklich, daß der Name Hellmark in Zukunft für Unrecht und Mord steht?«
Hellmark starrte ihn an. In seinem Gesicht arbeitete es. Aber er erwiderte nichts. »Wenn du der Mann bist, für den ich dich halte«, sagte ich, »dann bist du nicht so ungerecht. Du tötest nicht Unschuldige, um einen Verrat zu rächen. Gib mir eine Chance!« verlangte ich. »Wenn du ein Opfer haben willst, dann nimm mich.«
»Dich?« Diesmal war ich sicher, ein leises Lachen in Hellmarks Worten zu hören. »Was nutzt ein Leben, wenn ich hundert verlangte? Aber dein Mut imponiert mir, kleiner Mann. Obgleich ich nicht sicher bin, ob es nicht nur Frechheit ist. Aber du sollst deine Chance haben. Ich werde dir beweisen, wie großmütig Hellmark von Sjöde sein kann.«
»Dann verschonst du die Menschen hier?«
»Vielleicht«, antwortete Hellmark. »Ich gebe dir die Chance, die du haben wolltest. Es war Rache an Leif Erickson, die ich verlangte. Vollziehst du sie, so wird den Menschen in dieser Stadt kein Leid getan, und alles wird sein, als wäre nichts geschehen.«
»Wie ... meinst du das?« fragte ich unsicher. Ich sah Becker an, aber er wich meinem Blick aus.
»Versagst du aber«, fuhr Hellmark ungerührt fort, »zahlst du mit deinem Leben und dem hundert anderer dafür. Und dein eigenes Schicksal wird schlimmer sein als die Feuer der Hölle.« Er lachte ganz leise und sein Blick wurde noch härter. »Nun? Bist du noch immer bereit, für sie zu kämpfen?«
»Das bin ich«, antwortete ich – obwohl ich es ganz und gar nicht war. Irgend etwas sagte mir, daß ich besser daran täte, Hellmarks Warnung ernst zu nehmen. Aber ich konnte nicht mehr zurück.
»Ich werde es tun«, sagte ich noch einmal.
»So sei es«, sagte Hellmark. Dann wandte er sich zu Becker um und sah ihn an, und auch Becker nickte und sagte: »So sei es.«
Dann hob er die Hand.

Und jetzt, endlich, begriff ich. Aber es war zu spät.
Für einen kurzen, unsagbar kurzen Moment hatte ich das Gefühl, innerlich zu Eis zu erstarren. Die Wirklichkeit um mich herum zerriß, schwarze Unendlichkeit schlug wie eine Woge über mir zusammen, dann ergriff ein ungeheurer, formloser Wirbel meinen Geist, löschte mein Bewußtsein aus und riß mich hinab in den Strudel der Zeit...

Ich erwachte. Ich wußte nicht, wo ich war, und ich wußte nicht, wer ich war. Mein Bewußtsein tauchte aus einem unendlich tiefen, finsteren Schacht empor, und es war, als wäre ich neu geboren, frei von allen Erinnerungen an das Leben, das ich vorher geführt hatte; mein Kopf war leer wie ein weißes unbeschriebenes Blatt.
Das erste, was ich fühlte, war Müdigkeit, als hätte mich der Schlaf, in dem ich gelegen hatte, nicht erfrischt, sondern im Gegenteil erschöpft; dann einen vagen, nicht lokalisierbaren Schmerz, einen dumpfen Druck wie von einem unsichtbaren Gewicht, das auf meinem Körper lastete.
Ich wollte die Augen öffnen, aber mir fehlte die Kraft dazu. Trotzdem sah ich Licht: flackernden blutroten Schein wie von Flammen, der durch meine geschlossenen Lider drang.
Ich fror. Kalte Zugluft streifte meinen Leib, und ich fühlte, daß ich nackt war. Gleichzeitig spürte ich die Wärme von Flammen auf beiden Oberarmen.
Ein schwacher, süßlicher Geruch wie nach Weihrauch lag in der Luft, und irgendwo weit, weit am Rande meines Bewußtseins waren Stimmen. Ich verstand die Worte nicht, und es dauerte eine Zeit, bis ich bemerkte, daß es Gesang war, was ich hörte.
Ich wollte mich bewegen, aber es ging nicht. Im ersten Moment glaubte ich, es wäre die Erschöpfung, die meine Glieder noch lähmte, dann, als das Gefühl nach und nach in meinen Körper zurückkehrte, spürte ich, daß ich gefesselt war; meine Hand- und Fußgelenke waren mit breiten, roh geflochtenen Stricken aus Hanf und Stroh gebunden, die so fest saßen, daß es weh tat.
Der Weihrauchgeruch und der dumpfe, rhythmische Gesang wurden deutlicher, und von beiden ging etwas zutiefst Beunruhigendes aus. Ich war in Gefahr. Der Gedanke entstand

klar und mit fast schmerzhafter Wucht hinter meiner Stirn, so plötzlich, als wäre er nicht meinem eigenen Bewußtsein entsprungen, sondern als eine Warnung von außen an mich herangetragen worden. Wieder versuchte ich die Augen zu öffnen, und diesmal gelang es mir. Über mir war ein klarer, mondloser Himmel. Es war Nacht, und das glitzernde Band der Milchstraße spannte sich wie ein Diadem aus Millionen winziger Diamantsplitter über den westlichen Teil des Firmaments. Hinter und über mir waren Schatten, Schatten und Schritte, und der Gesang wurde lauter, als bewege sich der Chor der Singenden langsam auf mich zu.

Für einen winzigen Moment stieg Panik in mir empor, aber das Gefühl verging so rasch, wie es gekommen war. Ich versuchte mich wieder zu bewegen, langsamer und vorsichtiger diesmal, gerade weit genug, um die Festigkeit meiner Fesseln zu testen. Das Ergebnis war entmutigend. Die Stricke gaben keinen Zentimeter nach. Ich lag mit dem Rücken auf Stein, kühlem, sorgsam geglättetem Stein. Meine Arme und Beine waren leicht vom Körper abgespreizt, und ein breites, ebenfalls straff angelegtes Lederband preßte meine Stirn herab. Ich konnte nicht einmal den Kopf drehen. Die Wärme, die ich gefühlt hatte, stammte von zwei flackernden Feuern, die in mächtigen steinernen Schalen rechts und links von mir brannten. Ich wußte immer noch nicht, wo ich war, aber meine Umgebung weckte unangenehme Assoziationen in mir. Ich kam mir ein bißchen vor wie ein gerupftes Hähnchen auf einem Grill – oder wie ein Opferlamm auf dem Altar. Keiner der beiden Vergleiche gefiel mir besonders. Langsam und beinahe widerwillig kamen die Erinnerungen zurück, zuerst unzusammenhängend, nicht mehr als Bilder und blitzartige Visionen, die wild in meinem Kopf durcheinanderwirbelten, dann Worte, Namen, unwichtige Kleinigkeiten und Dinge aus meinem alltäglichen Leben, die ich erlebt und längst wieder vergessen hatte. Ein Wort fiel mir ein: Craven, der englische Ausdruck für Feigling.

Nein, das war falsch. Es war mehr als ein Wort, es war ein Name. Mein Name. Craven. Mein Name war Craven. Robert Craven.

Mit dem Namen kamen andere Erinnerungen, Bilder aus meiner Kindheit, meiner Jugend ... Es war so, wie es vom

Moment des Todes behauptet wird: Mein gesamtes Leben zog blitzartig an mir vorbei, doch ich starb nicht, sondern schien – ganz im Gegenteil – zu neuem Leben zu erwachen, als wäre ich tot gewesen, und jetzt...
Ich stöhnte, als irgendwo in meinen Gedanken eine letzte Barriere fiel und meine Erinnerungen mit einem einzigen, schmerzhaften Schlag zurückkehrten. Plötzlich wußte ich wieder alles.
Havilland. Hellmark. Becker und wieder Hellmark, dem ich dieses Wahnsinnsversprechen gegeben hatte, ohne zu wissen, worauf ich mich einließ. War es möglich, daß ich all dies wirklich erlebt hatte, oder narrte mich die Erinnerung, war sie vielleicht nur Teil eines bizarren Fiebertraumes?
»Odin...« flüsterte ich.
Ein harter Schlag traf mein Gesicht, und der brennende Schmerz riß mich endgültig in die Wirklichkeit zurück. Instinktiv versuchte ich die Hände vor das Gesicht zu heben, aber die Stricke, mit denen ich gefesselt war, hielten sie eisern fest. »Schweig, Ungläubiger!« zischte eine Stimme. Die Hand, die mich geschlagen hatte, hob sich zu einem weiteren Hieb, verharrte aber wenige Zentimeter über meinem Gesicht und schlug nicht noch einmal zu.
Ich versuchte das Gesicht zu erkennen, das darüber sichtbar wurde. Im ersten Moment sah ich nichts als grotesk verzerrte Linien und Züge, die nur entfernt an ein menschliches Antlitz erinnerten. Die teuflische Fratze beugte sich wild grimassierend über mich...
Dann zerplatzte die Vision. Ich war zumindest noch nicht in der Hölle, und die entsetzliche Larve über mir gehörte nicht zu einem Dämon, der gerade daranging, sein Frühstück zu tranchieren.
Das vermeintliche Gesicht war eine bizarre hölzerne Maske, der bloß der flackernde Schein der Flammen unheimliches Leben verliehen hatte, eine Maske, die eine grausige Mischung zwischen einem Menschen und einem Jaguar darstellte. Die Augen hinter den schmalen, in die Pupillen des stilisierten Jaguars eingearbeiteten Sehschlitzen musterten mich kalt.
»Störe die Zeremonie nicht«, zischte der Mann. »Wenn du noch einen Laut von dir gibst, lasse ich dir die Zunge heraus-

schneiden.« Er schwieg einen Moment, um seinen Worten die gehörige Wirkung zu verleihen, und fügte, leiser und etwas sanfter, hinzu: »Du hast die Wahl zwischen einem leichten und einem schweren Tod, Ungläubiger. Also schweig jetzt!«
Ich hätte gar keinen Tod vorgezogen. Instinktiv setzte ich dazu an, etwas zu sagen, besann mich aber im letzten Moment und preßte nur die Lippen aufeinander. Der Mann mit der Jaguarmaske nickte befriedigt.
»So ist es besser«, sagte er. Er sprach sehr leise, als hätte er Angst, daß seine Worte von jemand anderem als mir gehört werden könnten, und als er den Kopf hob und in die Richtung sah, aus der der Chor der Singenden kam, glaubte ich fast so etwas wie Furcht in seinen Augen aufblitzen zu sehen.
Er trug einen langen, bunt bestickten Mantel, der seine Gestalt bis an die Knöchel verhüllte, und zu der Jaguarmaske einen barbarischen Federschmuck. Seine Hände waren schmal und sehnig, und um beide Gelenke schmiegten sich breite, mit großer Kunstfertigkeit aus Gold gearbeitete Armbänder.
Der Chor der Singenden kam näher; ich hörte das Geräusch zahlreicher nackter Füße, die über harten Fels schleiften, das Klirren von Metall und Stein, das Rascheln von Stoff. Der Gesang wurde lauter und zugleich schneller, steigerte sich zu einem drohenden, beinahe hypnotischen Singsang. Gleichzeitig wurde der Weihrauchgeruch übermächtig.
Und plötzlich fiel es mir wie Schuppen von den Augen, und vor Entsetzen hätte ich beinahe laut aufgeschrien: Der Mann neben mir war ein Priester, der Stein, auf dem ich lag, ein Altar, und der Gesang Teil einer Opferung.
Meiner Opferung.
Mit aller Gewalt stemmte ich mich gegen die Stricke, die mich auf dem kalten, glattgeschliffenen Steinaltar hielten. Ich spürte, wie die Seile aus geflochtenem Hanf in meine Haut einschnitten, aber meine Kräfte reichten nicht, um sie zu zerreißen, und meine Anstrengungen entlockten den Augen hinter der geschnitzten Jaguarmaske nur ein amüsiertes Glitzern.
»Warum wehrst du dich, Ungläubiger?« fragte der Mann ruhig. Der Gesang war nach einem gewaltigen Crescendo

schlagartig verstummt, und der Chor – Männer wie der neben mir, in lange, dunkle Mäntel und bizarre Holzmasken gekleidet – hatte einen engen Kreis um den Altar und mich gebildet.
»Quetzalcoatl!« rief der Mann mit der Jaguarmaske mit erhobener Stimme. »Deine unwürdigen Diener rufen dich. Zeige dich, Quetzalcoatl, oh du gefiederte Schlange, steige herab zu den Menschen und nimm dieses Opfer, das wir dir bringen!«
Er hob die Arme in einer langsamen, beschwörenden Geste und blieb endlose Sekunden so stehen, reglos, die Hände geöffnet, als wolle er nach den Sternen greifen, die glitzernd am klaren Nachthimmel standen.
»Was ... was habt ihr vor?« keuchte ich. Nicht, daß ich es mir nicht denken konnte ...
Der Mann wandte sich um und starrte mich wortlos aus dunklen Augen an. Einer der anderen trat neben ihn, reichte ihm eine flache steinerne Schale und ein Messer und entfernte sich mit gesenktem Haupt wieder. Der Gesang setzte wieder ein.
Mein Herz schien einen schmerzhaften Sprung zu machen, als ich die rasiermesserscharfe Schneide des Obsidiandolches sah. Der Oberpriester blieb, den Dolch auf beiden Handflächen vor sich haltend und die Augen geschlossen, neben dem Altar stehen und fuhr fort zu beten, leiser jetzt und in einer Sprache, die ich nicht verstand.
Meine Gedanken führten einen wirren Tanz auf. Ich wußte noch immer nicht, wo ich mich befand, geschweige denn, wie ich in diese Situation geraten war, aber ich begriff, daß meine Chancen, lebend von hier wegzukommen, praktisch gleich Null waren.
Als wäre dieser Gedanke ein Stichwort gewesen, erwachte der Priester aus seiner starren Haltung, umschloß den Griff des Dolches mit beiden Händen und senkte die Waffe auf meine Brust. Die Spitze berührte nur ganz leicht meine Haut, aber schon diese sanfte Berührung reichte, sie zu ritzen und mich vor Schmerz aufstöhnen zu lassen. Es war, als wäre das Messer zuvor in Säure getaucht worden.
Der Gesang der Priester wurde lauter und gleichzeitig drohender. Für einen winzigen Moment glaubte ich, einen gewaltigen finsteren Schatten über den Himmel huschen zu se-

hen, aber ich mußte mich getäuscht haben. Als ich genauer hinsah, war der Himmel klar und leer, und ich schrieb die Beobachtung meiner Furcht zu.
»Quetzalcoatl!« rief der Oberpriester mit schriller Stimme. »Nimm dieses Opfer und schenke uns deine Gunst dafür!« Seine Hände mit dem Messer hoben sich. Ich konnte sehen, wie sich seine Schultermuskeln unter dem dünnen Mantel spannten. Eine halbe Sekunde später war er tot.
Ein armlanger, gefiederter Pfeil jagte lautlos aus der Dunkelheit, schlug mit einem trockenen Knall durch die Holzmaske vor seinem Gesicht und warf ihn zurück. Er taumelte. Das Messer löste sich aus seinen Händen und fiel klappernd neben mir auf den Altar. Die Augen hinter den schmalen Sehschlitzen weiteten sich ungläubig und brachen. Für eine halbe Sekunde stand er noch reglos und hoch aufgerichtet da, dann kippte er mit einer zeitlupenhaft langsamen Bewegung nach vorne und fiel schwer auf meine Beine.
Ein vielstimmiger Schrei gellte durch die Luft. Plötzlich waren überall Schatten, huschende Gestalten und die Schreie der Kämpfenden, und ich konnte aus den Augenwinkeln sehen, wie drei oder vier Priester gleichzeitig unter einem Hagel von Pfeilen zu Boden sanken. Eine gewaltige, in einen schwarzen Lederharnisch gekleidete Gestalt erschien zwischen den flüchtenden Priestern und schwang ein armlanges Schwert.
Ich versuchte verzweifelt, den Opferdolch zu erreichen, den der Priester fallengelassen hatte. Die Waffe lag wenige Zentimeter neben meiner Hand, aber die Fesseln ließen mir nicht genug Bewegungsfreiheit. Mit aller Kraft zerrte ich daran. Die Stricke bissen tief in meine Haut, aber ich ignorierte den brennenden Schmerz und versuchte es weiter. Meine Fingerspitzen näherten sich der blitzenden Schneide aus geschliffenem Obsidian und berührten sie.
»Das Opfer!« schrie einer der Priester. »Vollzieht das Opfer, oder Quetzalcoatl wird uns mit seinem Zorn strafen! Wir...«
Der Rest des Satzes ging in einem gräßlichen Schrei unter, der mir einen eisigen Schauer über den Rücken laufen ließ. Ein Mann torkelte an mir vorüber und brach zusammen.
Aber auch die Angreifer mußten einen hohen Preis zahlen. Die Priester hatten Dolche und mit Obsidiansplittern be-

setzte Keulen unter ihren Gewändern hervorgezogen, und von irgendwoher erklangen die hastigen Schritte zahlreicher Füße, offenbar erhielten sie Verstärkung.
Ich verdoppelte meine Anstrengungen, Millimeter für Millimeter zog ich das Messer an meine Hand heran, bekam die Klinge schließlich mit zwei Fingern zu fassen und drehte sie herum. Beim ersten Versuch schnitt ich mir selbst in den Arm, aber ich verbiß mir auch diesen weiteren Schmerz, drehte den Dolch eine Winzigkeit und begann mit ungeschickten, ruckhaften Bewegungen das fingerdicke Seil zu zersägen, das mein Handgelenk hielt.
Hinter mir schien der Kampf seinen Höhepunkt zu erreichen. Ich sah kaum mehr als huschende Schatten, aber es mußten sehr viele Männer sein, die da gegeneinander kämpften.
»Das Opfer!« kreischte eine Stimme. »Laßt es nicht entkommen! Quetzalcoatl wird uns alle verdammen!«
Mit einem letzten, verzweifelten Ruck durchtrennte ich die Handfessel, streifte das Band, das meinen Kopf niederhielt, ab und warf mich zur Seite.
Meine Bewegung kam keinen Sekundenbruchteil zu früh. Einer der maskierten Priester erschien mit einem gellenden Schrei neben dem Altar, wehrte einen Angreifer mit einem Tritt ab und schwang seine Keule. Ich wich dem Hieb im letzten Moment aus, riß das Messer hoch und stieß mit aller Wucht zu. Die Schneide drang bis zum Heft in die Brust des Angreifers.
Der Mann erstarrte mitten in der Bewegung, blickte mich aus hervorquellenden Augen an und ließ seine Keule fallen.
Verzweifelt kämpfte ich die schwarze Woge aus Übelkeit und Schwäche, die in mir emporstieg, nieder, befreite auch meinen linken Arm von der Fessel und schob den reglosen Körper des toten Priesters von meinen Beinen. Ein Pfeil zischte wenige Zentimeter an mir vorbei, als ich meine Fußfesseln löste und mich von dem schwarzen Altarstein hinabgleiten ließ. Obwohl der Kampf rings um mich mit gnadenloser Härte weitertobte, nahm ich mir die Zeit, mich rasch umzusehen.
Der Opferstein stand im Zentrum einer mächtigen, rechteckigen Plattform, die die Spitze einer mehr als dreißig Meter ho-

hen, aus schwarzem Basalt errichteten Pyramide bildete. Rings um das phantastische Bauwerk erstreckte sich dichter, im schwachen Licht der Neumondnacht beinahe schwarz erscheinender Dschungel.

Mein Verdacht, mich nicht nur nicht mehr in Santa Maria De La Arenia, sondern nicht einmal mehr in meiner Zeit zu befinden, wurde beinahe zur Gewißheit, als ich sah, daß die Männer, die rings um mich in stummer Wut miteinander kämpften, Indianer waren. Südamerikanische Indianer: schlanke, drahtige Gestalten, nackt bis auf einen Lendenschurz, mit mächtigen, wehenden Federbüschen auf den Köpfen.

Mayas, dachte ich bestürzt. Mayas, Azteken oder Tolteken – auf jeden Fall aber Angehörige eines Volkes, dessen Niedergang Jahrhunderte zurückliegen sollte. Meine Überlegungen wurden jäh unterbrochen, als ein weiterer Priester keulenschwingend auf mich eindrang. Ich war waffenlos, aber der Priester beging den schwersten – und letzten – Fehler seines Lebens, als er glaubte, leichtes Spiel mit mir zu haben.

Blitzschnell wich ich zur Seite, ließ die Keule an mir vorbeisausen und griff nach dem Handgelenk des Mannes. Ich bekam es zu fassen, verdrehte es mit einem scharfen Ruck und riß das Bein in die Höhe. Der Mann schrie auf, als meine Fußkante sein Ellbogengelenk traf. Ich ließ ihn los, wirbelte einmal um meine Achse und trat mit der ganzen Wucht der Drehung zu. Der Mann taumelte zurück, griff mit hilflos rudernden Armen in die Luft und brach lautlos zusammen.

Ich hielt verzweifelt nach einer Waffe Ausschau. Rings um mich kämpften Dutzende von Männern – die Priester, deren Opfer ich hätte werden sollen, aber auch federgeschmückte Indio-Krieger, die ihnen zu Hilfe geeilt waren und sich kaum von den Angreifern unterschieden. Es fiel mir schwer, Freund und Feind auseinanderzuhalten – falls es sich um Freunde handelte und die anderen Indianer nicht nur gekommen waren, um sich etwa ein Opfer für ihren eigenen Gott zu holen.

Der Kampf verlagerte sich langsam vom Rand der Plattform zu ihrer Mitte hin. Ich wich hastig hinter den Altarstein zurück, bückte mich nach der Keule die der Priester fallengelassen hatte, und packte die Waffe mit beiden Händen.

Obwohl die Angreifer zahlenmäßig weit unterlegen waren, trieben sie die Priester und ihre Helfer rasch vor sich her. Die kleinen, drahtigen Indio-Krieger kämpften mit verbissener Wut – und sie waren nicht allein.
Ich glaubte meinen Augen nicht zu trauen, als zwischen den Kriegern drei breitschultrige Gestalten in wehenden Umhängen und schweren Leder- und Metallharnischen auftauchten. Anders als die Indios waren sie nicht nur mit Dolchen und Keulen, sondern auch mit Rundschilden, Schwertern und gefährlichen, zweischneidigen Beilen bewaffnet, und auf ihren Köpfen thronten gewaltige, hörnergekrönte Helme.
Wikinger! dachte ich verblüfft. Die Männer waren leibhaftige Wikinger!
Der Anblick war so bizarr, daß ich für einen Moment fast die Gefahr vergaß, in der ich schwebte. Einer der Priester taumelte auf mich zu. Die Holzmaske vor seinem Gesicht war unter einem Schwerthieb geborsten, Blut lief über sein Gewand und färbte es dunkel. Aber selbst jetzt schien er an nichts anderes denken zu können als an das Opfer, das er seinen Göttern zu bringen hatte. Mit einem gellenden Kampfschrei torkelte er auf mich zu, schwang seinen Knüppel mit beiden Händen und trieb mich vor sich her.
Ich wehrte mich, so gut ich konnte. Aber der Priester schlug wie ein Wahnsinniger um sich, und Kämpfe mit Knüppeln und Keulen gehören nicht unbedingt zu meinen Spezialitäten; Schritt für Schritt wurde ich zurückgedrängt, und schon nach wenigen Augenblicken spürte ich die Kante der Plattform hinter mir. Ich blieb stehen, parierte die Hiebe des Angreifers und versuchte zurückzuschlagen, aber der Mann war viel zu schnell. Er durchbrach meine Deckung und traf mich an der Schulter, wo die Obsidiansplitter an der Spitze der Keule einen tiefen, blutenden Schnitt hinterließen. Ich duckte mich instinktiv unter einem mächtigen, beidhändig geführten Hieb hinweg, der mir glatt den Kopf gespalten hätte, hätte er getroffen, und hackte nach den Beinen des Angreifers. Ich traf, aber der Priester schien wie in einem Rausch. Er schrie, wich aber nicht zurück, sondern drang im Gegenteil weiter auf mich ein, hob die Keule hoch über den Kopf und schlug mit aller Gewalt zu. Ich riß verzweifelt meine eigene Waffe hoch und parierte den Hieb, aber die

Wucht des Schlages prellte mir meinen Knüppel aus der Hand und warf mich zurück.
Ich fiel, rollte über den harten Stein – und rutschte über die Kante.
Verzweifelt versuchte ich, mich irgendwo festzuklammern, aber meine Finger fanden an dem glattgeschliffenen Felsen keinen Halt. Ich stürzte, zwei, drei Yards tief, schlug hart auf und blieb benommen liegen.
Über mir erscholl ein gellender Triumphschrei. Für einen kurzen Moment zeichnete sich der Schatten des Priesters schwarz und drohend gegen den Nachthimmel ab, dann sprang der Indio mit einem federnden Satz zu mir herab, fand mit einer eleganten Bewegung sein Gleichgewicht wieder und holte zu einem vernichtenden Hieb aus.
Etwas Großes, Silbernes zischte wie ein blitzendes Rad an mir vorbei, bohrte sich in die Brust des Maya und schleuderte ihn zurück. Er prallte gegen die Mauer, ließ seine Keule fallen und zerrte mit aller Gewalt am Stiel der Axt, die ihn getroffen hatte. Dann brach er, ganz langsam, in die Knie, kippte zur Seite und verschwand in der Tiefe.
Mühsam richtete ich mich auf die Knie hoch, schüttelte die Benommenheit ab und hielt nach meinem Retter Ausschau.
Der Mann stand direkt hinter mir. Er war ein Riese. Breitschultrig, mit dunklem, bis weit über die Schulter fallendem Haar, das in ungebändigten Locken unter dem Hörnerhelm hervordrängte, Händen wie Schaufeln und einem Gesicht, das sich fast vollständig hinter einem wuchernden roten Bart verbarg, wirkte er wie ein Wesen aus einer fremden Welt, das sich in diese Szene verirrt hatte.
»Das ist kein guter Ort für dich, Junge«, sagte der Wikinger. Er lächelte flüchtig, zog sein Schwert aus der Scheide und sah nach oben, wo der Kampf zwischen den beiden Indianerstämmen noch immer mit verbissener Wut tobte. »Verschwinde lieber von hier.«
Ich stand unsicher auf. »Wer ... bist du?« fragte ich.
»Verschwinde, Kerl«, knurrte der Wikinger. »Ich habe keine Zeit, zu reden.«
»Das sehe ich«, sagte ich. »Vielen Dank für die Hilfe. Wenn du mir eine Waffe gibst, dann revanchiere ich mich.«
Der Wikinger blinzelte, starrte mich einen Herzschlag lang

an, als zweifle er ernsthaft an meinem Verstand, und setzte dann zu einem gröhlenden Gelächter an. Dann wandte er sich ohne ein weiteres Wort um, streckte die Arme nach dem Rand der Plattform auf der Pyramidenspitze aus und zog sich mit einer raschen kraftvollen Bewegung hinauf.
Ich sah ihm verstört nach. Vermutlich war es das klügste, wenn ich seinem Rat folgte und von hier verschwand. Ich war unbewaffnet, und es würde nicht immer ein Wikinger bereitstehen, um mir das Leben zu retten...
Ich ließ mich auf die Knie sinken und begann vorsichtig, die mehr als zwei Yards hohen Stufen hinunterzusteigen, aus denen die Pyramide errichtet war.

Ich brauchte fast eine Viertelstunde, um den Fuß der Pyramide zu erreichen. Der Abstieg war gefährlich, und nicht nur oben auf der Plattform tobte der Kampf weiter. Zweimal wurde ich angegriffen, aber jedesmal konnte ich entkommen – einmal schlicht und einfach durch Glück, das andere Mal, weil der Mann offenbar noch nie etwas von asiatischen Selbstverteidigungstechniken gehört hatte und meinen Fußkantenschlägen nichts entgegensetzen konnte.
Ich war vollkommen erschöpft, als ich die letzte Stufe hinter mich gebracht hatte und im niedergetrampelten Gras am Fuße des mächtigen Bauwerks stand. Auch hier lagen Tote, aber die Männer waren ausnahmslos durch Pfeile umgekommen: wahrscheinlich die Wächter, die die Angreifer ausgeschaltet hatten, um unerkannt bis zur Spitze der Pyramide zu gelangen.
Ich blieb stehen und sah mich unschlüssig um. Der Dschungel ragte rings um die Pyramide wie eine kompakte schwarze Mauer in die Höhe, wie eine Wand aus Schatten, die auch noch das bißchen Sternenlicht verschluckte, das die Neumondnacht aufhellte. Es war unheimlich still, auch der Kampflärm, der mich bis hierher verfolgt hatte, war allmählich abgeebbt. Entweder waren die Angreifer siegreich gewesen und hatten die Priester und ihre Verbündeten getötet, oder sie waren zurückgeschlagen worden – was mir aber angesichts der ungestümen Wut, mit der der Angriff geführt worden war, mehr als unwahrscheinlich vorkam.
Aber gleich wie, ich mußte hier weg, und ich mußte – was

vielleicht noch wichtiger war – Verbündete finden; oder wenigstens jemanden, der nicht mein Feind war. Ich wußte noch immer nicht, wo ich war und was ich hier sollte, aber ich würde auf jeden Fall mit Menschen Kontakt aufnehmen müssen.

Ich zweifelte mittlerweile daran, daß die Wikinger und die mit ihnen verbündeten Indios den Angriff meinetwegen unternommen hatten. Wahrscheinlich war es ein reiner Zufall gewesen, daß der Überfall genau in dem Moment erfolgt war, in dem der Priester den Dolch zum tödlichen Stoß erhoben hatte.

Ein dumpfer Aufprall schreckte mich aus meinen Gedanken. Ich fuhr herum, sah einen Schatten und spannte mich unwillkürlich. Eine Gestalt war von der untersten Pyramidenstufe heruntergesprungen und richtete sich jetzt langsam auf. Metall glitzerte im Sternenlicht.

Aber es war kein Indianer, sondern der Wikinger, dem ich bereits oben auf der Pyramide begegnet war. Ich atmete erleichtert auf.

»Bist du immer noch hier?« fragte der Mann grob, als ich auf ihn zutrat. Das Lächeln war aus seinem Gesicht verschwunden, und statt dessen zog sich eine tiefe, blutende Wunde quer über seine linke Wange bis zum Augenwinkel hinauf.

»Ich muß mit dir sprechen«, sagte ich.

»Such dir einen anderen Moment dazu aus«, murrte der Wikinger. »Wir müssen weg. Die Indios sind erledigt, aber dieser Hund Erickson kann jeden Augenblick hier auftauchen. Wenn wir dann noch hier sind, sehen wir uns in Walhalla wieder.« Er rammte sein Schwert in die Scheide, richtete sich auf und sah mich ernst an. »Und das gilt auch für dich.«

»Aber es ist wichtig!« begehrte ich auf, als der Wikinger an mir vorbei auf den Waldrand zulaufen wollte. Hastig hielt ich ihn am Arm zurück, aber der Riese schlug meine Hand mit einer zornigen Bewegung zur Seite.

»Bist du von Sinnen, Kerl?« zischte er. »Danke deinen Göttern, daß du nicht mehr auf dem Opferstein liegst, und verschwinde gefälligst!«

Ich wollte erneut nach seinem Arm greifen, aber der rotbärtige Riese rannte einfach an mir vorbei. Ich zerbiß einen Fluch auf den Lippen, drehte mich herum und folgte ihm.

Hinter uns tauchten andere Schatten aus der Nacht auf und hetzten auf den Waldrand zu.
Ich erreichte den Dschungel einen Herzschlag nach dem Wikinger, brach hinter ihm durch das Unterholz und blieb schweratmend neben ihm stehen. Der Wikinger musterte mich finster.
»Muß ich dich erst niederschlagen, bevor du verschwindest?« fragte er. Er ballte die Faust, und ich hatte plötzlich das Gefühl, daß er durchaus bereit war, seine Ankündigung in die Tat umzusetzen. »Das hier ist kein Kinderspielplatz. Wir müssen weg, bevor dieser verräterische Hund auftaucht.«
»Ich komme mit euch«, sagte ich. »Wir stehen auf der gleichen Seite, Nordmann. Du wirst mich verstehen, wenn du mir einen Augenblick lang zuhörst.«
Im Gesicht des Wikingers zuckte es, als er die Bezeichnung *Nordmann* hörte. Es war ein Schuß ins Blaue gewesen, aber ich sah an seiner Reaktion, daß er getroffen hatte. Der Begriff schien in diesem Teil der Welt fremd zu sein. Zumindest hatte ich seine Neugier geweckt. »Ich bringe dir Grüße«, fügte ich hinzu. »Von Hellmark.«
»Hellmark!« Der Riese erstarrte für zwei, drei Sekunden. Dann trat er auf mich zu, packte mich bei der Schulter und riß mich so grob herum, daß ich vor Schmerz aufstöhnte. »Was weißt du von Hellmark?« sagte er. »Sprich!«
Ich streifte seine Hand mühsam ab. »Ich... erzähle es dir«, sagte ich stockend. »Aber nicht hier. Du hast selbst gesagt – wir müssen weg.«
In den Augen des rotbärtigen Riesen blitzte es amüsiert auf. Aber das Mißtrauen blieb trotzdem darin. »Gut«, sagte er. »Dann begleite uns, in Odins Namen. Aber wenn du mich belogen hast...«
Er sprach nicht weiter, sondern drehte sich abermals herum und begann rasch in den Busch hineinzulaufen, wobei er mit seinen breiten Schultern und seinem Schild rücksichtslos durch das verfilzte Unterholz brach. Ich hatte fast Mühe, ihm zu folgen. Aber zumindest fand ich Gelegenheit, mir meinen Retter etwas aufmerksamer anzusehen.
Er war ein Riese – nicht ganz so groß wie Hellmark, aber sehr viel breitschultriger und kräftiger, ein wahres Muskelpaket mit schulterlangem, dichtem Haar und einem breiten, sehr

kräftigen, sehr harten, aber nicht unsympathischen Gesicht, und er war auf ähnliche Weise gekleidet wie Hellmark – in Kniehosen und schwere lederne Schnürstiefel, einen Brustharnisch aus steinhartem Leder und einen mächtigen Helm, der selbst für seinen Kopf um eltiche Nummern zu groß schien. Alles in allem sah er aus wie eine wesentlich ältere, nicht ganz so große, doppelt so kräftige und dreimal so schmuddelige Kopie Hellmarks. Seinem Aussehen nach zu urteilen, mußte es ein paar Jahre her sein, daß er Wasser auch nur aus der Ferne gesehen hatte.

Wir liefen fast eine Viertelstunde, ohne anzuhalten, und ich verlor schon nach wenigen Minuten hoffnungslos die Orientierung. Der Wald war so dicht, daß nicht der kleinste Lichtstrahl durch sein verfilztes Blätterdach brach, aber der Wikinger schien seinen Weg trotzdem mit untrüglicher Sicherheit zu finden. Mir fiel auf, daß er immer wieder nach oben sah, als suche er etwas.

Schließlich erreichten wir eine Lichtung. Die Bäume bildeten hier ein weites, an der breitesten Stelle knapp zehn Meter messendes Oval, aber ihre ausladenden Kronen vereinigten sich auch über diesem freien Platz zu einem undurchdringlichen schwarzen Dach, so daß ich von den Männern, die in der Lichtung auf uns warteten, nur undeutliche Schatten erkennen konnte. Trotzdem sah ich, daß es sich zum Großteil um Indianer handelte – wahrscheinlich die, die zusammen mit dem Wikinger am Überfall auf die Pyramide beteiligt gewesen waren. Nur ein knappes halbes Dutzend der Männer trug die Rundschilde und Hörnerhelme der Wikinger.

Der Riese blieb stehen, als wir die Lichtung erreicht hatten, und gebot mir mit einer herrischen Geste, neben ihm zu bleiben.

»Lasse!« Eine der schattenhaften Gestalten löste sich aus der Gruppe und kam auf meinen Begleiter zu, blieb aber zwei Schritte vor ihm wie angewurzelt stehen und starrte mich mißtrauisch an. Ich sah, daß es sich um einen Indianer handelte. Er war nackt bis auf einen schmalen Lendenschurz, und sein Gesicht war unter der schreiend bunten Kriegsbemalung, die er aufgetragen hatte, kaum zu erkennen. Trotzdem sah ich, daß er noch sehr jung war, kaum älter als zwanzig.

»Wer ist das?« fragte er mit einer herrischen Geste auf mich. Ich wollte antworten, aber Lasse warf mir einen raschen, warnenden Blick zu.

»Der Bursche, der auf dem Opferstein lag«, sagte der Wikinger. »Erkennst du ihn nicht, Setchatuatuan?«

Der Indianer nickte. »Doch«, sagte er unwillig. »Aber was sucht er hier? Wir haben keinen Platz für Kinder.«

Kinder? dachte ich verblüfft. Ich hatte mich ja schon halbwegs daran gewöhnt, von Hellmark *kleiner Mann* und von Lasse *Junge* genannt zu werden – aber dieser Indianer mit dem zungenverknotenden Namen war keinen Tag älter als ich!

Lasse zuckte mit gespieltem Gleichmut mit den Achseln. »Er ist mir gefolgt«, sagte er. »Ich konnte ihn schlecht zurücklassen, oder? Leif Erickson hätte ihn umgebracht.«

»Trotzdem«, sagte Setchatuatuan. »Er muß gehen.«

»Streiten wir uns später darüber«, sagte der Wikinger leichthin. »Er ist nun einmal hier, und im Moment kann er uns kaum schaden. Wie ist der Kampf verlaufen? Hast du viele Krieger verloren?«

Setchatuatuan lachte rauh. »Nur drei, Freund Lasse. Diese Memmen sind keine Gegner für meine Krieger, schon gar nicht, wenn wir so tapfere Verbündete wie dich und deine Männer haben. Aber wir müssen weiter. Quetzalcoatl wird rasen vor Wut, wenn er sieht, was geschehen ist.«

Verblüfft stellte ich fest, daß er von dem alten Aztekengott wie von einem lebenden Wesen sprach. Nein, es bestand wohl kein Zweifel daran, daß ich mich in einer Zeit befand, in der die Welt noch mit anderen Maßstäben gemessen wurde.

Lasse grinste. »Das soll er ja gerade. Vielleicht trifft ihn der Schlag, vor lauter Wut.«

Ich war mir nicht sicher, aber ich hatte das Gefühl, für einen winzigen Moment Zorn in den Augen des jungen Indianers aufblitzen zu sehen. Aber der erwartete Ausbruch blieb aus.

»Wir müssen weiter«, sagte er statt dessen. »Wir sind hier nicht sicher. Die Krieger, die noch nicht zurück sind, werden sich in den Höhlen von Tucan mit uns treffen. Du und deine Männer – ihr begleitet uns?«

Lasse nickte. »Ich glaube kaum, daß es sehr gesund für uns wäre, wenn wir uns im Moment hier irgendwo sehen ließen«,

sagte er. »Leif Erickson ist ein kleinlicher Mensch, weißt du – er nimmt es übel, wenn man seine Priester erschlägt.«
»Dann komm«, sagte Setchatuatuan. »Aber der« – damit deutete er auf mich – »bleibt hier.«
»Das werde ich ganz gewiß nicht tun, Setchatuatuan«, sagte ich, bevor der Wikinger Gelegenheit zu einer Antwort hatte. Weder Lasse noch Setchatuatuan würdigten die Tatsache, daß ich den Namen aussprach, ohne mich an meiner eigenen Zunge zu verschlucken, auch nur mit einem anerkennenden Blick. »Ich habe mit Lasse zu reden, und...«
»Schweig!« unterbrach mich Lasse hastig. »Du weißt nicht, mit wem du sprichst, Welpe.«
Welpe? Das war neu, und fast noch weniger schmeichelhaft als *Junge.* Ich hoffte, das Lasse nicht als nächstes auf den Gedanken kommen würde, mich hinter den Ohren zu kraulen. Aber ich beherrschte meinen Ärger. »Ich heiße Robert«, sagte ich ruhig. »Also nenne mich nicht dauernd Junge oder Bursche. Ich sage auch nicht Kerl zu dir.«
Lasse unterdrückte mit Mühe ein Lachen, aber Setchatuatuans Gesicht verzerrte sich vor Zorn. »Was wird es so Wichtiges geben, das ein Sklave einem Krieger zu sagen hätte?« zischte er. »Schon dein Hiersein ist zuviel. Ich müßte dich töten, und...«
»Nicht so hastig, Setchatuatuan«, unterbrach ihn Lasse. »Manchmal bist du selbst mir ein bißchen zu schnell mit dem Töten bei der Hand.« Er deutete auf mich. »Vergiß nicht, daß Leif Ericksons Speichellecker ihn umbringen wollten. Er ist unser Verbündeter.«
»So einen Verbündeten können wir nicht brauchen«, sagte Setchatuatuan mit einem verächtlichen Blick auf mich.
Wütend wollte ich aufbegehren. Zugegeben, ich werde meistens für jünger gehalten, als ich bin, und neben den drahtigen, durchtrainierten Indianern und schon gar neben den riesenhaften Wikingern machte ich wahrscheinlich keine allzu gute Figur, aber ganz so ein wehrloser Schwächling, wie Setchatuatuan anzunehmen schien, war ich doch nicht. Ich verbiß mir jedoch den geharnischten Protest, der mir auf der Zunge lag. Der junge Mann vor uns schien über große Macht zu verfügen, Lasses Reaktion nach zu schließen. Ich mußte vorsichtig sein.

Lasse zuckte mit den Achseln. »Schaden kann er uns jedenfalls auch nicht.«
Setchatuatuan starrte ihn wütend an, fuhr dann mit einer abrupten Bewegung herum und ging zu seinen Männern zurück. Lasse atmete hörbar aus.
»Das war knapp«, murmelte er, so leise, daß nur ich die Worte hören konnte. Er wirkte mit einemmal besorgt, beinahe ängstlich. »Weißt du eigentlich, wer das ist?«
Ich verneinte.
»Setchatuatuan«, sagte Lasse. »Der Häuptling der Setchuan-Olmeken – oder dem, was von seinem Stamm übriggeblieben ist. Er ist ein tapferer Mann, und er ist ziemlich mächtig, obwohl er noch so jung ist. Ich hoffe um deinetwillen, daß du mich nicht belogen hast. Es ist riskant, sich mit ihm anzulegen. Er wird diese Kränkung nicht so schnell vergessen.«
»Es war nicht als Kränkung gemeint«, sagte ich. »Aber ich muß mit dir reden. Ich... habe einen ziemlich weiten Weg gemacht, um dich zu finden.«
»Mich?« fragte Lasse verwundert.
»Dich – oder einen Mann wie dich«, antwortete ich. »Das bleibt sich gleich. Ihr habt mich gerettet, und ich schulde euch Dank.«
Lasses Miene verfinsterte sich noch weiter. »Das war Zufall«, sagte er. »Und jetzt sprich: Was weißt du von Hellmark?«
Ich zögerte einen Moment. Ich spürte, daß die nächsten Worte, die ich sprach, über mein Schicksal entscheiden würden.
»Ich... bin ihm begegnet«, sagte ich vorsichtig.
»Wann?« schnappte Lasse.
Ich musterte den hünenhaften Wikinger genau. Lasses Hand lag auf dem Schwert. Sein Gesicht war ausdruckslos, aber in seinem Blick flackerte etwas Undeutbares, Warnendes.
»Vor... langer Zeit«, sagte ich ausweichend. »Und ich habe ihm etwas versprochen, was...«
Lasses Hieb traf mich so schnell, daß ich seine Hand nicht einmal kommen sah. Ich taumelte, stolperte gegen einen Baum und fand im letzten Moment mein Gleichgewicht wieder. Mein Gesicht brannte.
»Lügner«, zischte Lasse. Plötzlich wirkte er überhaupt nicht mehr freundlich, sondern nur noch gefährlich. Ich spürte, daß

er mich töten würde, wenn ich nur noch ein einziges falsches Wort sagte.
»Hellmark ist tot, seit beinahe acht Jahren«, sagte Lasse leise. »Und ich war dabei, als er starb. Dich habe ich nicht gesehen. Also sprich jetzt die Wahrheit – wer bist du und was willst du von uns? Wenn Leif Erickson dich zum Spionieren geschickt hat, dann...«
»Aber ich bin auf deiner Seite, Lasse«, sagte ich verzweifelt. »Du mußt mir glauben. Ich habe ein ebenso großes Interesse wie du daran, Leif Erickson unschädlich zu machen. Ich kann es dir erklären, aber ich... ich brauche Zeit!« Meine Gedanken überschlugen sich. Ich spürte, daß Lasse mir kein Wort glaubte, aber ich wußte auch, daß ich ihm unmöglich erzählen konnte, daß ich aus einer Zeit stamme, die tausend Jahre oder mehr in der Zukunft lag, und daß es dennoch Hellmark selbst gewesen war, der mich hierher geschickt hatte.
»Zeit?« schnappte Lasse. Plötzlich lachte er, aber jetzt klang es hart und drohend. »Zeit sollst du haben. Es ist ein weiter Weg zu den Höhlen von Tucan, und du wirst Zeit genug haben, dir eine Erklärung auszudenken, bis wir sie erreichen.«
Er packte mich grob, verdrehte meinen Arm und stieß mich wuchtig vor sich her.
»Ich hoffe für dich, daß es eine gute Erklärung ist, die du dir einfallen läßt«, knurrte der hünenhafte Wikinger finster. »Denn wenn nicht, übergebe ich dich meinen Männern und danach wirst du dich auf den Altar zurücksehnen, von dem wir dich gerade heruntergeholt haben, mein Wort darauf.«

Der Weg zu den Höhlen von Tucan war weit und sehr anstrengend. Aber es gibt über die nächsten zwei Tage und drei Nächte wenig Interessantes zu berichten, denn so phantastisch, wie meine Bekanntschaft mit Lasse Rotbart und seinen Olmeken begonnen hatte – mit nichts anderem schließlich als einem Sprung in eine tausend Jahre zurückliegende Vergangenheit –, so eintönig ging es weiter.
Die Indios und die Handvoll Nordmänner, die sich ihnen angeschlossen hatten, marschierten beinahe ununterbrochen, selbst nach Dunkelwerden noch. Während des ersten Tages war alles für mich so verwirrend und neu, daß ich mich an den Wundern dieser unberührten Welt kaum satt sehen

konnte. Aber meine Euphorie sank schon bald auf das Niveau einer milden Begeisterung zurück, denn es war nicht nur eine Welt, die bar jeder Beeinträchtigung durch den Menschen war, sondern auch eine Welt, in der man ohne alle Segnungen der technischen Zivilisation auskommen mußte; eine Welt ohne Straßen und Brücken, dafür mit schier unpassierbaren Dschungeln, durch die wir uns erst einen Weg freihacken mußten, und reißenden Flüssen, die wir durchquerten, indem wir uns gegenseitig an den Händen ergriffen und zu unseren jeweiligen Göttern beteten, um nicht davongeschwemmt zu werden. Eine Welt ohne Hotels und Mc-Donalds-Niederlassungen, dafür aber voller blutgieriger Insekten und Raubtiere.
Als wir das erstemal rasteten – für nicht einmal ganz drei Stunden! – war mein Bedarf an Natur eigentlich schon gedeckt. Am zweiten Abend begann ich den Dschungel zu hassen, und als die Sonne das drittemal aufging, die Farbe Grün. Ich begann mich in mein hübsches, zubetoniertes London zurückzusehnen.
Aber ich lernte auch eine Menge in diesen drei Tagen; zum Beispiel über die Leistungsfähigkeit eines menschlichen Körpers und seine Grenzen – insbesondere meines eigenen. Ich hatte vorgehabt, das Gespräch mit Lasse rasch hinter mich zu bringen, aber das erwies sich als unmöglich, nicht einmal so sehr, weil Lasse nicht mit mir reden wollte, sondern weil sich einfach keine Gelegenheit dazu bot. Ich bergriff schon bald, daß der Marsch durch den Dschungel unsere gesamten Kräfte und volle Aufmerksamkeit beanspruchte. So schön dieses Land war, so erbarmungslos war es – eine Sekunde der Unaufmerksamkeit konnte hier durchaus den Tod bedeuten. Dazu kamen die Olmeken. Ich wurde nicht schlecht behandelt – man gab mir Kleidung und Sandalen, und wenn die Männer rasteten und aßen, bekam ich meinen Anteil –, aber Setchatuatuan machte keinen Hehl aus seiner Abneigung und daraus, daß ich ein Gefangener war und mich dementsprechend zu verhalten hatte. Einer der Indios war immer in meiner Nähe, und ich fand zweieinhalb Tage lang keine Gelegenheit, auch nur ein Wort mit dem Wikinger zu wechseln. Lasse Rotbart lag wohl auch nicht sehr viel daran. Er wich mir aus, und die wenigen Male, die ich ihn dabei ertappte,

wie er mich insgeheim beobachtete, sah ich ein immer stärker werdendes Mißtrauen in seinen Augen.
Die Entscheidung fiel am Nachmittag des dritten Tages und auf eine Art und Weise, mit der ich am allerwenigsten gerechnet hatte.
Der Dschungel war auf den letzten Meilen weniger dicht gewesen, und der Boden stieg jetzt leicht, aber beständig an. Wir mußten uns dem Gebirge nähern und damit auch den Höhlen, von denen der Olmeke gesprochen hatte. Unser Vormarsch hatte sich verlangsamt, obwohl das Gelände offener geworden war; die Männer waren am Ende ihrer Kräfte angelangt.
Sogar die Wikinger, die an den ersten beiden Tagen ausgeschritten waren, als gehörte das Wort Erschöpfung nicht zu ihrem Vokabular, zeigten jetzt deutliche Anzeichen von Müdigkeit. Ich selbst schleppte mich nur noch mit letzter Kraft voran; jeder einzelne Muskel in meinem Körper schmerzte, und meine Haut war zerschunden und zerkratzt. Die Sonne stand hoch, und selbst hier unten, am Grunde des dichten tropischen Regenwaldes, war es unerträglich heiß.
Auf einer kleinen Lichtung hielt Setchatuatuan plötzlich an und hob die Hand. Auf seinen Zügen lag ein angespannter Ausdruck. Auch die anderen Indios blieben stehen.
»Was ist los?« fragte Lasse. Setchatuatuan schüttelte hastig den Kopf und legte den Zeigefinder über die Lippen; eine Geste, die wohl überall und zu jeder Zeit verstanden wurde.
Ich lauschte angestrengt, aber ich hörte nichts, und auch der Wikinger zuckte nach ein paar Sekunden mit den Achseln und warf dem Olmekenhäuptling einen fragenden Blick zu.
»Ich höre nichts«, sagte er leise.
Setchatuatuan nickte. »Eben«, flüsterte er. »Es ist zu still.«
Und jetzt, da er es aussprach, fiel auch mir die Stille auf. Während der letzten drei Tage hatte uns ein niemals ganz verstummender Chor von Tierstimmen und anderen Lauten begleitet, aber jetzt war es beinahe geisterhaft ruhig. Selbst das Rascheln des Windes in den Baumwipfeln schien gedämpft.
»Was ist das?« fragte Lasse. Seine Stimme klang müde, aber seine Hand lag auf dem Schwertgriff. »Eine Falle?«
»Kaum«, murmelte Setchatuatuan. »Eher ...«

Der Rest seines Satzes ging in einem markerschütternden Schrei unter. Die Männer fuhren in einer einzigen Bewegung herum, Waffen wurden gezogen und Schilde gehoben, und ein paar der Indios kreischten erschrocken auf.
Auch ich prallte zurück, als ich den gewaltigen schwarzen Schatten sah, der links von mir aus dem Busch gebrochen und über einen der Wikinger hergefallen war.
Es war ein Jaguar; ein gewaltiges, schwarzes Tier, größer als ein Schäferhund und mit kleinfingerlangen, blitzenden Reißzähnen.
Der Mann, den er angesprungen hatte, lebte, aber schon sein erster Tatzenhieb hatte gereicht, den Panzer des Kriegers zu zerreißen und eine Krallenspur über seine Brust zu ziehen. Er versuchte sich zu bewegen, aber die Pranken des schwarzen Jaguars hielten ihn so mühelos nieder, wie eine Katze eine Maus niederdrückt.
Lasse Rotbart erwachte mit einem krächzenden Schrei aus seiner Betäubung und riß sein Schwert hoch. Aber er kam nicht dazu, dem Mann zu Hilfe zu eilen. Mit einer blitzartigen Bewegung vertrat ihm Setchatuatuan den Weg und hob befehlend die Hände.
»Keinen Schritt weiter, Lasse Rotbart«, sagte er laut.
Der Wikinger erstarrte. Das Schwert, das er noch immer zum Schlag erhoben hatte, zitterte in seiner Hand. »Was soll das?« fragte er. »Diese Bestie wird Sven töten!«
»Du wirst ihn nicht anrühren«, sagte Setchatuatuan hart. Gegen den hünenhaften Wikinger wirkte er wie ein Zwerg, aber in seinem Blick war keine Spur von Angst. »Die Götter verlangen ein Opfer«, sagte er. »Es würde uns Unglück bringen, es ihnen zu verwehren.«
Lasses Lippen begannen zu beben. Ich ahnte, was in dem breitschultrigen Wikinger in diesem Augenblick vorging: Für die Olmeken war der Jaguar ein heiliges Tier – mehr noch, ein Gott, der nur in den Körper eines Tieres geschlüpft war, um in dieser Verkleidung unter den Menschen zu wandeln. Setchatuatuan und jeder einzelne seiner Männer würden sich eher umbringen lassen, ehe sie die Hand gegen dieses gewaltige schwarze Tier erhoben – oder zuließen, daß es ein anderer tat.
Aber der Mann dort drüben gehörte zu Lasses Leuten, und

für den Wikinger war der Jaguar nicht mehr als ein Raubtier.
Die Spannung, die plötzlich zwischen den beiden ungleichen
Männern herrschte, war beinahe greifbar. Ich sah, wie Lasses
Männer unauffällig ihre Waffen fester packten.
Für einen Moment konzentrierte sich die Aufmerksamkeit
aller nur auf Lasse und den Olmekenhäuptling; von mir
schien niemand Notiz zu nehmen. Wahrscheinlich hätte ich
in diesem Augenblick fliehen können, ohne daß es auch nur
einer der Männer bemerkt hätte.
Aber ich versuchte es nicht. Statt dessen drehte ich mich
herum und ging langsam auf die gewaltige Raubkatze zu.
Der Jaguar fauchte. Seine Reißzähne blitzten wie gekrümmte
weiße Messer, und von seinen Lefzen tropfte Blut. Seine
furchtbaren Krallen gruben sich dicht neben dem Helm des
verletzten Wikingers in den Boden. Irgendwo hinter meinem
Rücken schrie jemand, dann hörte ich Schritte, aber der
Mann, der mich verfolgte, blieb dicht hinter mir stehen, als
die Raubkatze ein neuerliches, drohendes Fauchen hören
ließ.
»Bleib stehen!« brüllte Lasse. »Was tust du? Er bringt dich
um!«
Ich hörte kaum hin. Mein Blick bohrte sich in den der Raubkatze. Ich spürte die Wildheit des Tieres, den scharfen Raubtiergestank, den es verströmte, und die Wut auf alles Lebende, die in diesem gewaltigen schwarzen Tier brodelte.
Aber ich spürte auch, daß es... mehr war als eine gewöhnliche Raubkatze. Ich hatte niemals von einem schwarzen Jaguar gehört, und an der Überraschung und Furcht auf den
Zügen der Indios hatte ich erkannt, daß auch für sie dieser
Anblick fremd sein mußte.
Langsam näherte ich mich dem Jaguar, blieb zwei Schritte
vor ihm stehen und hob die Hände.
Die Raubkatze fauchte. Die geschlitzten Pupillen in ihren
Augen loderten vor Haß. Aber sie griff nicht an.
Ich drängte die Furcht mit aller Macht zurück, atmete hörbar
ein und trat einen weiteren Schritt auf das gewaltige
schwarze Tier zu. Die Stimmen hinter mir waren verstummt,
und ich konnte direkt fühlen, wie die Männer mich und die
Raubkatze mit gebannten Blicken musterten.
Ich machte einen weiteren Schritt. Ich spürte, wie sich in

meiner Seele etwas regte, etwas gleichermaßen Fremdes wie
Vertrautes, ein Teil jener uralten, finsteren Macht, die ich geerbt hatte und die mich zum Magier machte, und dann ... Es
war nicht so, daß ich die Gedanken des Tieres las – aber ich
fühlte seine Wut, fühlte seinen Haß wie einen Strom dunkler, brodelnder Energie zu mir herüberfließen. Und ich
wußte, daß ich keine Angst vor ihm zu haben brauchte.
Mein Geist und der des Tieres wurden eins. Es war das Erbe
meines Vaters, das in mir erwachte, jener Teil meines Bewußtseins, der mich ein wenig empfänglicher für die Welt
hinter der Realität machte, als es die meisten anderen sind.
Ich spürte den Haß, die blinde, alles vernichtende Wut der
Bestie – und ich besänftigte sie.
Langsam, widerwillig und so, als würde er von einer stärkeren, unsichtbaren Macht dazu gezwungen, wich der gewaltige Jaguar von seinem Opfer zurück. Die winzigen Ohren
legten sich flach an den Schädel. Sein Schwanz peitschte.
Aber sein Fauchen klang jetzt eindeutig furchtsam.
Ich atmete noch einmal tief ein und trat mit einem entschlossenen Schritt direkt neben das Tier. Der Jaguar hob die Vor-
dertatze, führte den Hieb aber nicht mehr aus. Seine Augen
wurden schmal, die Pupillen zogen sich zu winzigen Punkten
zusammen, und statt des Fauchens drang jetzt ein tiefes,
rhythmisches Knurren aus seiner Brust. Der Blick seiner
bernsteingelben Katzenaugen focht ein stummes Duell mit
dem meinen.
Langsam legte ich die Hand zwischen die Ohren des Tieres
und konzentrierte mich. Ich versuchte nicht, den Willen des
Jaguars zu brechen. Das war unmöglich. Er war eine Katze,
und es ist noch nie jemandem gelungen, eine Katze ihrer Un-
abhängigkeit zu berauben. Aber es gelang mir, seinen Zorn
zu dämpfen. Langsam, unendlich langsam und vorsichtig
drang ich in seinen überraschend klaren tierischen Intellekt
ein und versuchte, die Mischung aus Haß und Furcht in seinem Inneren zu besänftigen. Und ich spürte, daß es mir gelang.
Minuten, vielleicht eine halbe Stunde lang, stand ich reglos
da und blickte den riesigen Jaguar an, und irgendwann
wurde aus seinem drohenden Knurren ein tiefes, ruhiges
Summen, ein Laut wie das Schnurren einer zufriedenen

Katze, aber dunkler, mächtiger.
Als ich mich umwandte und auf die Lichtung zurücksah, sanken die Olmeken einer nach dem anderen auf die Knie und beugten demütig das Haupt.

»Er lebt«, sagte Lasse erleichtert. »Er ist verletzt, aber er wird es überstehen. Du hast ihn gerettet.«
Der Wikinger, den der Jaguar angefallen hatte, lag mit geschlossenen Augen vor uns. Er hatte das Bewußtsein verloren, aber sein Pulsschlag hatte sich beruhigt, und auch die Wunden hatten aufgehört zu bluten. Sie waren weniger gefährlich, als es auf den ersten Blick ausgesehen hatte. Ich hatte ihn flüchtig untersucht, ehe Lasse mich sanft, aber entschieden zur Seite geschoben und sich des Verletzten selbst angenommen hatte. Mein anfänglicher Protest war rasch verstummt, als ich sah, wie geschickt der scheinbar so grobschlächtige Wikinger dabei vorging.
»Und er wird bald wieder gesund sein. Aber vorerst kann er nicht laufen.« Lasse erhob sich seufzend auf die Knie, griff nach meiner hilfreich ausgestreckten Hand und deutete mit einer Kopfbewegung auf den bewußtlosen Krieger hinab. »Wir werden eine Trage für ihn bauen müssen.«
»Ist das ein Problem?« fragte ich.
Lasse verneinte. »Nein. Kein Problem. Der Weg ist nicht mehr sehr weit. Du hast ihn gerettet. Ich schulde dir Dank.« Er schwieg einen Moment, blickte erst auf den reglosen Krieger hinab und dann nach Norden, dorthin, wo die Höhlen liegen mußten, die unser Ziel waren. Ich spürte, daß er etwas sagen wollte, aber aus irgendeinem Grund zögerte er noch.
Mein Blick glitt an dem rotbärtigen Wikinger vorbei über die Lichtung. Die vier Krieger, die Lasse geblieben waren, waren bereits damit beschäftigt, Äste für eine Trage zurechtzuschneiden. Die Indios hatten sich wieder erhoben und bildeten einen weiten, an einer Seite offenen Kreis um uns herum. Setchatuatuan stand etwas abseits und redete mit leiser Stimme mit einem der Männer. Die Blicke, die die beiden mir und Lasse von Zeit zu Zeit zuwarfen, waren von einer Mischung aus Furcht und Ehrerbietung erfüllt. Das heißt, die Blicke des Indio-Kriegers. Den Ausdruck in Setchatuatuans Augen vermochte ich nicht genau zu deuten. Aber er gefiel

mir nicht besonders.

»Wer bist du?« fragte Lasse plötzlich.

Ich spürte, wie schwer es ihm fiel, die Worte auszusprechen. Der Jaguar fauchte leise. Lasse Rotbart zog die linke Augenbraue hoch und starrte das Tier an. Die Raubkatze legte die Ohren an den Schädel und drängte sich dichter an meine Seite. Rasch legte ich ihr die Hand zwischen die Ohren und begann sie zu kraulen. Ich konnte spüren, wie sich das Tier beinahe augenblicklich wieder beruhigte.

»Wer soll ich schon sein?« fragte ich in bewußt beiläufigem Ton. »Ich –« »Setchatuatuan und seine Männer halten dich für einen Gott«, unterbrach mich Lasse. Seine Stimme bebte. Er lächelte, aber es wirkte unsicher und war nur ein Versuch, seine Nervosität zu überspielen. »Bist du es?«

Ich zögerte zu antworten. Wahrscheinlich wäre es ein leichtes für mich gewesen, die Frage mit Ja zu beantworten und mich damit zum unumschränkten Herrscher über diesen kleinen Haufen Verlorener zu machen. Aber ich war nicht hierher gekommen, um zu herrschen. Ich hatte eine Aufgabe zu erfüllen. Und ich fand, daß es allmählich an der Zeit war, herauszufinden, worin sie überhaupt bestand...

»Gehen wir dort hinüber«, sagte ich mit einer Kopfbewegung zu einer freien Stelle am Waldrand. Lasse nickte wortlos und folgte mir. Auch der Jaguar blieb dicht an meiner Seite, wie ein Hund, der seinem Herrn folgt. Die Indios machten uns respektvoll Platz, aber ich war nicht sicher, wem sie auswichen – dem riesigen Jaguar oder mir.

»Also?« sagte Lasse, als wir außer Hörweite der Olmeken und ihres Häuptlings waren. »Wer bist du? Nur ein Welpe, der gut mit Tieren umgehen kann, oder ein Bote der Götter?«

Ich unterdrückte ein Lächeln. Lasse war mit seiner Frage näher an der Wahrheit herangekommen, als er wahrscheinlich selbst ahnte.

»Vielleicht beides«, antwortete ich.

»Du sagst, du wärest Hellmark begegnet«, fragte Lasse. »Wann und wo soll das gewesen sein? Du bist kein Olmeke. Du hast helle Haut wie ich. Aber du gehörst auch nicht zu unserem Volk. Woher kommst du?«

»Aus Britannien«, antwortete ich. Ich hatte mich entschlossen, Lasse die Wahrheit zu sagen – wenigstens zum Teil. Der

Mann schien mir intelligent genug dazu.
»Dann bist du mit der zweiten Expedition Leif Ericksons in dieses Land gekommen?«
»Ich weiß nichts von einer zweiten Expedition«, antwortete ich. »Ich kam auf... einem anderen Weg hierher. Und ich tat es nicht freiwillig.«
Lasse nickte. »Du bist ein Sklave, und...«
»Nein«, unterbrach ich ihn. »Da täuscht du dich, Lasse Rotbart. Ich bin so wenig irgend jemandes Sklave wie du. Ich traf Hellmark vor wenigen Tagen.«
Lasse sog hörbar die Luft ein. »Aber das ist unmöglich«, sagte er. »Hellmark starb vor acht Jahren. Leif Erickson hat ihn umgebracht.«
»Ich weiß«, antwortete ich. »Aber bevor er starb, sprach er einen Fluch aus. Und um den wahrzumachen, hat mich Odin...«
Ich brach ab, biß mir auf die Lippen und starrte Lasse erschrocken an. Der hünenhafte Wikinger war bleich geworden. Ich verfluchte mich in Gedanken dafür, daß mir der Name des Asen gegen meinen Willen herausgerutscht war, zumal ich nicht einmal sicher war, daß meine Vermutung zutraf. Aber es war zu spät, den Fehler rückgängig zu machen.
»Odin?« keuchte Lasse. »Odin selbst hat dich geschickt?«
»Nein«, sagte ich hastig. »Nicht geschickt. Ich bin kein Bote der Götter, Lasse. Ich bin ein Mensch wie du, glaube mir.«
Lasse schwieg, aber sein Blick streifte den riesigen schwarzen Jaguar, der friedlich wie eine Hauskatze neben mir hockte.
»Dein Freund Hellmark schwor, sich für den Verrat, der an ihm begangen wurde, zu rächen«, fuhr ich fort. »Doch um seinen Fluch einzulösen, straft er nun Unschuldige.«
»Du sprichst in Rätseln«, sagte Lasse.
Ich lächelte unsicher. »Ich verstehe selbst nicht so ganz, was passiert ist«, gestand ich. »Aber Hellmarks Fluch traf Menschen, die so wenig Schuld tragen wie du oder ich.«
»Und du?« fragte Lasse lauernd. »Was hast du damit zu tun?«
»Ich habe versprochen, das Unrecht wiedergutzumachen, das Hellmark widerfuhr«, sagte ich ernst.
Lasse Rotbart sog hörbar die Luft ein. »Du?« fragte er ungläubig. »Was willst du schon tun?«
Ich antwortete nicht sofort. Lasse hatte genau die Frage aus-

gesprochen, die mir selbst auf der Seele brannte, seit ich in dieser bizarren fremden Welt aufgewacht war. Wie sollte ich zustande bringen, was weder Lasse Rotbart noch seinen Männern noch diesen tapferen Indio-Kriegern in den langen Jahren geglückt war? Wie konnte ich die Rache an Leif Ericson vollziehen? Ich war nicht bereit, einen Mord zu begehen, doch selbst wenn ich es gewesen wäre – ich glaubte nicht, daß es so einfach war. Wäre es bloß Leif Ericksons Tod gewesen, was Hellmark forderte, hätte er das wahrlich leichter haben können.

»Du sagst, Leif Erickson lebt hier unter den Olmeken?« fragte ich anstelle einer direkten Antwort.

Lasse lachte bitter. »Lebt ist nicht das richtige Wort«, sagte er. »Er herrscht.«

»Erzähle mir von ihm«, bat ich. »Wenn die Zeit reicht.«

Lasse blickte rasch zu den Wikingern hinüber. Die vier Männer hatten begonnen, die Trage zusammenzubauen, aber sie würden noch zehn Minuten dazu brauchen, vielleicht mehr. »Es gibt nicht viel zu erzählen«, sagte er. »Nach dem Mord an Hellmark gingen wir an Land, Leif Erickson, ich und die anderen Männer. Wir trafen auf Eingeborene und versuchten sie zu unterwerfen.«

»Ihr versuchtet?« wiederholte ich betont.

Lasse nickte knapp. »Sie haben uns aufgerieben«, sagte er ruhig. »Kaum drei Dutzend von uns überlebten den ersten Angriff. Dieses Land hier ist anders als das, das wir kennen. Der Dschungel und die Sümpfe...« Er schüttelte den Kopf. Ein Schatten huschte über sein Gesicht, als quälten ihn plötzlich finstere Erinnerungen. »Wir sind Seefahrer, Robert aus Britannien, keine Baumaffen. Du hast gesehen, wie wenig uns diese Wilden in einem ehrlichen Kampf entgegenzusetzen haben, aber wir kämpften nicht nur gegen sie, sondern gegen dieses Land. Es war der Dschungel, der unsere Leute umbrachte, nicht die Indios.«

Er hatte sich mit diesen wenigen Worten fast in Rage geredet, so daß er ein paar Sekunden schwieg und an mir vorbei ins Leere starrte, ehe er sich wieder in der Gewalt hatte. »Ich und ein Dutzend Männer wurden vom Rest der Truppe getrennt«, fuhr er fort. »Ich weiß nicht genau, was mit Erickson geschah. Er konnte entkommen und fuhr wieder nach Hause.

Doch er kam wieder, zwei Jahre später. Mit frischen Kriegern und besser bewaffnet.«
»Und?« fragte ich, als der Wikinger nicht weitersprach.
Lasse zuckte mit den Achseln. »Die Niederlage war noch größer als beim erstenmal«, sagte er. »Die Olmeken lockten ihn in die Höhlen von Tucan.«
»Die Höhlen von Tucan?« echote ich. »Dorthin, wo wir jetzt Unterschlupf suchen?«
Lasse nickte. »Ja. Man sagt, daß ein Fluch auf diesen Höhlen liegt. Die Olmeken meiden sie wie die Pest, weil sie glauben, daß die Geister der Ermordeten dort herumspuken und die töten, die sich hineinwagen. Das ist natürlich Unsinn. Jedermann weiß, daß die Geister der Krieger in Walhalla leben, aber diese Wilden sind abergläubisch. Die Höhlen sind ein unterirdisches Labyrinth, in dem sich eine ganze Armee verbergen kann, aber Erickson und seinem Heer wurden sie zum Verhängnis. Es war eine Todesfalle. Nur Erickson selbst und eine Handvoll seiner Männer konnten entkommen und verschwanden im Busch. Aber ein halbes Jahr später kam er zurück, und er war nicht mehr allein.« Plötzlich wurde seine Stimme hart, und ich spürte, wie eine Welle glühenden Hasses in ihm emporstieg. »Oh nein«, sagte er. »Quetzalcoatl selbst war bei ihm, und mit ihm...«
»Quetzalcoatl?« Ich runzelte die Stirn. »Du... du meinst den alten Gott der...«
»Die gefiederte Schlange«, unterbrach mich Lasse. »Ja. Ich weiß nicht, ob er alt ist, aber er ist auf jeden Fall schrecklich. Die Indios sanken vor ihm auf die Knie und verehrten ihn als Gott, und niemand wagte es, an Widerstand auch nur zu denken.«
»Und ihr?«
Lasse seufzte. »Wir haben uns recht und schlecht durchgeschlagen«, sagte er.
»Nach einem halben Jahr im Busch fanden wir Unterschlupf bei einem kleinen Stamm weiter oben im Norden. Wir hörten erst wieder von Erickson, als er bereits seine Schreckensherrschaft errichtet hatte. Seitdem kämpfen wir.«
»Seit sechs Jahren?«
Lasse nickte. »Die meiste Zeit waren wir auf der Flucht«, sagte er. »Leif Erickson haßt uns. Er weiß, daß wir die einzi-

gen sind, die den Olmeken sagen können, daß er kein Gott ist, sondern nur ein Verräter und Mörder. Er wird alles tun, um uns zu vernichten.«
»Quetzalcoatl«, murmelte ich.
»Du meinst, er... er wäre wirklich und leibhaftig erschienen?«
»Wäre?« lachte Lasse. »Er ist es noch, Welpe. Erickson und dieses verfluchte Monstrum terrorisieren das Land seit sechs Jahren. Setchatuatuan und seine Leute sind die einzigen, die es überhaupt wagen, Widerstand zu leisten.«
Ich sah unauffällig zu dem jungen Olmeken hinüber. »Glaubt er nicht an Quetzalcoatl?« fragte ich.
»Doch«, antwortete Lasse. »Aber Erickson hat seinen Stamm ausgelöscht.« Er lachte, doch es klang bitter. »Wenn du wirklich gekommen bist, um Hellmark zu rächen«, sagte er leise, »dann wirst du gegen einen leibhaftigen Gott kämpfen müssen.« Lasse zuckte mit den Achseln und spielte nervös mit seinem Schwert. »Vielleicht ist er auch kein Gott, sondern nur ein Ungeheuer, aber das bleibt sich gleich. Die Olmeken glauben, daß es Quetzalcoatl selbst ist. Rechne nicht auf Hilfe von ihnen.«
»Und Setchatuatuan?«
Lasse zögerte einen Moment. »Er ist ein tapferer Mann«, sagte er. »Und er haßt Leif Erickson so sehr wie wir, vielleicht mehr. Aber ich weiß nicht, was er tun wird, wenn er Quetzalcoatl selbst gegenübersteht.«
Ich sah den Wikinger nachdenklich an. »Du glaubst nicht, daß er ein Gott ist«, vermutete ich.
»Quetzalcoatl?« Lasse überlegte kurz. »Ich... weiß es nicht«, gestand er schließlich. »Ich habe niemals ein Wesen wie ihn gesehen, aber die Welt ist groß. Und schließlich«, fügte er mit einem fast verlegenen Lächeln hinzu, »habe ich auch noch niemals einen Gott gesehen.«
»Du hast ihn gesehen?« entfuhr es mir.
Lasse nickte. »Zweimal«, sagte er.
»Wie sieht er aus?« fragte ich. »Beschreibe ihn mir.«
»Er ähnelt nichts, was ich jemals zuvor gesehen hätte«, sagte Lasse. »Er ist gewaltig. Seine Flügel sind so groß wie die Segel eines Schiffes. Er fliegt so schnell wie der Wind, und er tötet alles, was ihm in den Weg kommt. Erickson ist der ein-

zige, der ihn beherrscht.«
»Aber was ist er?« fragte ich noch einmal. »Ein Vogel, ein...«
»Ein Drache«, sagte Lasse. »Wäre ich ihm zu Hause begegnet, hätte ich ihn einen Drachen genannt. Hier ist er ein Gott.« Lasse sprach nicht weiter, und ich spürte, daß wir an einem Punkt angelangt waren, an dem es keinen Sinn hatte, das Gespräch fortzuführen. Aber ich hatte plötzlich das Gefühl, daß ich Leif Erickson und seiner gefiederten Schlange begegnen würde, vielleicht rascher, als ich ahnte. Und ganz bestimmt rascher, als mir lieb war.

»Es ist jetzt nicht mehr weit«, sagte Setchatuatuan. Er versuchte seine Worte durch ein aufmunterndes Lächeln zu bekräftigen, aber die Erschöpfung ließ seine Stimme zittern, und der Blick, mit dem er mich maß, drückte eher Furcht als Zuversicht aus.
Der junge Olmekenhäuptling war während der letzten Stunden kaum von meiner Seite gewichen; ebensowenig wie die anderen Krieger. Die Olmeken hatten mich in die Mitte genommen, und auch wenn ich genau wußte, daß diese Maßnahme jetzt nur noch meinem Schutz diente, fühlte ich mich mehr denn je wie ein Gefangener. Die Olmeken wichen meinem Blick aus, wenn ich sie ansah, und wenn ich einen der Männer ansprach, dann senkte er das Haupt und antwortete mit leiser, demütiger Stimme. Ich spürte, daß diese Männer mich verehrten, so sehr, wie sie mir noch vor wenigen Stunden mißtraut hatten. Aber sie fürchteten mich auch, vielleicht sogar noch mehr, als sie mich verehrten.
Ich war mir nicht recht im klaren darüber, ob ich diese Entwicklung begrüßen sollte – von dem Umstand, daß mir das Benehmen der Indianer ganz einfach peinlich war, einmal ganz abgesehen. Setchatuatuan und seine Männer waren alles andere als normale Olmeken. Sie waren Rebellen, Verfemte, die einen verzweifelten Kampf gegen einen übermächtigen Feind führten, und die Gefahr, daß ich in diesen ungleichen Kampf hineingezogen wurde, war groß.
Aber vielleicht war genau das beabsichtigt. Ich glaubte längst nicht mehr daran, daß die schwarze Raubkatze, die noch immer wie ein Schoßhund neben mir herging und jeden, der sich mir auf mehr als zwei Schritte näherte, wütend an-

fauchte, durch einen puren Zufall aufgetaucht war. Ebensowenig, wie es Zufall war, daß ich ausgerechnet in dem Moment auf der Spitze der Pyramide erwacht war, als Lasse Rotbart und die Indios ihren verzweifelten Angriff begannen.
Der Jagur war das heilige Tier der Olmeken, ein Wesen, vor dem sie beinahe so viel Respekt hatten wie vor Quetzalcoatl selbst, und wer – wie ich – Herrschaft über dieses Tier ausübte, der mußte in den Augen der Indios beinahe selbst einem Gott gleichkommen.
Nein – hinter alldem steckte ein geheimer Plan. Jemand hatte dieses Tier geschickt, genau im richtigen Moment.
Aber wozu? dachte ich. Ich war hier, um Hellmarks – oder Odins – Fluch zu erfüllen und Leif Erickson für den Mord und den Verrat an seinem Freund zur Rechenschaft zu ziehen, nicht, um mich in das Schicksal eines ganzen Volkes zu mengen; und ganz bestimmt nicht, um zu einem prähistorischen Robin Hood zu werden und die Rechte der Armen und Verfemten zu verteidigen.
Aber vielleicht war das eine nicht ohne das andere möglich. Setchatuatuan blieb plötzlich stehen und gab auch den anderen ein Zeichen anzuhalten. »Der Zugang zu den Höhlen liegt dort vorne«, sagte er mit einer erklärenden Geste nach Norden. Ich versuchte vergeblich, in der bezeichneten Richtung irgend etwas anderes als unbändig wucherndes Grün und Schatten zu erkennen, aber der junge Olmeke schien genau zu wissen, wovon er sprach.
»Du solltest hier warten, Herr«, sagte er leise. »Ich werde Späher vorausschicken.«
Es war das erstemal, daß der Olmeke mich *Herr* nannte. Ich setzte dazu an zu widersprechen, fing aber im letzten Moment einen warnenden Blick Lasses auf und beschränkte mich auf ein knappes, zustimmendes Nicken. Ich fühlte mich immer weniger wohl in meiner Haut. Fast jeder wird wohl schon einmal davon geträumt haben, zu herrschen, bewundert und verehrt zu werden; niemand spricht gerne darüber, aber solcherlei Träume sind ganz normal und durchaus legitim, solange sie Träume bleiben. Aber sie werden rasch unangenehm, wenn sie sich verwirklichen: Es ist ein widerwärtiges Gefühl, unentwegt angestarrt und beobachtet zu werden, selbst wenn in diesen Blicken nichts Feindseliges ist. Und

schließlich war ich nicht hierher gekommen, um mich zum Gott eines primitiven Indianerstammes aufzuschwingen.
»Es ist gut«, sagte ich. »Ich werde warten.«
Setchatuatuan wandte sich mit einem sichtlichen Aufatmen um und verschwand zusammen mit drei seiner Krieger im Unterholz. Die anderen bildeten, wie schon die Male zuvor, einen weiten, lockeren Kreis um mich und Lasse und die Wikinger. Ich sah dem Olmeken-Häuptling einen Moment nachdenklich hinterher, wandte mich dann um und ging zu Lasse und seinen Männern zurück. Die Krieger hatten die Trage mit dem Verletzten abgestellt und sich danach zu Boden sinken lassen. Sie wirkten erschöpft und abgerissen; drei Tage nahezu pausenlosen Marschierens durch den dichten Regenwald hatten ihren Preis gefordert. Auch ich fühlte die Müdigkeit immer deutlicher. Keiner von uns würde noch lange durchhalten.
»Nicht mehr lange«, sagte Lasse, der meine Gedanken zu lesen schien. »Dann können wir ausruhen.«
Ich setzte mich zu ihm. Der Jaguar ließ sich rechts neben mir nieder. Seine Ohren zuckten, und wieder spürte ich den scharfen Raubtiergestank, den das Tier verströmte. Ich fühlte mich nicht sehr wohl in seiner Nähe, auch wenn ich keine Angst mehr vor ihm hatte. Ich liebe Katzen über alles, aber dieses gewaltige schwarze Tier war alles andere als eine normale Raubkatze. Manchmal hatte ich das Gefühl, daß sie mich beobachtete, auf eine Art beobachtete, die ganz und gar nichts Tierisches an sich hatte.
»Warum geht er voraus?« fragte ich mit einer Kopfbewegung in die Richtung, in der Setchatuatuan verschwunden war. »Fürchtet er einen Hinterhalt?«
Lasse zuckte mit den Achseln. »Setchatuatuan ist ein vorsichtiger Mann«, sagte er. »Manchmal zu vorsichtig. Aber wahrscheinlich lebt er nur deshalb noch. Leif Erickson weiß ganz genau, wo wir uns verbergen.«
»Und trotzdem seid ihr in den Höhlen sicher?«
Der Wikinger lachte rauh. »Das sind wir«, bestätigte er. »Leif Erickson hat Macht über die Olmeken. Sie glauben, daß er selbst ein Gott ist, weil er Quetzalcoatl beherrscht. Aber sie fürchten diesen Ort noch mehr als sie Erickson verehren. Nicht einmal er könnte ihnen befehlen, hierher zu kommen.«

Seine Miene verdüsterte sich. »Wenigstens hoffe ich es«, fügte er halblaut hinzu.

Ich setzte zu einer Antwort an, beschränkte mich aber dann auf ein wortloses Achselzucken und sah erneut in die Richtung, in der der Olmekenhäuptling verschwunden war. Als Lasse Rotbart das erstemal die Höhlen erwähnt hatte, hatte ich unwillkürlich angenommen, daß wir uns ins Gebirge begeben würden, aber wenn auch unser Weg ständig leicht angestiegen war, so war er doch nie richtig steil geworden, und die tropische Vegetation rund um uns hatte sich kaum geändert. Der Zugang zu den Höhlen von Tucan mußte mitten im Dschungel liegen. Ich kramte in meinen Erinnerungen, fand aber nichts über diese Höhlen. Entweder waren sie in unserer Zeit noch nicht wiederentdeckt worden, oder – was wahrscheinlicher war – meine bescheidenen historischen Kenntnisse reichten nicht aus. Bis vor ein paar Wochen hatte sich mein Wissen über Mexiko und die Geschichte der Mayas und Azteken so ungefähr auf die Schreibweise dieser Worte beschränkt.

Trotzdem verstand ich die Besorgnis des Olmeken. Ich selbst konnte mich einer seltsamen, schwer in Worte zu fassenden Unruhe nicht erwehren, ein Gefühl, das mit jedem Schritt, den wir weiter nach Norden kamen, stärker geworden war.

Zu Anfang hatte ich es meiner Erschöpfung zugeschrieben, aber mittlerweile wußte ich, daß das nicht stimmte. Es war Gefahr, was ich spürte, eine dumpfe, quälende Vorahnung, in eine Falle zu laufen. Und mehr. Hier ging es nicht mehr bloß um Leif Erickson und den Verrat, den er begangen hatte. Leif Erickson hatte Amerika Jahrhunderte vor Christoph Kolumbus entdeckt, das war eine Tatsache, die auch im zwanzigsten Jahrhundert, aus dem ich stammte, bekannt war. Aber er hatte niemals eine Kolonie hier im Norden des südamerikanischen Kontinents errichtet, und er hatte erst recht nicht als König über die Olmeken, die Vorfahren der Mayas und Azteken, geherrscht. War ich vielleicht hier, um die Geschichte zu korrigieren? Kaum.

Ich schob den Gedanken mit einem lautlosen Seufzer beiseite und wollte aufstehen, aber Lasse hielt mich mit einer raschen Bewegung zurück. »Auf ein Wort noch«, sagte er.

Gehorsam ließ ich mich zurücksinken und sah den hünenhaften Wikinger fragend an.

»Es wird vielleicht das letztemal sein, daß wir allein miteinander reden können«, sagte Lasse. »Und ich möchte wissen, woran ich bei dir bin.«

»Wie meinst du das?« Ich lachte übertrieben spöttisch. »Traust du mir immer noch nicht, Lasse Rotbart?«

Lasse lachte nicht. »Ich weiß nicht, wer du bist«, sagte er. »Aber ich glaube dir, daß du nicht aus diesem Land stammst. Für Setchatuatuan und seine Männer bist du ein Gott.« Er wies mit einer halb zornigen, halb aber auch furchtsamen Geste auf den Jaguar, der die abrupte Bewegung mit einem warnenden Grollen quittierte.

»Diese Bestie ist ihr heiliges Tier. Und du beherrschst es.«

»Worauf willst du hinaus?« fragte ich.

Lasse zögerte. »Mit dir an ihrer Spitze werden die Indios diesen Verräter Leif Erickson von seinem Thron fegen – bist du so dumm, daß du das nicht weißt, oder tust du nur so?«

Ich hob hilflos die Hände. »Aber ...«

»Nichts aber«, fiel mir Lasse ins Wort. »Wenn sich herumspricht, was geschehen ist, dann werden sie in Scharen kommen und sich dir anschließen. Erickson beherrscht die Indios, aber er tut es nur, weil sie Angst vor ihm haben. Hätten sie einen Führer, stünde das ganze Volk auf. Und Setchatuatuan wird dafür sorgen, daß es sich herumspricht, mein Wort darauf. Er mag vielleicht ein abergläubischer Eingeborener sein, aber er ist kein Narr!«

»Ich bin nicht hier, um eine Revolution anzuzetteln«, sagte ich.

»Du wirst es müssen«, sagte Lasse.

Setchatuatuans Rückkehr bewahrte mich davor, antworten zu müssen. Mit einem fast dankbaren Blick auf den Olmeken stand ich auf und wollte weitergehen, aber Setchatuatuan hielt mich mit einem hastigen Kopfschütteln zurück.

»Nein«, sagte er.

Ich runzelte die Stirn. »Stimmt etwas nicht?«

Setchatuatuan schwieg einen Moment und tauschte einen langen, besorgten Blick mit Lasse Rotbart. Auch der Wikinger war aufgestanden und näher gekommen, schwieg aber.

»Ich weiß es nicht«, sagte der Olmeke schließlich. »Es ist alles ruhig, aber ich habe ... kein gutes Gefühl.« Er sah wieder

147

mich an. »Es wäre besser, wenn du mit dem Verwundeten und zwei Kriegern zurückbleiben würdest. Lasse Rotbart und ich werden vorgehen.«
Seltsamerweise wirkte der Wikinger beinahe erleichtert. Rasch wandte er sich um, sagte ein paar Worte zu seinen Leuten und deutete nach Norden. Die vier Wikinger erhoben sich stumm, zogen ihre Waffen und nahmen die Schilde von den Rücken, während zwei von Setchatuatuans Männern die Trage mit dem Verletzten aufnahmen und sich zwei andere schützend rechts und links von mir aufstellten. Ich beobachtete diese Vorbereitungen mit gemischten Gefühlen. Setchatuatuan schien besorgter zu sein, als er zugeben wollte. Aber ich schwieg auch dazu. Vielleicht spürte er einfach die düstere Ausstrahlung dieses Ortes, so wie ich.
Wir brachen auf. Die Olmeken unter Setchatuatuans Führung bildeten eine breit auseinandergezogene, lockere Kette, die nahezu lautlos zwischen den dichtstehenden Stämmen des Dschungels verschwand, während Lasse und seine vier Männer dicht beieinander blieben, sich aber fast genauso lautlos bewegten. Ich selbst und meine Bewacher folgten dem Haupttrupp in zehn, fünfzehn Schritten Abstand.
Der Dschungel endete nach wenigen Dutzend Schritten wie abgeschnitten. Die Bäume traten zurück, machten einem schmalen Streifen felsigem, nur noch von Gestrüpp und halb mannshohen Kakteen bewachsenem Boden Platz, an den sich eine steile, geröllübersäte Anhöhe anschloß. Es war nicht mehr als ein Hügelchen, nicht einmal so hoch wie die Kronen der Urwaldriesen, die es umstanden – und doch schauderte mich bei dem Anblick. Der Höhleneingang war von hier aus deutlich zu erkennen: ein schmaler, V-förmiger Schlitz, wie mit einer gewaltigen Axt in den Berg gehauen. Dahinter wogten Dunkelheit und Schatten wie finstere lebende Wesen, und ein Hauch geisterhafter Kälte schien aus der Tiefe der Erde herauszuwehen. Mir war, als krallten sich unsichtbare Geisterfinger in meine Seele, und ich verstand plötzlich, warum die Höhlen von Tucan bei den Olmeken als verflucht galten.
Dies war ein magischer Ort, ein Platz, an dem finstere, uralte Mächte wirkten, und die bloße Ahnung ihrer Anwesenheit machte mir das Atmen schwer. Wenn Setchatuatuan auch

nur einen schwachen Hauch dessen fühlte, was ich empfand, dann verstand ich, warum er beunruhigt war. Ich spürte die magische Energie, die im Inneren dieses Hügels pulsierte, fast körperlich. Es war, als wären die Schatten hier ein wenig düsterer, das Licht ein wenig blasser, und alle Laute ein wenig dumpfer; selbst die Bewegungen der Männer – und auch meine eigenen – wirkten hier ein winziges bißchen langsamer, weniger flüssig und selbstverständlich. Oh ja, ich begriff, warum nicht einmal Leif Ericksons Macht ausreichte, uns hierher zu verfolgen. Rotbart hatte recht – wir würden an diesem Ort vor ihm sicher sein. Aber ich war ganz und gar nicht mehr davon überzeugt, ob diese Sicherheit nicht vielleicht zu teuer erkauft war.

Die Höhlen von Tucan waren gewaltig, ein ungeheuerliches Labyrinth miteinander verbundener Gänge und Stollen, Tunnels und Katakomben, jäh aufklaffender Abgründe und bodenloser Schluchten. Eingedenk der äbergläubischen Furcht der Eingeborenen vor diesem Ort hatte ich damit gerechnet, daß wir nur ein kurzes Stück in das unterirdische Labyrinth vordringen würden, aber Setchatuatuan führte uns tief ins Innere der Erde; sicher zehn Minuten lang marschierten wir im Schein einer einzelnen, blakenden Fackel durch die Finsternis.
Schließlich erreichten wir eine große, aber sehr niedrige Höhle. Der Boden war übersät mit alten Feuerstellen und Lagern aus Stroh und getrockneten Blättern, und ein leiser Geruch nach Abfall hing in der Luft. Hier sammelten sich Setchatuatuan und seine Männer wohl regelmäßig wenn sie die Höhlen aufsuchten. Ein düsteres, schäbiges Versteck, dachte ich, selbst für Männer wie diese, die es gewohnt waren, zu flüchten und sich zu verbergen. Und kein Ort, an dem Menschen sein sollten, jedenfalls nicht über längere Zeit. Die Präsenz uralter finsterer Mächte war hier so deutlich, daß sie fast greifbar schien.
Lasse Rotbart wies mir ein Lager im hinteren Ende der Höhle an, und ich begab mich wortlos dorthin, nur begleitet von dem schwarzen Jaguar, dem diese Umgebung offenbar ebensowenig behagte wie mir: Sein Schwanz peitschte nervös, und der riesige runde Kopf bewegte sich unablässig hin

und her; der Blick seiner bernsteingelben Augen schien sich in die wattige Schwärze zu bohren. Ich fragte mich beunruhigt, was das Tier mit seinen viel schärferen Instinkten wohl in dieser Umgebung verspüren mochte, wenn ich mich schon so unwohl fühlte.

Setchatuatuans Indios entzündeten mehr Fackeln, und die Schwärze wich einer düsteren, von unheimlichen Schatten durchwobenen Dämmerung, die die Männer sonderbar körperlos wirken ließ und die auf mich beinahe noch beunruhigender wirkte als die künstliche Nacht zuvor. Es war sehr kalt hier unten. Von den Wänden tropfte Feuchtigkeit, und ein beständiger unangenehmer Luftzug aus der Tiefe der Höhle ließ mich zusätzlich frösteln. Nach einer Weile kam Lasse wieder zu mir. Aber er sagte kein Wort, sondern setzte sich mit untergeschlagenen Beinen neben mich, lehnte den Kopf gegen die eisige Felswand und schloß die Augen. Ich nahm schon an, er wäre eingeschlafen, was nach den letzten drei Tagen nun wirklich kein Wunder gewesen wäre, als er – sehr leise und mit geschlossenen Augen – fragte:

»Wer bist du wirklich, Robert aus Britannien?«

Verdutzt blickte ich Lasse Rotbart an. »Wie... meinst du das?«

Lasse lächelte, noch immer ohne die Augen zu öffnen, doch es war bloß ein Verziehen der Lippen ohne wirkliche Bedeutung. »Du kannst mich nicht täuschen«, sagte er. »Du siehst aus wie ein Welpe, der noch naß hinter den Ohren ist, und du benimmst dich wie ein Narr – aber du bist keines von beiden.« Er schlug endlich doch die Augen auf und sah mich an, aber es war ein sonderbarer, durchdringender, kalter Blick, in dem etwas Forschendes, Lauerndes und nicht unbedingt Freundliches zu liegen schien.

»Du behauptest, Hellmark gekannt zu haben«, fuhr er fort. »Dabei mußt du noch ein Kind gewesen sein, als wir unsere Heimat verließen. Und du warst nicht dabei, bei der ersten Expedition.«

»Aber ich habe dir doch schon erklärt –«

»Weißt du, was ich glaube?« fuhr Lasse ungerührt fort. Ich schüttelte den Kopf, und Lasse warf einen sehr langen, nachdenklichen Blick auf den Jaguar neben mir, ehe er fortfuhr: »Ich glaube, daß du nicht so jung und unerfahren bist, wie du uns gerne glauben machen willst. Ich glaube, daß du ein Zauberer bist, Robert aus Britannien.«

Damit kam er der Wahrheit näher, als er wahrscheinlich selbst ahnte. Aber ich verzog keine Miene – was zum Teufel sollte ich ihm auch sagen? Daß ich zwar wirklich ein Magier war, aber im Moment hilfloser als er? Oder daß ich im Grunde selbst keine Ahnung hatte, was ich hier überhaupt sollte, in dieser fremden Zeit voller fremder Menschen und unverständlicher Geschehnisse?

»Ich weiß nur noch nicht«, fuhr Lasse Rotbart fort, »ob du nun auf unserer Seite stehst oder auf der Leif Ericksons. Vielleicht hat wirklich Odin dich geschickt, um den Verrat zu sühnen. Aber vielleicht auch Erickson, um uns in eine Falle zu locken.«

»Hier?« Ich machte eine weit ausholende Geste.

»Warum nicht?« erwiderte Lasse. »Setchatuatuans Olmeken fürchten diesen Ort, und sie sind trotzdem hier. Warum sollte Erickson das bei seinen Leuten nicht auch erreichen?«

Bevor ich etwas erwidern konnte, wurden Schritte hinter uns laut. Ich sah auf und blickte in Setchatuatuans Gesicht. Der junge Olmeken-Häuptling wirkte so müde und abgespannt wie wir alle, aber in seinen Augen brannte noch immer jenes fanatische Feuer, das mich schon im allerersten Moment so erschreckt hatte.

Er setzte sich zu uns, allerdings in gehörigem Abstand, und ich war ganz und gar nicht sicher, daß dies nur an der Anwesenheit des Jaguars lag, der seine Bewegungen aus mißtrauisch funkelnden Augen verfolgte.

»Ich habe Kundschafter ausgeschickt«, sagte er. »Und Boten, zu den Stämmen im Norden.«

»Boten?«

Setchatuatuan deutete auf mich, sagte aber kein Wort, als wäre diese Bewegung allein Erklärung genug. Und für Lasse Rotbart schien sie dies auch zu sein, denn ich sah, wie sich seine Stirn umwölkte. »Bist du nicht ein wenig voreilig, mein Freund?« fragte er.

In Setchatuatuans Augen blitzte es auf. »Worauf warten?« fragte er. »Daß Erickson kommt und uns vernichtet? Oder gleich Quetzalcoatl selbst?« Er ballte in einer Mischung aus Zorn und Hilflosigkeit die Faust.

»Die Zeit ist reif«, sagte er. »Viel zu lange haben wir auf den Tag der Rache gewartet. Bald wird Erickson seine verdiente Strafe bekommen. Aztlan wird fallen.«

Lasse seufzte. Aber er schien einzusehen, daß es nicht der richtige Moment war, um mit Setchatuatuan zu streiten. Und nach einer Weile stand der Olmeke auch wieder auf und entfernte sich.

Ich blickte ihm beunruhigt nach, bis seine Gestalt im Halbdunkel der Höhle mit denen der anderen verschmolzen war.

»Was ich da gerade gehört habe«, fragte ich, »war das zufällig der Anfang einer Revolution?«

Lasse lachte leise. »Du machst Scherze, Robert aus Britannien«, sagte er.

»Ganz und gar nicht«, antwortet ich, fast zornig. »Lasse, ich bin nicht hier, um – «

»Wen kümmert das?« unterbrach mich Lasse. »Letztlich ist es ganz gleich, ob dich Odin geschickt hat, ob du ein Zauberer bist oder auch nur ein Narr, der sich aufspielt. Was zählt, ist, was sie in dir sehen. Sie haben auf einen Mann wie dich gewartet, seit Erickson kam, Robert. Auf ein Zeichen der Götter.« Er deutete auf den Jaguar. »Es ist da.«

»Und wenn ich nicht will?«

Lasse lachte abermals. »Ich fürchte, Setchatuatuan wird dich nicht fragen, was du willst«, sagte er. Er machte eine rasche, undeutbare Handbewegung. »Was zählt unser Wille im Spiel der Götter?«

Ich antwortete nicht darauf – was hätte ich auch sagen sollen? Wieder sah ich eine Weile zu Setchatuatuan und den anderen Olmeken hinüber, und wieder war es nach einer Weile, als verwandelten sie sich, würden von lebenden Menschen zu bloßen körperlosen Schatten, rasch verblassenden Abbildern ihrer selbst. Etwas an diesem Ort schien ... Leben aufzusaugen, anders konnte ich das Gefühl nicht beschreiben, das mich überkam.

»Diese Höhlen, Lasse«, fragte ich nach einer Weile. »Was sind sie?«

Rotbart zuckte mit den Achseln. »Das weiß niemand«, murmelte er. »Es gibt viele Legenden, aber was zählen solche Ammenmärchen? Für manche sind sie ein verfluchter Ort. Die Pforten zur Unterwelt für andere. Für wieder andere nur

Löcher im Boden. Und für einige wenige ein Versteck.«
»Und für dich?«
»Löcher im Boden.«
»Das stimmt doch gar nicht«, behauptete ich. Lasse runzelte die Stirn, und ich fuhr – in halb scherzhaftem, halb ernstgemeintem Ton – fort: »Versuche niemals, einen Zauberer zu belügen, Lasse Rotbart. Es ist unmöglich. Du fürchtest diesen Ort so sehr wie Setchatuatuan und seine Krieger. Nur auf andere Weise.«
»Und du?« gab Lasse anstelle einer direkten Antwort zurück.
Diesmal war ich es, der zögerte zu antworten. »Ich weiß es nicht«, sagte ich nach sekundenlangem Schweigen und einem weiteren Blick in die Runde. »Etwas hier macht mir Angst. Erzähl mir von diesen ... Legenden.«
Lasse machte eine wegwerfende Handbewegung. »Unsinn«, sagte er. »Diese Indios sind ein schwatzhaftes Volk. Sie sind wie die Kinder. Leicht zu täuschen.«
»Erzähl sie mir trotzdem«, bat ich.
Lasse blickte mich an, als betrachte er ein Kind, das zum fünfzigstenmal hintereinander die Geschichte vom Osterhasen hören will. Aber dann begann er trotzdem zu reden: »Diese Höhlen sind gewaltig. Niemand weiß, wie groß sie wirklich sind, aber manche behaupten, daß sie sich bis zu den Bergen erstrecken. Und es gibt von hier aus eine unterirdische Verbindung bis nach Aztlan, soviel ist gewiß. Alles andere ...«
Er verstummte, setzte sich ein bißchen gerader hin und starrte versonnen in die nachtschwarze Finsternis, die den hinteren Teil der Höhle verschlungen hatte. »Die Indios erzählen, daß es der Eingang zu einer anderen Welt ist«, erzählte er schließlich weiter. »Zu der Welt der Alten.«
Ich fuhr wie elektrisiert auf. »Was hast du gesagt?«
»Die Welt jener, die hier waren, bevor es Menschen gab«, antwortete er lächelnd. »Was natürlich nur eine Legende ist. Jedermann weiß, daß die Götter die Welt erschufen und den Menschen nach ihrem Abbild. Es gab nichts vor uns.«
Ich hätte ihn in dieser Beziehung gründlich aufklären können, aber natürlich tat ich es nicht – zum einen, weil Lasse Rotbart mir sowieso keinen Glauben geschenkt hätte, zum anderen, weil ich viel zu aufgeregt und begierig war, mehr von diesen Legenden zu hören.

»Ein Volk, das vor den Menschen hier war?« fragte ich.
Lasse nickte. »Ein mächtiges Volk. Ein Volk von Dämonen und Ungeheuern, so schrecklich, daß ihr bloßer Anblick tötet«, sagte er. »Es heißt, sie hätten sich unter die Erde zurückgezogen, nachdem ihre Zeit abgelaufen sei. Und manche behaupten, daß es sie noch immer gibt.« Er seufzte, versuchte zu lächeln und zog schließlich eine Grimasse, deren wahre Bedeutung ich nicht erraten konnte.
»Manche von Setchatuatuans Kriegern glauben fest, daß in Wahrheit sie über Aztlan herrschen, und nicht Leif Erickson.«
Sie? Großer Gott, meinte er etwa die... die Großen Alten? Jenes entsetzliche Dämonenvolk, das die Erde zweihundert Millionen Jahre vor unserer Zeit beherrscht hatte? Das war doch unmöglich.
Aber vielleicht auch nicht, dachte ich. Vielleicht war es nicht ganz so unmöglich, wie ich es gerne gehabt hätte. Sicher, die Großen Alten waren vernichtet und eingekerkert in Gefängnissen jenseits der Zeit. Aber sie lebten, und sie versuchten nach wie vor, ihre alte Macht und Größe wiederzuerlangen. Ich selbst hatte zwei Angriffe dieser unbeschreiblichen Ungeheuer zurückgeschlagen, und ich war nicht so borniert, mir im Ernst einzubilden, daß ich damit die Gefahr auf ewig gebannt hätte. Vielleicht war das der wahre Grund, aus dem ich hierhergeschickt worden war...
Ich schauderte. Allein der Gedanke an die Großen Alten und ihre häßlichen Dienerwesen, die Schoggothen, ließ mir fast das Blut in den Adern gerinnen.
Und doch... hätte ich die schreckliche Wahrheit nicht längst wissen müssen? Es war nicht das erstemal, daß ich jenen Odem des Fremden, Bösen, unbeschreiblich Feindseligen, der wie ein Pesthauch in diesen feuchten Höhlen hing, spürte, aber erst jetzt erkannte ich ihn wieder.
Was mich frösteln ließ, das war keine abergläubische Furcht. Es war Magie. Die finsterste, schrecklichste Magie, die der Kosmos je gesehen hatte. Erneut sah ich mich um, und noch während sich mein Blick in die Schwärze jenseits des Feuerscheines bohrte, wurde aus meiner Vermutung Gewißheit:
Was ich spürte, war die Anwesenheit der Großen Alten.

An diesem Tag sprachen wir nicht mehr viel, Lasse und ich, denn er schloß kurz darauf endgültig die Augen und schlief ein; und auch ich brachte irgendwie das Kunststück fertig, einzuschlafen; nach drei Tagen und Nächten, die wir fast ununterbrochen marschiert waren, forderte mein Körper einfach sein Recht. Aber es war ein unruhiger, von Alpträumen und sinnlosen Visionen geplagter Schlaf, in dem ich mich ununterbrochen auf der Flucht vor irgendwelchen körperlosen Monstern befand und aus dem ich schweißgebadet und fast erschöpfter als vorher aufwachte, noch immer von dieser seltsam substanzlosen Furcht beseelt und begierig darauf, von Lasse Rotbart noch mehr über Aztlan und die Legenden der Olmeken zu erfahren.
Nur war Lasse Rotbart nicht mehr da.
Es zeigte sich, daß Setchatuatuan ihn und seine Männer zu einem der Stämme im Westen geschickt hatte; ich fragte ihn nicht, wozu, aber es brauchte wahrlich nicht viel Phantasie, um den Grund dieses überstürzten Aufbruches herauszufinden.
Während der nächsten drei Tage blieb ich der Gefangene der Olmeken-Indianer. Sie behandelten mich höflich, fast schon ehrfurchtsvoll, wenn auch in ihrer Ehrfurcht ein nicht geringer Teil an Furcht steckte. Ich bekam zu essen und zu trinken und durfte mich in der Höhle frei bewegen, aber die Indios hielten respektvollen Abstand zu mir, und sie vereitelten jeden meiner Versuche, den Felsendom zu verlassen, sanft, fast demütig, aber sehr energisch. Ich versuchte es allerdings auch nur halbherzig. Selbst wenn ich den Weg hinauf ans Tageslicht gefunden hätte – was nicht sehr wahrscheinlich war –, hätte ich ja doch nicht gewußt, wohin ich gehen sollte.
Was mir am meisten zu schaffen machte in diesen drei Tagen, das war die Langeweile. Nicht, daß ich nicht genug Material für allerlei Grübeleien gehabt hätte – aber in meinem Kopf spukten nur Fragen herum, keine Antworten, und ich war auch nicht sicher, ob ich diese Antworten überhaupt wissen wollte.
Plötzlich schien alles einen Sinn zu ergeben. Mein Alptraum, der immer wieder gekommen war und jetzt, im nachhinein, mehr denn je den Charakter einer Warnung gehabt zu haben schien, die makabren Ereignisse in Santa Maria De La Arenia

und der Umstand, daß alles erst richtig begonnen hatte, nachdem ich auf der Bühne der Geschehnisse aufgetaucht war, meine gespenstische Reise durch die Zeit – nichts von alledem war Zufall. Ich war nicht in die Geschehnisse in Havillands Privatmuseum hineingestolpert, ich war gerufen worden, von irgend jemandem oder irgend etwas, denn es ging hier nicht um eine normale Geistererscheinung – soweit man in diesem Zusammenhang überhaupt von *normal* sprechen konnte – sondern um die Großen Alten – und um das Vermächtnis meines Vaters, jenen unheimlichen Teil meiner Seele, den ich von ihm geerbt hatte, so wie er von seinem Vater und dieser wahrscheinlich von seinem. Vielleicht war es schon immer so gewesen, seit es Menschen gab. Vielleicht waren wir – zusammen mit anderen, die irgendwo unerkannt auf der Erde leben mochten – so etwas wie Wächter, und die Macht, die sich von Generation zu Generation in unserer Familie vererbte, uns nur gegeben, um darüber zu wachen, daß die Großen Alten nie wieser aus ihren Gefängnissen jenseits der Zeit ausbrechen konnten.

Aber wie gesagt – dies alles waren bloß Vermutungen, eingebettet in ein Netz aus Tausenden von Fragen, und es gab im Moment niemanden, der mir darauf antworten konnte oder wollte. Der einzige, der überhaupt mit mir sprach, war Setchatuatuan, und seine Konversation beschränkte sich auf das unbedingt Notwendige – ich glaube, wir wechselten kaum ein Dutzend Sätze miteinander. Die Olmeken schienen unweigerlich mit Taubheit geschlagen zu sein, kaum daß sie auch nur in meine Nähe kamen, und auch die Fertigkeit des Sprechens zu vergessen – wenn ich eine Frage stellte, bekam ich meistens nur ein Achselzucken oder allenfalls ein blödes Lächeln zur Antwort; wenn überhaupt. Und nach einer Weile gab ich es auf. So war der einzige Gesprächspartner, der mir blieb, der Jaguar. Er wich kaum von meiner Seite, trollte sich nur von Zeit zu Zeit in den finsteren hinteren Teil der Höhle, um etwas zu erledigen, wobei sowohl Mensch als auch Tier am liebsten allein waren, und ich begann schon am ersten Tag mit ihm zu reden – zuerst leise, sinnlose Worte, nur um sein Vertrauen zu erringen und vor allem meine eigene Furcht vor diesem riesigen Raubtier zu überwinden, aber schon am zweiten Tag unterhielt ich mich mit ihm wie mit einem guten Freund – verrückt, ich weiß, aber wenn Sie einmal drei Tage und Nächte in einer stockfinsteren Höhle eingesperrt sind und als einzige Gesellschaft ein Dutzend taubstummer Indianer haben, dann reden Sie auch mit einem Stein, wenn es sein muß.

Und der Jaguar war kein Stein. Ich hatte mehr und mehr den Eindruck, daß er mir zuhörte, nicht einfach nur auf den Klang meiner Stimme lauschte, sondern die Worte verstand. Nein – dieser Jaguar war ganz und gar kein dummes Tier, das wurde mir nun endgültig klar.

Setchatuatuan verlor kein Wort über mein seltsames Verhalten, aber die Blicke, mit denen mich die Indios maßen, immer wenn sie glaubten, ich bemerke es nicht, und das aufgeregte Getuschel, das stets darauf folgte, entgingen mir keineswegs. Ich begriff, daß ich mich alles andere als klug verhielt: Sie hörten mich in freundschaftlichem Ton mit ihrem heiligen Tier reden, sahen mich es behandeln wie eine etwas zu groß geratene Hauskatze und ein- oder zweimal sogar im Spaß mit ihm herumbalgen – kein Wunder, daß sie mich für einen Götterboten hielten!

Aber ich tat nichts mehr, um etwas an diesem Aberglauben zu ändern. Wozu auch? Auf gewisse Weise war ich ja tatsächlich ein Gesandter der Götter, wenn auch auf völlig andere Art, als Setchatuatuan und seine Olmeken ahnen mochten.

Am Morgen des vierten Tages rüttelte mich Setchatuatuan wach, statt wie gewohnt abzuwarten, bis ich von selbst aufwachte. Und er kam auch nicht mit einer Schale Wasser und einer Mahlzeit, sondern wartete ungeduldig, bis ich den Schlaf weggeblinzelt und mich ungeschickt aufgesetzt hatte, ehe er eine rasche, fast befehlende Geste machte, mit der er mir bedeutete, ihm zu folgen.

Wir verließen die Höhle. Wie auf dem Weg hier herunter verlor ich schon nach wenigen Schritten hofffnungslos die Orientierung, aber ich bemerkte immerhin, daß wir einen anderen Weg nahmen als beim erstenmal. Er dauerte länger, und ein- oder zweimal mußten wir gefährliche Kletterpartien über steile Schutthalden oder jäh aufklaffende Abgründe hinter uns bringen.

Als wir endlich ins Freie traten, war ich im ersten Moment fast blind. Es war früher Morgen, die Sonne war noch nicht

einmal richtig aufgegangen, und über dem Boden und zwischen den Stämmen des nahen Waldes hing noch grauer Nebel, aber meine Augen hatten sich in den drei Tagen an das dämmrige Licht der Höhle gewöhnt und begannen sofort zu tränen. Trotzdem erkannte ich die Gestalt sofort, die zwischen den Bäumen hervortrat und auf uns zukam.
Lasse Rotbart sah nicht gut aus. Sein Gesicht war blaß, und unter seinen Augen lagen tiefe, dunkle Ringe, die von zu vielen schlaflosen Nächten kündeten. Seine Hände zitterten, und er war so abgerissen und verdreckt, daß er mir nicht extra zu sagen brauchte, daß er einen Gewaltmarsch hinter sich hatte.
Aber die Freude in seinem Blick war echt, als er mich begrüßte: »Robert aus Britannien!« rief er aus. »Wie schön, dich wiederzusehen. Wie ist es dir ergangen?«
»Oh, gut«, antwortete ich mit einem säuerlichen Blick auf Setchatuatuan, der neben mir stehengeblieben war. »Ein hübsches Hotel habt ihr hier. Ich wäre gerne noch ein bißchen geblieben. Auch wenn der Zimmerservice zu wünschen übrig läßt.« Lasse Rotbart verstand wahrscheinlich nicht die Hälfte von dem, was ich sagte, aber er begriff immerhin den Sinn meiner Worte, denn er lachte leise und schlug mir freundschaftlich auf die Schulter, daß ich fast in die Knie brach.
»Wo warst du?« fragte ich gerade heraus.
Lasse machte eine vage Geste auf den Wald hinter sich. »Bei einem der Stämme im Westen«, sagte er. »Den Namen könntest du sowieso nicht aussprechen, Robert aus Britannien. Aber unsere Mission hatte Erfolg.«
Ich blickte erst ihn, dann Setchatuatuan finster an. »Was zum Teufel hat er vor?«
Lasse zuckte auf eine Art mit den Schultern, die mir deutlich machte, für wie überflüssig er meine Frage hielt. »Was wir seit Jahren tun wollen und bisher nicht wagten«, antwortete er. »Einen Angriff auf Aztlan.«
Da war es wieder, dieses Wort: die Stadt, von der in meiner Zeit nur noch der Name überliefert war, und auch er mehr als Legende denn als Wahrheit. Manche bezweifelten, daß es sie je gegeben hatte, andere behaupteten, sie wäre die Urheimat der Azteken, von der sich auch der Name dieses Volkes ableitete.

Nun, vielleicht war ich gerade zurechtgekommen, ihren Untergang mitzuerleben. Vielleicht war ich gekommen, um ihn auszulösen. Ich schauderte. Der Gedanke, in die Zeit einzugreifen und vielleicht den Lauf der Geschichte zu verändern, ließ mich innerlich zu Eis erstarren.
Lasse Rotbart schien meine Gedanken ziemlich genau zu erraten, denn er legte mir abermals und sehr viel sanfter als beim erstenmal die Hand auf die Schulter und sah mir ernst ins Gesicht.
»Versuch nicht, dich zu wehren«, sagte er. »Was die Götter beschließen, das wird geschehen. Setchatuatuan plant diesen Angriff, seit Erickson kam.«
»Und er glaubt, ich könnte ihm dabei helfen? Lächerlich.«
Lasse lachte leise. Aber statt zu antworten, blickte er nur auf den Jaguar herab, der mir wie ein Hund gefolgt war und jetzt mißtrauisch zu ihm hinauffunkelte. Lasse zog ganz instinktiv die Hand von meiner Schulter zurück.
»Es reicht vielleicht schon, wenn du da bist«, sagte er nach einer Weile.
»Aber ich bin nicht der große Befreier!« protestierte ich. »Und wenn Aztlan das ist, was ich vermute, Lasse, dann werdet ihr alle sterben, wenn ihr wirklich versucht, es anzugreifen.«
Lasse schwieg einen Moment. Sein Blick wurde ernst, fast mißtrauisch. »Du weißt mehr, als du verrätst«, sagte er schließlich.
Ich machte eine unwillige Geste. »Ich weiß überhaupt nichts«, sagte ich. »Aber ich vermute gewisse Dinge. Und wenn ich recht habe, dann haben wir es nicht nur mit einem eroberungssüchtigen Wikinger zu tun, Lasse.«
»Die Alten, nicht wahr?« vermutete Lasse.
Diesmal war ich es, der ihn verblüfft ansah. »Woher – «
»Ich hatte viel Zeit nachzudenken, Robert aus Britannien«, sagte Lasse ruhig. »Du warst sehr erschrocken, als ich von den Alten erzählte. Und in diesen Höhlen ... ist etwas. Vielleicht die Macht, die hinter Erickson steht.«
Seine Vermutung stimmte mit meinen Befürchtungen ziemlich genau überein, aber ich schwieg. »Aztlan«, murmelte ich nach einer Weile. »Wie sieht es aus, Lasse? Warst du dort? Hast du es gesehen?«
Lasses Blick verdüsterte sich. »Einmal«, antwortete er. »Und

auch nur von weitem. Aber es ist ... gigantisch. Und unheimlich.«
»Unheimlich?«
Lasse nickte. »Ich ... weiß nicht, wie ich es beschreiben soll«, gestand er. »Alles ist finster und fremdartig und ...«
»So, als wäre es nicht von Menschen gebaut«, half ich ihm aus, als er nicht weitersprach, sondern krampfhaft nach Worten suchte.
Lasse nickte, und auch ich senkte betreten den Blick. Meine Vermutung schien sich zu bestätigen. Aztlan war eine Stadt der Großen Alten. Aber wie um Himmels willen hatte sie fast zweihundert Millionen Jahre lang überstehen können?
Ich verscheuchte diesen und alle anderen unerfreulichen Gedanken und wandte mich mit einem fragenden Blick an Setchatuatuan: »Was geschieht jetzt? Warum haben wir die Höhlen verlassen?«
»Wir treffen uns mit den Häuptlingen von acht Stämmen«, erklärte Setchatuatuan. »Um die Mittagsstunde, nicht sehr weit von hier. Du wirst uns begleiten. Du und –« Er zögerte einen Moment, dann deutete er auf den Jaguar, »– er.«
Ich blickte auf das Tier hinab, dann wieder zu Setchatuatuan hoch und versuchte noch einmal, an seine Vernunft zu appellieren.
»Ich bin nicht der, für den ihr mich haltet, Setchatuatuan«, sagte ich. »Bitte glaube mir. Ich bin kein Gott.«
Setchatuatuan starrte mich für die Dauer eines Herzschlages mit ausdrucksloser Miene an, dann drehte er sich abrupt um und ging. Lasse Rotbart lachte leise.
»Was ist daran so komisch?« fragte ich ärgerlich.
»Du unterschätzt Setchatuatuan«, antwortete Lasse. »Glaubst du, er weiß das nicht? Aber es ist ihm egal. Es reicht, wenn die anderen glauben, daß die Götter dich geschickt haben. Und das werden sie.«
»Und wenn ich ihnen die Wahrheit sage?«
Lasses Lächeln erlosch übergangslos. »Das wäre sehr dumm, Robert aus Britannien«, antwortet er. »Und gefährlich, nicht nur für dich. Wahrscheinlich würden sie dir nicht glauben. Und wenn doch ...« Er machte eine komplizierte Handbewegung an seinem Hals. »Setchatuatuan würde dich eher töten, ehe er zuließe, daß du diesen Angriff verhinderst, glaube mir.

Er wartet zu lange auf eine Gelegenheit, die Stämme zu einen und gegen Erickson zu führen. Und nun komm. Der Weg ist nicht sehr weit, aber schwierig.«

Er hatte nicht übertrieben. Wir legten bis zur Mittagsstunde vielleicht fünf Meilen zurück, aber wir marschierten ununterbrochen und dort, wo es ging, in scharfem Tempo. Setchatuatuan und seine Olmeken führten uns quer durch den Dschungel, der stellenweise so dicht war, daß selbst die scharfen Schwerter der Wikinger in dem verwachsenen Unterholz steckenblieben und wir immer wieder zu großen Umwegen gezwungen waren.

Unser Ziel – der Ort, an dem sich Setchatuatuan mit den Führern der andern Stämme treffen wollte – war ein kahler Felsenhügel, der gut zur Hälfte über das Blätterdach des Dschungels hinausragte und schon von weitem zu sehen war. Lasse erklärte mir, daß es sich um einen heiligen Ort der Indios handelte, den sie fast so sehr fürchteten wie die Höhlen von Tucan, und je näher wir ihm kamen, desto mehr glaubte ich ihm. Das Gefühl, das der Anblick des Hügels in mir auslöste, ähnelte jenem, unter dem ich in den Höhlen gelitten hatte, doch gleichzeitig war es anders, irgendwie gegenwärtiger, als wäre die Macht, von der ich dort unten nur einen schwachen Hauch gespürt hatte, hier noch lebendig.

Und ich war offensichtlich nicht der einzige, der es fühlte, denn auch Lasse und seine Wikinger wurden zunehmend nervöser, je näher wir dem Felsenhügel kamen. Schließlich blieb auch Setchatuatuan stehen und wechselte ein paar Worte mit dem Wikinger. Lasse blickte während der kurzen Unterredung ein paarmal zu mir herüber und nickte, und sein Gesichtsausdruck wurde dabei immer besorgter. Schließlich machte er eine zustimmende Geste, wandte sich um und kam auf mich zu.

»Nun?« sagte ich spitz. »Was hat der große Häuptling entschieden?« Ich ärgerte mich darüber, daß die beiden über mich sprachen, als wäre ich gar nicht da, aber Lasse wischte meinen Einwand mit einer Handbewegung zur Seite.

»Er möchte, daß du zurückbleibst«, sagte er. »Mit Recht, wie ich meine.«

»Hat er Angst, daß ich ihm ins Handwerk pfusche?« fragte

ich.
»Auch das«, gestand er freimütig. »Aber er und seine Krieger wollen sich davon überzeugen, daß es keine Falle ist. Also bleib zurück.«
Die letzten Worte hatte er eindeutig als Befehl gemeint, und ich gehorchte. Insgeheim war ich sogar ganz froh. Mich schauderte beim Anblick des kahlen Felsenhügels, der wie ein graues, hartes Geschwür aus dem wuchernden Grün des Dschungels emporwuchs, und ich war fast erleichtert, noch einige Augenblicke gewonnen zu haben, ehe ich mich ihm nähern mußte.
Auf einen Wink Setchatuatuans hin nahmen vier seiner Krieger mich und den Jaguar in die Mitte, und wir setzten uns am Ende der kleinen Kolonne wieder in Bewegung.
Je näher wir der Lichtung, auf der der Hügel stand, kamen, desto stärker wurde das ungute Gefühl in mir. Etwas... stimmte hier nicht.
Lasse gab mir mit lautlosen Gesten zu verstehen, daß ich weiter zurückbleiben sollte, hob seinen Schild ein wenig höher und trat neben Setchatuatuan auf die Lichtung hinaus; gleichzeitig zog er sein Schwert.
Ich spürte, wie der Jaguar neben mir unruhig wurde. Mit seinen feinen tierischen Instinkten witterte er die Gefahr so deutlich wie ich mit meinen überempfindlichen Magiersinnen. Wir waren nicht allein. Irgend etwas belauerte uns, etwas Böses und Fremdes, das nur auf eine Gelegenheit zum Zuschlagen wartete. Und als ich in die Gesichter der vier Indios blickte, die bei mir zurückgeblieben waren, sah ich, daß sie es auch spürten.
Mit einer entschlossenen Bewegung richtete ich mich auf und trat halbwegs aus dem Unterholz heraus. »Lasse!« schrie ich. »Setchatuatuan! Kommt zurück! Das ist eine Falle!«
Meine Warnung kam zu spät.
Auf der Kuppel des Hügels gerieten die Schatten in Bewegung. Felsen kollerten zu Tal. Plötzlich standen auf dem gerade noch leeren Hügel Krieger, Dutzende, wenn nicht Hunderte von bunt bemalten, federgeschmückten Indianern. Und auch aus dem Dschungel traten Indios, sprangen hinter Büschen hervor und ließen sich aus Baumwipfeln und Astgabeln fallen. Das Schweigen des Dschungels wich gellendem

Kampfgeschrei und dem Getrappel zahlloser nackter Füße.
Ein wütendes Fauchen ließ mich herumfahren. Etwas zischte, und einer der Krieger, die Setchatuatuan zu meinem Schutz zurückgelassen hatte, griff sich plötzlich an den Hals und brach zusammen. Der Jaguar verwandelte sich in einen schwarzen Blitz und verschwand mit einem gewaltigen Satz im Unterholz.
Dafür erschien, wie aus dem Boden gewachsen, plötzlich ein riesenhafter, schreiend bunt bemalter Olmeken-Krieger vor mir. In seiner Hand blitzte eine Axt aus geschliffenem Feuerstein.
Ich ließ mich im letzten Moment zur Seite kippen. Das Beil verfehlte mein Gesicht um Millimeter und bohrte sich in den Stamm eines Baumes. Der Krieger schrie wütend auf und zerrte am Stiel seiner Waffe, aber die Klinge war so tief in das Holz gefahren, daß seine Kräfte nicht ausreichten, sie auf Anhieb zu befreien.
Ich zögerte keine Sekunde. Mit einer kraftvollen Bewegung sprang ich wieder auf die Füße, hechtete auf den Olmeken zu und boxte ihn in den Leib. Der Olmeke taumelte zurück, rang nach Atem und brach in die Knie. Sein Gesicht begann sich langsam unter der dicken Farbschicht dunkelrot zu färben.
Ich beachtete ihn nicht länger. Ich wußte, daß der Mann den Hieb zwar überleben, aber für die nächsten drei oder vier Minuten voll und ganz damit beschäftigt sein würde, das Atmen neu zu erlernen – und ich gedachte nicht so lange zu warten, bis er wieder in der Lage war, sein unfreundliches Verhalten mir gegenüber fortzusetzen.
Gehetzt blickte ich mich um. Zwei der vier Krieger, die bei mir geblieben waren, lagen reglos am Boden, die anderen beiden waren in einen verzweifelten Kampf gegen eine erdrückende Übermacht von Angreifern verstrickt. Einen Kampf, den sie nicht gewinnen konnten.
Ich ging geduckt zum Angriff über. Einer der Indios fiel unter einem gezielten Fußtritt, ein zweiter riß im letzten Moment die Arme hoch und fiel gleich darauf unter einem Keulenhieb, den ihm einer von Setchatuatuans Kriegern versetzte. Auf der Lichtung hinter uns waren die Schreckens- in Schmerz- und Kampfschreie übergegangen. Offensichtlich

hatte auch dort der Kampf begonnen. Aber mir blieb keine Zeit, auch nur einen Blick zurückzuwerfen.
Das Unterholz teilte sich und weitere Angreifer tauchten auf. Ich brachte mich mit einem verzweifelten Satz in Sicherheit, als gleich sieben oder acht Olmeken-Krieger auf die beiden Männer an meiner Seite eindrangen. Einer der Angreifer änderte im letzten Moment seine Richtung und versuchte nach mir zu greifen. Ich duckte mich unter seiner zupackenden Hand hindurch, packte seinen Arm und verdrehte ihn mit einem kräftigen Ruck. Der Mann starrte mich eine halbe Sekunde lang aus weit aufgerissenen Augen an, ließ dann mit einer absurd langsamen Bewegung seine Waffe fallen und griff sich an die Schulter, ehe er mit einem schrillen Schmerzensschrei in die Knie brach.
Aber es war sinnlos. Der Kampf war vorbei. Die vier Indios, die zu meinem Schutz zurückgeblieben waren, waren bewußtlos oder gar tot, und ich sah mich plötzlich allein einem knappen Dutzend schwer bewaffneter Olmeken gegenüber.
Einer der Männer hob seine Keule. Ich duckte mich und wich einen Schritt zurück. Verzweifelt sah ich mich nach einem Fluchtweg um, aber es gab keinen. Hinter meinem Rücken tobte der Kampf zwischen Ericksons Kriegern und Setchatuatuans Männern, und der Busch rings um mich wimmelte von feindlichen Indios. Ich überlegte fieberhaft, ob der Brauch des Skalpierens auch unter den mittelamerikanischen Indianern verbreitet gewesen war. Kam aber zu keinem Ergebnis. Aber so, wie es aussah, würde ich es herausfinden. Ziemlich bald sogar.
Langsam begann sich der Halbkreis der Olmeken zusammenzuziehen. Auf dem Gesicht des Kriegers an ihrer Spitze erschien ein häßliches Lächeln. Er sagte etwas, das ich nicht verstand und von den anderen mit wieherndem Gelächter quittiert wurde, ließ seine Keule plötzlich fallen und breitete die Arme aus. Ich musterte ihn abschätzend. Der Mann war sehr groß und unglaublich muskulös, aber er bewegte sich langsam und alles andere als elegant – er war es gewohnt, sich allein auf seine zweifellos gewaltige Körperkraft zu verlassen. Unter normalen Umständen hätte ich mich nicht vor einem Gegner wie ihm gefürchtet. Aber die Umstände waren nicht normal, und selbst wenn ich diesen Krieger besiegte,

waren noch zehn andere da...
Nein, es war einfach nicht fair!
Schritt für Schritt wich ich weiter zurück, bis ich mit dem Rücken gegen einen Baum stieß. Der Indio lachte glucksend und bewegte die Hände, als wolle er nach mir greifen. Ich duckte mich und hackte mit der Handkante nach seinem Arm, aber der Krieger zuckte blitzschnell zurück; mein Hieb ging ins Leere. Ein böses, vielstimmiges Gelächter erscholl aus der Reihe der Angreifer.
Was dann kam, ging fast zu schnell, als daß ich jede Einzelheit gesehen hätte. Ein schwarzes, gewaltiges Etwas brach mit einem ungeheuren Brüllen aus dem Unterholz zu meiner Linken, sprang den Indio an und riß ihn zu Boden. Fingerlange Reißzähne und Krallen wie kleine gebogene Dolche blitzten auf. Der Indio schrie und riß die Arme hoch, dann schlossen sich die fürchterlichen Kiefer mit einem Laut, als schnappe eine gewaltige Bärenfalle zu. Der Jaguar brüllte, ließ von seinem Opfer ab und fuhr mit einer unglaublich schnellen Bewegung herum.
Seine Krallen zerfetzten den Umhang des zweiten Mannes und rissen, in der gleichen Bewegung, einen dritten zu Boden.
Die Olmeken wichen mit gellenden Schreckensschreien zurück. Der Jaguar fauchte, blieb einen Moment über seinem reglosen Opfer stehen und starrte die Indios aus kleinen, haßerfüllten Augen an. Sein Schwanz peitschte.
»Nicht!« rief ich laut, als sich das Tier auf die vor Furcht erstarrten Krieger zubewegen wollte. Die Raubkatze blieb stehen, wandte den Kopf und fauchte. Ihre Ohren lagen eng am Schädel, und von den Reißzähnen tropften Blut und Geifer.
Aber das Wunder geschah. Der schwarze Jaguar drehte sich herum, wenn auch deutlich widerwillig und sehr langsam, kam wie ein Schoßhund zu mir zurückgetrottet und blieb neben mir stehen.
Auf den Gesichtern der Olmeken erschien ein Ausdruck grenzenloser Verblüffung. Einer nach dem anderen ließ die Waffen fallen, wich entsetzt vor mir und der gewaltigen Raubkatze zurück oder starrte mich nur ungläubig an.
Langsam richtete ich mich auf und trat auf die Krieger zu. Einer der Männer schrie auf, fuhr herum und verschwand im

Unterholz, ein zweiter fiel auf die Knie und begann mit schriller, überschnappender Stimme zu beten.
»Nicht«, sagte ich. »Ihr braucht keine Angst vor mir zu haben. Ich bin nicht –« Meine Worte übten eine andere Wirkung auf die Krieger aus, als ich geglaubt hatte. Die Männer erwachten aus ihrer Erstarrung, schleuderten ihre Waffen fort und verschwanden schreiend im Unterholz. Selbst der eine, der vor mir auf die Knie niedergesunken war, sprang auf, warf dem gewaltigen Jaguar neben mir einen letzten, furchterfüllten Blick zu und floh.
Sekundenlang starrte ich ihm einfach nur fassungslos hinterher, dann wandte ich mich verstört um und blickte auf den riesigen schwarzen Jaguar herab. Das Tier stand reglos da, aber in seinem Blick war etwas, das mich verdächtig an ein spöttisches Glitzern erinnerte. Ich kam mir immer mehr wie eine Marionette vor, die sich nur einbildete, einen freien Willen zu haben.
Und als hätte er meine Gedanken erraten und wollte sie bestätigen, drehte sich der Jaguar in diesem Moment herum und begann in die Richtung zu gehen, aus der die Geräusche der Schlacht drangen.

Der Kampf war noch in vollem Gange, als ich auf die Lichtung hinaustrat, aber sein Ende war abzusehen. Setchatuatuan, Lasse Rotbart und ihre Krieger hatten sich am Fuße des Felsenhügels zu einem Halbkreis formiert und wehrten sich verzweifelt gegen die Angreifer.
Aber ihre Lage war aussichtslos. Nur ein Teil der Olmeken, die Leif Erickson gegen sie aufgeboten hatten, beteiligte sich an dem Kampf; die meisten standen entlang des Waldrandes und auf dem Hügel verteilt da und warteten auf das Ende der ungleichen Auseinandersetzung. Die Hälfte von Setchatuatuans Männern war bereits tot, und die anderen sahen sich einer erdrückenden Übermacht gegenüber.
Ich blieb einen halben Schritt hinter dem Waldrand stehen. Einer der Olmeken-Krieger, die Erickson rings um die Lichtung aufgestellt hatte, um jeden Fluchtversuch von Setchatuatuan und seinen Kriegern von vornherein zu vereiteln, fuhr mit einer erschrockenen Bewegung herum und hob seine Waffe. Aber er führte die Bewegung nicht zu Ende. Ich

sah, wie sich der Ausdruck in seinen Augen von Schrecken in Überraschung und dann in Furcht wandelte, als sein Blick auf die gewaltige schwarze Raubkatze fiel, die mich begleitete.
Eine halbe Sekunde lang stand der Mann wie gelähmt da. Dann ließ er seine Waffe fallen, stieß einen spitzen, gellenden Schrei aus und floh in panischer Angst.
Und er war nicht der einzige!
Sein Schrei hatte die Aufmerksamkeit anderer Krieger geweckt, aber so wie er erstarrten sie vor Schreck und Überraschung, als sie den dunkelhaarigen Fremden in Begleitung ihres heiligen Tieres aus dem Wald treten sahen. Ein vielstimmiger Schrei breitete sich wie eine akustische Welle über den Platz aus, erreichte die Kämpfenden und ließ auch sie aufsehen und erstarren; die Männer flohen oder schleuderten ihre Waffen fort und sanken auf die Knie.
Ich trat entschlossen ein paar Schritte vor und blieb abermals stehen.
»Hört auf!« rief ich mit erhobener Stimme. »Beendet dieses sinnlose Töten!«
Trotz des Höllenlärmes schien meine Stimme überall auf der Lichtung deutlich vernehmbar zu sein. Die Indios, die bisher noch keine Notiz von meinem Auftauchen genommen hatten, fuhren herum und starrten mich an, und wieder glaubte ich eine Welle des Schreckens durch die Reihen der Krieger laufen zu sehen.
Auch die Olmeken, die auf Setchatuatuan und seine Rebellen eindrangen, ließen abrupt von ihren Opfern ab und starrten zu mir herüber. Innerhalb weniger Augenblicke kam das Handgemenge vollkommen zum Erliegen.
Ich fing einen gleichermaßen ungläubigen wie erleichterten Blick von Setchatuatuan auf. Der junge Olmeken-Häuptling wankte vor Erschöpfung. Sein nackter Oberkörper war mit Blut verschmiert, und in seiner Schulter und seiner Brust klafften häßliche, tiefe Schnitte. Es grenzte fast an ein Wunder, daß er überhaupt noch die Kraft hatte, auf den Beinen zu stehen und zu kämpfen. Langsam schritten die Raubkatze und ich auf den freien Platz vor dem Hügel zu. Die Olmeken wichen Schritt für Schritt vor uns zurück und bildeten eine breite freie Gasse zwischen dem Waldrand und dem Platz, an

dem sich Setchatuatuan und seine Rebellen zu ihrem letzten Gefecht zusammengedrängt hatten.
Plötzlich war es still, so geisterhaft still, daß ich das Geräusch des Windes in den Baumwipfeln wie ein leises Flüstern hören konnte. Hunderte von Augenpaaren starrten mich an, und in jedem stand das gleiche Gefühl geschrieben: Schrekken und Angst, aber auch Ehrfurcht.
»Legt die Waffen nieder«, sagte ich laut. »Der Kampf ist vorüber.«
Meine Stimme zitterte unmerklich, während ich die Worte aussprach. Ich spielte hoch, sehr hoch, aber ich hatte keine andere Wahl. Entweder erkannten die Indios mich wirklich als Gott an und gehorchten – oder sie taten es nicht, und dann war sowieso alles verloren.
Ein Teil der Krieger gehorchte. Waffen wurden zu Boden geworfen oder in die Gürtel zurückgeschoben, und einige sanken sogar auf die Knie und neigten angstvoll das Haupt. Andere zögerten, aber ich spürte, daß es nicht aus Trotz oder Feindschaft geschah, sondern nur aus Schrecken. Der unglaubliche Anblick mußte die Krieger im wahrsten Sinne des Wortes gelähmt haben.
Schritt für Schritt näherte ich mich Lasse Rotbart und Setchatuatuan. Mein Herz jagte, und ich konnte die Blicke, die die Indios mir nachschickten, fast wie schmerzhafte Messerstiche im Rücken spüren. Ein einziger Fehler, ein falsches Wort oder eine unbedachte Bewegung, und wir alle waren verloren.
Aber ich erreichte die Rebellen, ohne behelligt zu werden. Die Olmeken, die einen dichten Kreis um Setchatuatuan und seine Krieger gebildet hatten, wichen hastig weiter zurück, und auch die letzten legten jetzt die Waffen aus der Hand. Ich ging weiter, bis ich unmittelbar vor Setchatuatuan und dem hünenhaften Wikinger stand, drehte mich um und hob in einer theatralischen Geste die Arme.
»Diese Männer stehen unter meinem Schutz!« rief ich mit erhobener Stimme. »Wer die Hand gegen sie erhebt, der erhebt sie gegen mich!«
Die Raubkatze fauchte, wie um meine Worte zu bekräftigen, und stärker als der Klang meiner Stimme scheuchte dieser Laut auch die letzten Krieger zurück. Ich spürte, daß jetzt kei-

ner von ihnen mehr den Mut haben würde, mich oder die anderen anzugreifen.

»Du spielst ein riskantes Spiel«, flüsterte Lasse an meinem Ohr.

»Ich habe nichts zu verlieren«, antwortete ich ebenso leise.

»Wo ist Erickson?« Lasse kam nicht dazu, zu antworten. Auf dem Hügel erschien eine Gestalt, und wieder erklang ein vielstimmiger, erschrockener Aufschrei aus den Reihen der Olmeken. Ich selbst, Lasse und Setchatuatuan fuhren in einer einzigen, abrupten Bewegung herum.

Der Mann war ein Riese. Hoch aufgerichtet und in einen schimmernden Panzer aus unzähligen goldenen Schuppen gehüllt, stand er auf der Kuppe des Felsenhügels und starrte aus haßerfüllten Augen zu uns herab. In der rechten Hand trug er ein gewaltiges Schwert, sein linker Arm und die Schulter verbargen sich hinter einem mächtigen Rundschild. Auf seinem Schädel thronte ein ungeheuerlicher Helm. Ich mußte nicht fragen, um zu wissen, wem wir gegenüberstanden.

»Leif Erickson!« keuchte Lasse. Seine Stimme bebte vor Haß.

»Dieser Verräter ist selbst gekommen.« Er hob sein Schwert, stieß einen Krieger, der ihm im Weg stand, grob beiseite und lief ein paar Schritte den Hang hinauf, ehe er wieder stehenblieb.

»Komm herunter, du feiger Hund!« brüllte er mit vollem Stimmaufwand. »Stell dich zum Kampf, wenn du es wagst!«

Leif Erickson ignorierte seine Worte. »Tötet sie!« rief er. »Dieser Mann ist kein Gott! Er ist ein Betrüger! Vernichtet sie! Ich befehle es!«

Ich sah aus den Augenwinkeln, wie sich die Krieger unruhig bewegten. Ein paar Hände streckten sich nach ihren Waffen aus, aber keiner führte die Bewegung zu Ende. Auf ihren Gesichtern war deutlich zu lesen, welch inneren Kampf die Männer durchstehen mußten.

Auch Leif Erickson deutete das Zögern der Olmeken richtig. Seine Stimme klang nicht mehr ganz so ruhig und befehlsgewohnt wie beim erstenmal, als er sich erneut an seine Soldaten wandte.

»Verräter!« brüllte er. »Ich befehle euch, die Rebellen zu töten. Dieser Mann ist kein Gott! Gehorcht!«

Einer der Krieger hob seine Waffe und machte einen zaghaften Schritt auf Lasse Rotbart zu. Der Wikinger schwenkte kampflustig sein Schwert.

Aber er brauchte nicht zuzuschlagen. Ein dünner, gefiederter Pfeil zischte knapp an seiner Schulter vorbei und durchbohrte den Olmeken. Der Krieger taumelte zurück, ließ seine Axt fallen und brach tödlich getroffen in die Knie.

Ich sah überrascht auf. Es war einer von Ericksons eigenen Kriegern gewesen, der den Angreifer niedergeschossen hatte! Meine gewagte Rechnung war aufgegangen – die Olmeken hielten mich für einen Gott, oder wenigstens für einen Boten der Götter. Die Anwesenheit der gewaltigen schwarzen Raubkatze hatte uns das Leben gerettet!

Leif Erickson begann zu toben. »Verräter!« kreischte er. »Quetzalcoatl wird euch dafür strafen, alle! Ihr sollt gehorchen! Packt sie!«

Niemand hob auch nur eine Hand, um seinem Befehl zu gehorchen.

»Da, wo ich herkomme, nennt man diese Situation ein klassisches Patt«, sagte ich mit einem flüchtigen Lächeln. »Er kann uns nichts tun und wir ihm nichts.« Lasse runzelte finster die Stirn. »Da wäre ich mir nicht ganz so sicher, Robert aus Britannien«, knurrte er. »Wenn du das hier ein Patt nennst, dann verrate mir, was du unter einer aussichtslosen Situation verstehst.«

Mein Herz machte einen schmerzhaften Sprung, als ich sah, was der Wikinger mit seinen Worten gemeint hatte. Leif Erickson hatte sich ein paar Schritte den Hügel hinab und auf uns zu bewegt.

Es war das erstemal, daß ich ihn von Angesicht zu Angesicht sah. Leif Erickson war ein durchaus gutaussehender Mann. Er war sehr groß und unglaublich breitschultrig, dabei aber so perfekt proportioniert, daß er kaum wie der Riese wirkte, der er war. Sein Gesicht war kantig und hart, aber nicht unbedingt unsympathisch, und der Blick seiner tiefblauen Augen strahlte eher Schmerz und Trauer aus als die Härte und Grausamkeit, die man ihm nachsagte. Seine Lippen zitterten. Er hatte Mühe, Schwert und Schild zu halten, und sein Blick irrte immer wieder zwischen mir und den Olmeken-Kriegern hin und her, die Säule seiner Macht, die ihm plötzlich den

Gehorsam verweigerte.

»Wer... wer bist du, Bursche?« keuchte er. »Wer schickt dich?«

Ich raffte all meinen Mut zusammen und trat dem Wikinger entgegen. »Gib auf, Leif Erickson«, sagte ich betont. »Du bist kein Gott – ebensowenig wie ich. Gib auf.«

Erickson schwieg. Sein Blick flackerte.

»Wer bist du?« fragte er noch einmal.

»Hellmark«, antwortete ich. »Es ist Hellmark, der mich geschickt hat. Er und die Toten. Sie fordern ihre Rache.«

Aber Leif Ericksons Reaktion war ganz anders, als ich erhofft hatte. Statt abermals vor Schrecken zu erstarren, verfinsterte sich sein Gesicht. Wütend hob er die Waffe. »Schweig, du Narr!« donnerte er. »Du weißt nicht, was du sprichst!«

Er richtete sich hoch auf und warf einen verächtlichen Blick zu mir herab.

»Du bist ein Narr, Fremder«, fuhr er fort. »du bist weder ein Gott noch ein Bote der Götter. Du bist nichts als ein Betrüger.« Er schwieg einen Moment, hob die Arme und trat einen Schritt vor. Als er weitersprach, war seine Stimme überall auf der Lichtung deutlich zu hören.

»Kommt zurück, ihr tapferen Krieger. Quetzalcoatl selbst befiehlt euch, diesen Ketzer zu töten!«

Hinter ihm bewegte sich etwas Gigantisches, Grünliches. Für einen Moment sah es aus, als wäre der Berg selbst zum Leben erwacht und aufgestanden, dann schob sich ein ungeheuerlicher, gräßlicher Schädel über die Hügelkuppe, blickte aus blutgierigen kleinen Augen auf mich und die Olmeken-Krieger herab und stieß einen krächzenden Schrei aus. Titanische grüne Flügel entfalteten sich mit einem ledrigen, flappenden Geräusch.

Mein eigenes erschrockenes Keuchen ging in einem hundertstimmigen Entsetzensschrei unter, als Quetzalcoatl sich mit einem trompetenden Schrei hoch in die Luft erhob...

Im ersten Moment war ich wie gelähmt vor Schrecken. Ich hatte Schlimmes erwartet nach Lasse Rotbarts Worten – einen Drachen, einen Flugsaurier, eine Art übergroßen Pterodaktylus vielleicht, aber das Ungeheuer übertraf all meine Befürchtungen um ein Vielfaches.

Es war gewaltig. Seine Flügelspannweite mußte mehr als dreißig Yards betragen und das riesige, mit rasiermesserscharfen Krokodilszähnen bewehrte Echsenmaul war groß genug, einen Mann mit einem einzigen Biß zu zerteilen. Die Bestie war grün, von einem so kranken, widerwärtigen Grün, wie ich es nie zuvor gesehen hatte, und ihr Leib erinnerte an eine mißlungene Kreuzung zwischen einer gigantischen Eidechse und einer Fledermaus. Die Krallen an den kurzen, halb verkümmerten Hinterläufen wirkten winzig, aber auch sie waren tödliche Waffen.
Das Ungeheuer schwang sich mit einer einzigen, gewaltigen Bewegung seiner Riesenschwingen hoch über die Lichtung empor, legte sich wie ein Segelflieger auf die Seite und kam in einer weit geschwungenen Kurve zurück. Die Luft rauschte hörbar, als das Monstrum herunterstieß.
»In Deckung!« brüllte Lasse mit überschnappender Stimme. Er schien der einzige zu sein, den der Anblick des Monstrums nicht in seinen Bann geschlagen hatte. Mit einem keuchenden Schrei riß er seinen Schild über den Kopf, ließ sich auf ein Knie herabsinken und hob abwehrbereit sein Schwert, als Quetzalcoatl niederstieß.
Die hornigen Krallen des Ungeheuers streiften seinen Schild und schleuderten ihn wie eine Puppe zur Seite. Quetzalcoatls Schwingen peitschten über den Boden und fegten ein, zwei, drei Indios von den Füßen. Das gewaltige Maul des Drachens öffnete sich, stieß auf einen vierten Olmeken herunter und schnappte zu.
Der grausige Anblick riß mich endlich aus meiner Erstarrung. Mit einem verzweifelten Schrei warf ich mich zur Seite, wich im letzten Augenblick einem tödlichen Hieb der titanischen Schwingen aus und kam mit einer Rolle wieder auf die Füße. Rings um uns brach das Chaos aus.
Quetzalcoatl schwebte über der Lichtung und hielt seinen Körper mit langsamen Schlägen seiner gewaltigen grünen Schwingen in der Luft. Seine ledrigen Flügel fuhren wie gewaltige Sensen unter die Krieger, zerschmetterten jeden, der ihnen in den Weg kam, und rissen die, die sie verfehlten, allein durch den gewaltigen Luftzug, den sie verursachten, von den Füßen. Quetzalcoatl wütete wie ein Berserker unter den Männern, tötete unterschiedslos Freund und Feind und riß

eine gewaltige, halbkreisförmige Bresche in die beiden Heere.

Ich kniete neben Lasse Rotbart nieder, warf einen hastigen Blick über die Schulter nach oben und versuchte dem Wikinger auf die Füße zu helfen. Lasse schwankte. Sein Schild war zerbrochen, und sein linker Arm hing taub und nutzlos herab. Sein Gesicht hatte alle Farbe verloren.

»Bist du verletzt?« fragte ich.

Lasse starrte mich einen Herzschlag lang an, ehe er mühsam den Kopf schüttelte und gleich darauf vor Schmerzen das Gesicht verzog. »Nicht ernst«, sagte er.

Ich duckte mich instinktiv, als das urzeitliche Ungeheuer über mich und den Wikinger hinwegfauchte und auf halber Höhe des Hügels fast ein Dutzend von Ericksons Indios von den Füßen riß.

»Bei Odin«, keuchte Lasse. »Dieses Monstrum ist ... gewaltig.«

»Ich denke, du kennst ihn!«

Lasse schüttelte den Kopf. »Ich habe ihn gesehen«, murmelte er, ohne den Blick von dem tobenden Riesenvogel zu nehmen. »Aber niemals aus der Nähe. Ich hätte nicht gedacht, daß er so groß ist!«

Der Platz war übersät mit toten und verwundeten Indios, Setchatuatuans Krieger, aber auch Männer Leif Ericksons, die von den gewaltigen Schwingen der Bestie erfaßt und niedergeschlagen worden waren. Die, die noch lebten und sich bewegen konnten, versuchten verzweifelt, den Waldrand zu erreichen und sich in Sicherheit zu bringen. Viele waren es nicht mehr.

»Komm jetzt!« keuchte ich. »Wir müssen weg, ehe er auf uns aufmerksam wird!«

Aber Lasse rührte sich nicht von der Stelle.

»Erickson!« keuchte er. »Wo ist Erickson? Ich muß diesen Verräter haben!« Er fuhr herum, stürmte, die tobende Alptraumkreatur über seinem Kopf mißachtend, den Hang hinauf und rannte auf Erickson zu. Einer der Olmeken verstellte ihm den Weg und griff in blindlings an. Lasse schlug ihn mit einer wütenden Bewegung nieder, schleuderte ihn gegen einen zweiten Krieger und stürmte weiter.

»Lasse! Komm zurück!« schrie ich verzweifelt. Aber der Wi-

kinger hörte meine Worte gar nicht. Endlich, nach acht Jahren, stand er dem Mann gegenüber, dem sein ganzer Haß galt. Alles, was er wollte, war, ihn zu töten – und es schien ihm vollkommen egal zu sein, wenn er sein eigenes Leben dazu opfern mußte!
Ich zerbiß einen Fluch auf den Lippen und stürmte hinter Lasse Rotbart her.
Ich sah die Bewegung im letzten Moment, ließ mich im vollen Lauf zur Seite fallen und rollte über die Schulter ab. Eine gewaltige, dreizehige Pfote schoß da herab, wo ich gerade noch gestanden hatte, riß das Erdreich auf und hob sich zu einem zweiten, besser gezielten Schlag.
Hinter mir fauchte der Jaguar. Das Tier setzte über mich hinweg, sprang den gewaltigen Drachen mit aufgerissenem Maul und weit gespreizten Krallen an – und flog hilflos durch die Luft, als ihn eine der titanischen Schwingen fast spielerisch traf. Ich schrie auf, versuchte, rücklings davonzukriechen, und schrie gleich darauf ein zweites Mal, als sich die titanische Klauenhand des Ungeheuers um mich schloß.
Ein gnadenloser Schmerz schoß durch meinen Brustkorb. Ich bekam keine Luft mehr, trat und schlug verzweifelt um mich und spürte, wie ich vom Boden hochgehoben und in die Luft gerissen wurde.
Quetzalcoatl stieß einen triumphierenden Schrei aus und versuchte mit einem mächtigen Flügelschlag an Höhe zu gewinnen.
Etwas Winziges, Dunkles zischte vom Waldrand herauf und bohrte sich in sein rechtes Auge.
Der gewaltige Drache schrie vor Schmerz. Seine Krallen öffneten sich. Ich stürzte zu Boden, schlug schwer auf den scharfkantigen Felsen auf und starrte halb benommen zu der grünen Höllenbestie empor.
Quetzalcoatl tobte wie ein Rasender. Seine Schwingen entfachten einen wahren Orkan, und seine gewaltigen Kiefer bissen in irrem Schmerz immer wieder in die Luft. In seinem rechten Auge steckte der Schaft eines Pfeiles.
Eines Pfeiles, wie ihn die Olmeken mit ihren Blasrohren verschossen!
Ungläubig hob ich den Kopf und blickte zum Waldrand hinüber. Vor der wogenden grünen Wand stand ein hochge-

wachsener Krieger, ein Blasrohr in der rechten und eine Feuersteinaxt in der linken Hand.
Setchatuatuan!
»Seht ihn euch an!« schrie der Olmeke mit vollem Stimmaufwand. »Seht euch seinen Gott an! Er blutet! Er stirbt an einem einzigen Pfeil, von Menschenhand verschossen!«
Quetzalcoatl fuhr beim Klang seiner Stimme herum, breitete die Schwingen in einem kochenden grünen Wirbel aus und wollte sich auf den scheinbar wehrlosen Menschen herabstürzen.
Setchatuatuan wartete mit einer fast übermenschlichen Ruhe, bis der Drache fast ganz heran war, sprang dann blitzschnell zur Seite und schleuderte sein Beil. Die Axt verwandelte sich in ein flirrendes graues Rad und hämmerte mit einem dumpfen Klatschen in den Schlangenhals der Bestie. Der Drache schrie abermals auf, warf sich mitten im Flug herum und schlug hilflos mit den Schwingen. Ein breiter Strom schwarzen, dickflüssigen Blutes sickerte aus der fürchterlichen Wunde an seinem Hals.
»Er ist kein Gott!« schrie Setchatuatuan. »Seht ihn euch an! Er ist ein sterbliches Wesen wie wir! Leif Erickson hat euch belogen! Das ist nicht Quetzalcoatl, sondern nur ein Ungeheuer, mit dem er euch getäuscht hat! Der Fremde hat uns die Wahrheit gesagt! Er war von den Göttern gesandt, um den Betrüger zu entlarven!«
Quetzalcoatls gellende Schreie waren zu einem Röcheln abgesunken. Ein Zittern lief durch den gewaltigen, grünlichen Körper. Er versuchte an Höhe zu gewinnen, aber seine Kräfte reichten nicht mehr aus.
»Hört nicht auf ihn!« schrie Leif Erickson von der Hügelkuppe aus. »Er ist ein Verräter wie Lasse und dieser Mann! Er lügt!«
Zwei, drei Sekunden lang geschah gar nichts. Dann trat ein zweiter Krieger hinter Setchatuatuan aus dem Busch, ein dritter, ein vierter.
Nach und nach kehrten die Olmeken zurück. Und nicht nur die Rebellen, sondern auch die Männer, die Leif Erickson mitgebracht hatte. Ihre Blicke richteten sich nach oben, auf die gewaltige grüne Bestie, die hoch über ihren Köpfen ihren Todeskampf ausfocht.

»Tötet sie!« kreischte Erickson. Seine Stimme überschlug sich fast vor Panik. »Ich, Leif Erickson, der Herr Aztlans, befehle euch, die Verräter zu töten. Quetzalcoatls Fluch wird alle treffen, die meinen Worten nicht gehorchen!«
Einer der Indios hob seinen Bogen. Für eine schreckliche, endlose Sekunde deutete die dreieckige Spitze aus rasiermesserscharf geschliffenem Feuerstein direkt auf mich. Dann riß der Mann mit einem krächzenden Schrei die Waffe herum, zog die Sehne bis zum Ohr durch und ließ den Pfeil davonschnellen. Das Geschoß bohrte sich dicht neben Setchatuatuans Beil in den Hals Quetzalcoatls und fügte der ersten Wunde eine zweite hinzu.
Erickson schrie ungläubig auf, aber seine Stimme ging im Sirren der Bogensehnen und den Schreien des sterbenden Ungeheuers unter.
Quetzalcoatl starb schnell und so grausam, wie er unter seinen Opfern gewütet hatte. Dutzende, wenn nicht Hunderte von Pfeilen und Äxten zischten zu ihm hinauf, zerfetzten seine Flügel und zerschnitten den grünen, glitzernden Schuppenpanzer. In einem letzten, vergeblichen Aufbäumen gewann das Ungeheuer mit ein paar mächtigen Flügelschlägen nochmals zwanzig, vielleicht dreißig Yards Höhe, dann lief ein schmerzhaftes, krampfartiges Zucken durch den gewaltigen Körper. Quetzalcoatl schwankte, senkte sich in flachem Winkel auf die Lichtung herab und kippte im letzten Moment zur Seite.
Ich hatte das Gefühl, als ob die ganze Lichtung unter meinen Füßen erbebte, als das gewaltige Ungeheuer in den Wald krachte und Bäume und Unterholz mit seinem Gewicht zermalmte.
Sekundenlang starrte ich wie betäubt auf den gewaltigen verrenkten Echsenkörper der Bestie, dann wandte ich mich langsam um und sah zu Lasse Rotbart und Leif Erickson hinauf. Lasse hatte sich auf Erickson gestürzt, noch ehe das Ungeheuer über ihren Köpfen seinen Todeskampf ausgestanden hatte, und zwischen den beiden war ein unbarmherziger Zweikampf entbrannt. Leif Erickson überragte den rotbärtigen Wikinger fast um Haupteslänge, aber Lasse machte mit Wut und Entschlossenheit dreifach wett, was ihm vielleicht an Kraft fehlte. Immer wieder und wieder krachte seine

Klinge auf Ericksons Schild herunter. Ich sah, wie der Wikinger unter jedem Hieb wie unter einem Hammerschlag zusammenzuckte und Schritt für Schritt vor seinem Gegner zurückwich. Sein Schild war längst zerbeult, das Schwert dicht über dem Heft abgebrochen und nutzlos. Der Kampf konnte nur noch wenige Augenblicke dauern.

Ich rannte los und erreichte Lasse Rotbart im gleichen Moment, in dem er sein Schwert zum letzten Streich hob. Leif Erickson war gestürzt, das Schild war zerbrochen und von seinem Arm geglitten, und das Gesicht des Wikingers war vor Schmerz und Erschöpfung zu einer Grimasse verzerrt.

»Stirb, du Verräter!« schrie Lasse. »Das ist für Hellmark – und für alle, die sterben mußten!«

Ich warf mich mit einer verzweifelten Bewegung vor und fiel ihm in den Arm. Meine Kraft reichte kaum aus, den Schlag abzufangen. Lasses Klinge fuhr scharrend über den goldenen Brustpanzer Leif Ericksons und hinterließ eine lange, gezackte Scharte darin.

Der Wikinger knurrte wütend, fuhr herum und schüttelte mich mit einer fast beiläufigen Bewegung ab. »Kerl!« zischte er. »Bist du von Sinnen?«

»Nein«, antwortete ich. »Das bin ich ganz und gar nicht. Aber du darfst ihn nicht töten!«

Leif Erickson regte sich stöhnend. Seine Hand fuhr über den Boden, als würde er etwas suchen, und sein Blick bohrte sich für eine endlose Sekunde in den meinen.

»Laß ihn«, sagte er leise. »Ich weiß nicht, wer du bist und wer dich geschickt hat, aber ich danke dir, daß du gekommen bist. Lasse hat recht, wenn er mich töten will.«

»Es ist schon zuviel Blut geflossen«, gab ich zornig zurück. Mit einer entschlossenen Bewegung stellte ich mich schützend zwischen Lasse Rotbart und Erickson. »Töte ihn nicht«, sagte ich noch einmal. »Ich bitte dich, Lasse, tu es nicht.«

»Er hat den Tod verdient!« widersprach Lasse aufgebracht. Wütend wollte er mich aus dem Weg schieben, aber ich blieb unbeirrt stehen.

»Vielleicht hast du recht«, sagte ich, »von deinem Standpunkt aus. Aber wir brauchen ihn, Lasse.«

Auf dem Gesicht des Wikingers erschien ein Ausdruck der Verblüffung. »Wir brauchen ihn?« wiederholte er. »Wozu?

Wozu sollten wir einen Verräter und Mörder wie ihn brauchen?«

»Er war nicht der wahre Schuldige«, sagte ich. »Er war im Grunde nur ein Werkzeug, mehr nicht. Der wahre Schuldige ist noch am Leben, Lasse. Und wir werden all unsere Kräfte brauchen, um ihn zu besiegen. Unsere und Leif Ericksons.«

Lasse zögerte. Sein Gesicht zuckte nervös. »Wozu redest du?« fragte er. Aber die Antwort auf seine eigene Frage stand in seinen Augen geschrieben. »Du meinst Aztlan«, sagte er leise.

»Aztlan und die, die über die Stadt herrschen, ja.«

Lasses Miene verfinsterte sich noch weiter. Das Schwert in seiner Hand zitterte. Aber ich spürte, daß ich gewonnen hatte; wenigstens für den Moment. Ich war nicht der einzige hier, der die Anwesenheit einer dritten, fürchterlichen Macht fühlte; einer Macht, die wie ein unsichtbarer mörderischer Schatten hinter Leif Erickson und seinen Olmeken stand.

Hinter mir erscholl ein halblautes, wehleidiges Maunzen. Ich überzeugte mich mit einem letzten Blick davon, daß Lasse nun wirklich zur Vernunft gekommen war, dann drehte ich mich herum.

Der Jaguar erhob sich wimmernd zwischen den Felsen, zwischen die ihn Quetzalcoatls Schwingenhieb geschleudert hatte.

Erschrocken ging ich auf den verwundeten Jaguar zu und kniete neben ihm nieder. Das Tier hob mühsam den Kopf und sah zu mir auf. Seine flache, hundeähnliche Schnauze war blutig und zerschlagen, sein Fell struppig und über und über mit Blut beschmiert, und als er sich bewegte, sah ich, daß er eine Vorderpfote anzog. Aber er lebte, und keine seiner Wunden schien wirklich gefährlich zu sein. Ich streichelte ihm behutsam den Kopf.

»Es tut mir ja leid«, sagte ich, »aber wir können noch nicht ausruhen.« Ich wies mit einer Kopfbewegung zum Waldrand. Quetzalcoatl war tot, aber er war nur ein Werkzeug gewesen, eine schreckliche, lebende Waffe, aber letztendlich nichts anderes als Leif Erickson: eine Marionette der wirklichen Macht, die dieses Land beherrschte.

Der Jaguar sah mich an, und für einen winzigen Moment glaubte ich in seinen Augen so etwas wie Verständnis aufblitzen zu sehen. Er hob den Kopf, rieb ihn an meiner Schulter und leckte mit seiner rauhen Zunge meine Hand, als wollte er mich trösten.

Nein, mit dem Tod dieser Bestie war meine Aufgabe noch lange nicht erfüllt, und wenn ich daran dachte, was sonst noch alles auf mich zukommen mochte, schauderte mich.

Langsam richtete ich mich auf, stieg den Hügel hinab und ging quer über die Lichtung auf den toten Drachen zu. Die Indios machten mir respektvoll Platz, aber meine Schritte wurden immer langsamer, je mehr ich mich der Bestie näherte.

Selbst im Tode bot das Ungeheuer einen wahrhaft ehrfurchtgebietenden Anblick: Es war gigantisch, ein tonnenschweres Monster von unvorstellbaren Körperausmaßen. Der Schädel sah aus wie eine mißlungene Kreuzung zwischen Saurier und Fisch und noch etwas anderem, unsagbar Abstoßendem. Die Bäume, zwischen die es gestürzt und die es zum Teil regelrecht aufgespießt hatten, wirkten wie geknickte Streichhölzer unter seinem Gigantenleib, und als ich die titanischen Krallen sah, schauderte es mich noch einmal, allein bei dem Gedanken, daß eine dieser Pfoten sich noch vor wenigen Minuten um mich geschlossen hatte.

Zehn Schritte vor dem toten Ungeheuer hielt ich an. Ganz plötzlich hatte ich den absurden Gedanken, daß es jäh die Augen aufschlagen und zu neuem, fürchterlichem Leben erwachen könnte, wenn ich den Fehler beging, ihm zu nahe zu kommen. Absurd, ich weiß, aber angesichts dieses Monsters erschien jede menschliche Logik ohnehin lächerlich.

Es glich nichts, was ich jemals gesehen hätte – und ich war auch ziemlich sicher, daß kein Paläontologe oder irgendein anderer Wissenschaftler jemals etwas Ähnliches ausgegraben oder sich auch nur erdacht hatte. Dies war kein Geschöpf aus der Urzeit der Erde, wie ich anfangs vermutet hatte, sondern etwas vollkommen Fremdes. Kein Wesen aus einer anderen Zeit, sondern etwas, das nicht in diese Welt gehörte, nicht hier geboren war und nicht hier sein durfte.

Ich hörte ein Geräusch hinter mir und wußte, daß es Lasse Rotbart war, ohne mich extra herumdrehen zu müssen.

»Bei Odin«, stammelte der Wikinger. »Was für ein Koloß! Und du willst die besiegen, die ein solches Monstrum geschaffen haben?« Seine Stimme schwankte. Es war seltsam –

aber der Anblick des toten Drachen gab mir plötzlich Mut, statt mich zu ängstigen. Ich nickte. »Mit eurer Hilfe, ja. Ich weiß noch nicht, wie, aber wir werden es schaffen.«

»Du weißt nicht, was du redest, Bursche«, sagte Lasse. »Aztlan ist eine Stadt der Zauberer. Niemand kann einen Zauberer besiegen.«

Ich schwieg einen Moment, drehte mich dann langsam zu ihm um und deutete mit der Hand auf den reglosen Körper des Drachen.

»Wir haben einen Gott besiegt, Lasse Rotbart«, sagte ich betont. »Meinst du nicht, daß wir auch einen Zauberer schlagen könnten?«

Es wurde Nacht, bis wir in die Höhlen von Tucan zurückkehrten. Der Kampf zwischen Erickson und unseren Kriegern hatte nicht lange gedauert, aber ich hatte ja am eigenen Leibe verspürt, mit welcher Verbissenheit und Wut er geführt worden war, und Quetzalcoatls Toben hatte ein übriges getan, die Zahl der Verwundeten und Toten erschreckend hoch ansteigen zu lassen. Bis spät in den Nachmittag hinein waren wir damit beschäftigt, die Verletzten zu versorgen und die Toten zu bestatten.

Trotzdem hatte sich unsere Zahl fast verfünffacht, als wir endlich aufbrachen. Nur sehr wenige der Krieger, die Erickson mitgebracht hatte, waren wirklich geflohen. Die meisten derer, die im Dschungel verschwunden waren, waren nach und nach wieder aufgetaucht und hatten sich uns angeschlossen. Wir waren an die Hundert, als wir mit dem letzten Licht des Tages die Höhlen wieder erreichten, und plötzlich kam mir der große Felsendom tief unter der Erde gar nicht mehr riesig und kalt vor, sondern geradezu beengt; Dutzende von Fackeln brannten, und es wurde bald so warm, daß es fast unangenehm war.

Ich bat Setchatuatuan darum, Leif Ericksons Bewachung persönlich übernehmen zu dürfen, und zu meiner Verblüffung willigte er ein, ohne auch nur mit der Wimper zu zucken. Allerdings bestand er darauf, daß ich mich mit Lasse Rotbart und seinen Wikinger-Kriegern in diese Aufgabe teilte, eine Entscheidung, die klüger war, als ich im ersten Moment begriff: Lasses Männer haßten Erickson mindestens ebensosehr wie die Olmeken – aber sie fürchteten ihn nicht, denn anders als Setchatuatuans Krieger sahen sie in dem Wikingerfürsten nicht einen Dämonen oder Zauberer, sondern nur das, was er war – einer von ihnen, der seine Kameraden verraten und sich zum Herrscher über ein ganzen Volk aufgeschwungen hatte.

Aber ich ahnte bereits, daß das nur die halbe Wahrheit war. Erickson war längst nicht mehr bloß der machtgierige Verräter, der er einst gewesen sein mochte; irgendwann zwischen dem Moment, in dem er dieses Land betrat, und dem Zeitpunkt, da er sich zu seinem Herrscher aufgeschwungen hatte, war etwas mit ihm geschehen. Und je mehr ich über die Ereignisse des vergangenen Tages nachdachte, desto überzeugter war ich, daß Leif Erickson ganz und gar nicht Herrscher, sondern nicht viel mehr als eine Marionette war, an deren Fäden andere, weit finsterere Mächte zogen.

Obwohl ich darauf brannte, mit Erickson zu sprechen, kam ich zumindest vorerst nicht dazu. Er war nicht schwer verwundet, aber die vielen kleinen Verletzungen hatten ihn doch sehr geschwächt, und er befand sich in einem Zustand, den man in meiner Zeit wohl mit dem Wort *Schock* beschrieben hätte. Ich versuchte ein paarmal, ihn anzusprechen, aber er reagierte nicht, und obwohl er mich ansah, schien sein Blick doch geradewegs durch mich hindurchzugehen.

Schließlich gab ich es auf und hockte mich mit angezogenen Beinen neben ihn. Erschöpft lehnte ich den Kopf gegen den feuchtkalten Fels hinter mir und schloß die Augen. Aber der Schlaf, auf den ich wartete, wollte nicht kommen; ich war zwar körperlich erschöpft, aber meine Gedanken befanden sich in Aufruhr. Alles war viel komplizierter und viel, viel erschreckender, als ich bisher geglaubt hatte.

Ein leises Räuspern riß mich aus meinen düsteren Überlegungen. Ich sah auf und blickte in Lasse Rotbarts Gesicht. Der Wikinger, der Erickson bisher bewacht hatte, war gegangen, und Lasse hatte seinen Platz eingenommen, ohne daß ich ihn kommen gehört hätte. Es war erstaunlich, wie lautlos und elegant sich dieser vierschrötige Mann zu bewegen vermochte, wenn es sein mußte.

Lasse Rotbart sah mich fast eine Minute lang wortlos an, ehe

er sich ebenfalls setzte und die Arme vor der Brust verschränkte. »Du siehst müde aus, Robert aus Britannien«, sagte er, blickte dabei aber Leif Erickson an.
Ich antwortete nicht, aber Lasse schien das auch gar nicht erwartet zu haben, denn er fuhr fast unmittelbar und in verändertem Tonfall fort: »Du hättest mich nicht zurückhalten dürfen, Zauberer.«
Ich sah auf. »Wovon?« fragte ich, obwohl ich die Antwort ganz genau kannte.
»Ich hätte ihn töten sollen«, sagte Lasse. »Leif Erickson lebt. Es wird nicht vorbei sein, solange er lebt.« Er seufzte tief und sah mich durchdringend an. »Warum hast du mich gehindert?« fragte er. »Du hast ihm keinen Gefallen getan, wenn es das ist, was du glaubst.«
»Indem ich ihm das Leben gerettet habe?«
Lasse Rotbart schüttelte den Kopf. »Er wird so oder so sterben«, sagte er, fast sanft. »Aber ein Tod von meiner Hand wäre ein ehrenvoller Tod gewesen, ein Tod auf dem Schlachtfeld, wie er einem Wikinger zukommt. Was die Olmeken mit ihm tun werden, wird schlimmer sein.«
Ich erschrak. »Du glaubst, daß sie ihn foltern?«
Lasse überlegte einen Moment, dann verneinte er. »Setchatuatuan ist kein Barbar«, sagte er. »Aber ich rede nicht von Folter und Schmerzen, Robert aus Britannien. Leif Erickson fürchtet sie nicht, so wenig wie ich oder einer meiner Männer. Aber der Tod auf dem Richtblock ist eine Schande. Du hast ihm seinen Platz in Walhalla genommen.«
Ich wollte ganz automatisch widersprechen, aber dann ließ ich es bleiben. Ich war wirklich nicht in der Verfassung, philosophische Gespräche mit Lasse Rotbart zu führen – und vielleicht hatte er ja sogar recht, von seinem Standpunkt aus. Dies hier war nicht einfach ein anderes Land: Es war eine vollkommen fremde Welt, in der die Regeln und Gesetze meiner Zeit nichts galten.
Lasses Blick tastete erneut über Ericksons Gesicht. »Du hättest mich nicht zurückhalten sollen«, sagte er noch einmal.
»Ich kann kein menschliches Leben zerstören«, murmelte ich.
»Aber warum nicht?« fragte Lasse kopfschüttelnd.
Ich zögerte.
»In der Welt, aus der ich komme, sieht man nicht einfach zu,

wenn ein Mensch getötet wird«, antwortete ich schließlich, aber es klang selbst in meinen Ohren lahm und nach dem, was es war: eine Ausrede.
»Auch nicht, wenn es ein Feind ist?«
»Auch dann nicht«, sagte ich.
Lasse sah mich kopfschüttelnd an. »Wer bist du wirklich, Robert?« fragte er, nicht zum erstenmal. »Die Welt, aus der du kommst... was ist das für eine Welt? Asgard?«
»Nein. Aber eine Welt, die dir wahrscheinlich noch fremder vorkommen würde, könntest du sie sehen.«
Lasse lächelte. »Warum zeigst du sie mir nicht?« fragte er. Ich sah ihn erstaunt an, und er machte eine bekräftigende Handbewegung. »Ich meine es ernst. Wenn Erickson tot und Aztlan vernichtet ist, gibt es für mich und meine Männer hier nichts mehr zu tun. Wir können nicht in diesem Land leben. Und wir wollen es auch nicht.«
»Dann fahrt nach Hause.«
»Nach Hause?« Lasse lächelte traurig. »Wo ist das, zu Hause?« fragte er. »Ich war ein halbes Menschenalter lang fort. Alle, die ich gekannt habe, sind sicher längst tot. Nein – wir werden uns ein anderes Land suchen, andere Abenteuer... Warum nimmst du uns nicht mit in das Land, das phantastischer als Asgard sein soll?«
»Weil es nicht geht, Lasse Rotbart«, antwortete ich.
»Dann sag mir wenigstens, wo es liegt. Hinter dem Weltmeer?«
Ich machte eine ausweichende Handbewegung und wollte irgend etwas sagen, nur um das Thema zu wechseln, aber plötzlich ertrug ich den Gedanken nicht mehr, Lasse zu belügen. Zögernd sagte ich: »Nein, Lasse, nicht dort. Würdest... würdest du mir glauben, wenn ich dir sage, daß ich aus der Zukunft komme?«
»Der Zukunft? Der Zeit, die noch nicht ist?«
»Für mich schon«, antwortete ich. »Für mich ist eure Zeit die, die schon war.«
So verwirrend diese Antwort klingen mochte, Lasse Rotbart schien sie auszureichen, denn er fragte nichts weiter, sondern schwieg lange und deutete schließlich in den anderen Teil der Höhle, wo Setchatuatuan und die anderen Stammesführer zusammensaßen.

»Sie beraten noch immer«, sagte er. »Aber ich weiß, wie sie entscheiden werden. Sie werden Aztlan angreifen.«
Ich nickte düster, und Lasse Rotbart lachte; ein leiser, kehliger Laut, der mich schaudern ließ. »Aber das weißt du ja sicher«, sagte er. »Und du weißt auch, wie dieser Angriff ausgehen wird. Sag mir, Robert aus der Zukunft, werden wir Aztlan vernichten, oder werden wir alle bei dem Versuch sterben?«
»Ich weiß es nicht«, antwortete ich, und das war die Wahrheit. »Niemand weiß in meiner Zeit noch von Aztlan, Lasse Rotbart.«
»Dann haben wir es zerstört.«
»Und niemand weiß mehr vom Volk der Olmeken«, fügte ich hinzu.
Lasse sah mich betroffen an, und ich fügte rasch hinzu: »Aber das bedeutet nichts. Völker kommen und gehen. Auch das Volk der Wikinger existiert nicht mehr in meiner Zeit, so wenig wie die, die nach ihm kamen. Und so wenig wie mein Volk ewig existieren wird.«
»Und trotzdem hast du Angst davor, Aztlan anzugreifen«, sagte Lasse. »Warum?«
Ich suchte einen Moment vergeblich nach einer überzeugenden Antwort. Wie sollte ich etwas in Worte fassen, das ich nicht einmal in Gedanken klar formulieren konnte? »Weil ich ... Städte wie Aztlan kenne«, sagte ich shließlich. »Orte, die von den Alten errichtet worden sind. Wenn Aztlan das ist, was ich befürchte, Lasse, dann wurde es nicht von Menschen gebaut.«
»Und dann können Menschen es auch nicht zerstören«, fügte Lasse hinzu. Ich wollte antworten, aber in diesem Moment bewegte sich Leif Erickson. Mühsam setzte er sich auf und sah erst Lasse Rotbart, dann mich an. »Menschen nicht«, sagte er. »Aber ich.«
Lasse Rotbart schien nicht im mindesten überrascht zu sein, Erickson wach und bei Bewußtsein zu sehen, und ich begriff, daß der Wikingerfürst keineswegs erst in diesem Moment aufgewacht war, sondern schon eine geraume Weile zugehört haben mußte.
»Was soll das heißen?« fragte ich. »Bist du kein Mensch?« Die Worte hatten spöttisch klingen sollen, aber in meiner

Stimme war ein erschrockenes Zittern, das mir den Effekt gründlich verdarb.
Erickson blieb ernst. »Doch«, antwortete er. »Aber ich kenne die Mächte, die Aztlan beherrschen. Und ich weiß ihrer Herr zu werden. Wenigstens so weit, daß ich uns vor ihnen schützen kann.«
Ich warf einen verwirrten Blick auf Lasse, aber auf dem Gesicht des Wikingers war nicht die mindeste Regung abzulesen.
»Dann ist Aztlan – «
»Das, was du glaubst«, sagte Erickson. »Und gleichzeitig etwas vollkommen anderes. Die Mächte, die es erschufen, sind noch da, Robert aus Britannien. Und sie sind tausendmal schrecklicher, als du dir vorzustellen vermagst. Aber ich weiß, wie man sie vernichten kann.«
Lasse lachte böse. »Und du wirst es tun, wie?« fragte er abfällig. »Und warum hast du es bisher nicht getan?«
»Weil es mein eigenes Leben kosten wird«, antwortete Leif Erickson ruhig.
»Oh, und ich soll dir glauben, daß du dieses Opfer zu bringen bereit bist?«
Lasse schnitt Erickson mit einer wütenden Handbewegung das Wort ab, als er widersprechen wollte. »Leif Erickson, der Tyrann und Verräter, der Mörder seiner eigenen Freunde, wirft sein Leben weg, um uns zu retten? Nur ein Narr würde dir glauben, Leif Erickson, und ich bin kein Narr.«
»Du weißt nichts«, antwortete Erickson heftig. »Du glaubst, ich hätte über Aztlan geherrscht?« Er lachte bitter. »Du glaubst, ich hätte die Alten benutzt, um euch und die Olmeken zu unterdrücken? Du *bist* ein Narr, Lasse Rotbart. Ich habe die Gewalten Aztlans beschwichtigt, all die Jahre über. Ich habe ihnen gedient, und ich habe versucht, das Schlimmste zu verhindern.«
»Indem du Menschen geopfert hast?« fragte ich fassungslos.
Erickson machte ein abfälliges Geräusch. »Was weißt du?« sagte er. »Du bist ein noch größerer Narr als Lasse, aber du solltest es besser wissen, wenn du behauptest, die Alten zu kennen. Ich habe Hunderte geopfert, um Unzählige zu retten. Die Herren Aztlans schlafen, aber sie erwachen, jeden Tag ein bißchen mehr, und ihre Gier ist unbeschreiblich.«

»Lügner«, sagte Lasse kalt. »Was erwartest du? Mitleid?«
»Nein, Mitleid erwarte ich nicht«, antwortete Erickson. »Du wirst es sein, der Mitleid nötig hat, Lasse Rotbart, du und Setchatuatuan und alle anderen, wenn ihr wirklich so närrisch seid, Aztlan anzugreifen. Ihr werdet die Alten nicht vernichten, sondern wecken!«
Lasse lachte, aber es klang unsicher; es gelang ihm nicht ganz, seinen Schrecken zu verbergen.
»Er sagt die Wahrheit, Lasse«, sagte ich leise.
Lasse fuhr herum. Seine Augen blitzten, als sich seine Unsicherheit in jäher Wut entlud. »Woher willst du das wissen?« fauchte er.
»Weil man mich nicht belügen kann, Lasse«, antwortete ich. »Ich spüre es. Ich weiß immer, ob man mir die Wahrheit sagt oder nicht.«
Lasse preßte die Lippen zu einem schmalen Strich zusammen, und die Wut in seinen Augen wuchs; aber zu meiner Verwunderung widersprach er nicht mehr, sondern stand mit einer zornigen Bewegung auf und ging davon.
Leif Erickson sah ihm fast traurig nach. »Er weiß, daß ich die Wahrheit gesagt habe«, sagte er. »Er wußte es schon, bevor du es bestätigt hast.« Er seufzte, schüttelte ein paarmal den Kopf und schloß schließlich die Augen. Plötzlich sah er sehr müde aus, auf eine Art müde, die viel tiefer ging als die Erschöpfung nach einem Kampf.
»Ich bin froh, daß alles vorbei ist«, sagte er leise. »Bei Odin, wie oft habe ich mir gewünscht, niemals hierher gekommen zu sein. Wie oft habe ich die Götter angefleht, mein Leben zu nehmen, wenn damit alles ungeschehen gemacht werden kann.«
Er ließ sich wieder auf sein Lager zurücksinken und öffnete dabei die Augen. »Ist es wahr, daß Odin dich geschickt hat?« fragte er.
Ich kam mir selbst ein wenig lächerlich dabei vor, aber ich nickte. Es spielte auch keine Rolle, ob es die Wahrheit oder eine barmherzige Lüge war; nicht in diesem Moment. Ich empfand nicht mehr die mindeste Spur von Feindseligkeit Erickson gegenüber. Ich wußte, daß er im Grunde nichts dafür konnte – er war nicht der erste, der den Verlockungen der Großen Alten erlegen war und zu spät begriff, daß er

mehr als seine Seele verkauft hatte. Und ich wußte, daß er die Wahrheit sprach.
»Ich hätte es längst tun können«, fuhr Erickson nach einer Weile fort, als ich nicht antwortete. »Ich kann sie vernichten. Ich weiß es. Ich bin der einzige, der nahe genug an sie herankommt, um es zu tun. Aber ich hatte nicht den Mut.« Er lachte bitter. »Ich habe mir eingeredet, daß ich am Leben bleiben muß, um sie zu bändigen, und das stimmt. Aber es ist zugleich auch eine Lüge. Ich hatte Angst zu sterben.«
»Und jetzt nicht mehr?«
Erickson schüttelte den Kopf. »Es ist so oder so vorbei«, antwortete er, und wieder spürte ich, daß er diese Worte genau so meinte, wie er sie aussprach. »Und ich habe so viel Schaden in meinem Leben angerichtet, daß wenigstens mein Tod zu etwas nütze sein soll. Setchatuatuan und all diese anderen Narren werden sterben, wenn sie Aztlan angreifen, solange *er* lebt.«
Ich wollte ihn fragen, wen er mit *er* meinte, aber Erickson sprach bereits weiter: »Ich bin sehr froh, daß Quetzalcoatl vernichtet ist. Und ich bin froh, daß du es warst, der es getan hat, denn es ist Odins Wille, den du ausführst. Vielleicht... gibt er mir so doch noch Gelegenheit, mir meinen Platz in Walhalla zu sichern.«
Ich schwieg. Ich hätte ihm sagen können, daß es in Wahrheit nicht Odin war, der mich hierher geschickt hatte, sondern Hellmark, der Mann, den er hintergangen und ermordet hatte, und daß ich nicht hier war, um ihm eine letzte Chance zu verschaffen, sondern einzig, um die Rache der Toten zu vollziehen.
Aber ich brachte es nicht fertig. Ich bleib einfach wortlos sitzen und wartete, bis mir nach einer Weile Ericksons ruhiger gewordene Atemzüge verrieten, daß er eingeschlafen war.

In der Höhle herrschte die gleiche zeitlose Nacht wie seit Millionen Jahren, aber mein eigenes Zeitgefühl sagte mir, daß es auf Mitternacht zugehen mußte. Leif Erickson war noch zwei- oder dreimal erwacht, aber seine Augen waren trüb geblieben, und sein Blick hatte wieder diesen erschreckend haltlosen Ausdruck, der mir sagte, daß sich sein Geist weit, weit weg befand, in irgendeiner Dimension des Schrek-

kens, deren bloße Ahnung mich schaudern ließ.
»Was geschieht mit ihm?« fragte Lasse Rotbart, der wieder neben mir Platz genommen hatte.
Ich zuckte hilflos mit den Schultern. Ich wußte es nicht. Leif Erickson sah schlecht aus; wie ein Mann, der tödlich verwundet ist. Sein Gesicht war grau, und kalter Schweiß stand auf seiner Stirn. Sein Puls ging so schnell, daß ich die Adern an seinem Hals zucken sehen konnte. Aber es waren nicht die Wunden seines Körpers, die ihn verzehrten.
Es war nicht das erstemal, daß ich einem Menschen begegnete, der sich mit den Großen Alten eingelassen hatte; wohl aber das erstemal, daß ich jemanden traf, der dieses Bündnis wieder löste. Vielleicht bezahlte er jetzt für die Macht, die er sich geliehen hatte. Mit dem höchsten Preis, den ein Mensch zu zahlen imstande ist.
»Er stirbt«, sagte Lasse ruhig. »Aber woran?«
Ich zuckte abermals nur mit den Achseln und sah auf, als ich Schritte hörte. Setchatuatuan kam. Er war nicht allein, und er hatte sich verändert; so sehr, daß ich ihn im ersten Moment kaum erkannte. Statt des einfachen Lendenschurzes trug er jetzt einen prächtigen, mit schreiend bunten Papageienfedern geschmückten Umhang, der seinen Körper von den Schultern bis zu den Knöcheln verbarg und ihm etwas sonderbar Ehrfurchtgebietendes gab. Sein Gesicht war, ähnlich wie bei unserer ersten Begegnung nach dem Überfall auf dem Tempel, dick mit Farbe beschmiert, doch wirkte diese Kriegsbemalung heute viel düsterer, unheilvoller auf mich. Die beiden Männer, die ihn begleiteten, waren auf ähnliche Weise gekleidet wie er, aber alles an der Art, wie sie sich bewegten und gaben, machte klar, daß Setchatuatuan der wahre Herr des Trios war.
»Es ist entschieden«, sagte Setchatuatuan, zu Lasse gewandt.
»Ihr wollt Aztlan wirklich angreifen?« fragte ich.
Setchatuatuan ignorierte mich schlichtweg. »Die Krieger stehen bereit«, fuhr er fort. »Jetzt, wo Quetzalcoatl tot und Leif Erickson gefangen ist, wird uns niemand mehr aufhalten. Morgen, wenn die Sonne untergeht, wird unser Volk wieder frei sein.«
»Euer Volk wird tot sein«, sagte ich. Setchatuatuan zog die linke Augenbraue hoch und bequemte sich endlich, mich we-

nigstens anzusehen. Sein Blick war nicht besonders freundlich.
»Wenn es der Wille der Götter ist, so wird er geschehen«, sagte er stur. »Wir werden Aztlan vernichten.«
»Das werde ich nicht zulassen«, sagte ich.
Setchatuatuan nickte. »Ich weiß«, sagte er ungerührt. »Und aus diesem Grunde werdet ihr auch hierbleiben.«
»Wie?« machte ich überrascht.
»Du und der Zauberer«, fuhr Setchatuatuan, wieder an Lasse gewandt, fort, wobei er mit einer knappen Handbewegung auf mich deutete, »werdet hierbleiben. Um Leif Erickson zu bewachen. Und um euch«, fügte er mit einem spöttischen Lächeln hinzu, »keiner Gefahr auszusetzen.«
Ich starrte ihn wütend an. »Ich denke, ihr haltet mich für einen Gott oder so etwas.«
»Für einen Boten der Götter«, verbesserte mich Setchatuatuan. »Aber du bist ein Mensch aus Fleisch und Blut, so wie dieses Tier ein Tier aus Fleisch und Blut ist.« Er deutete auf den Jaguar, der sich neben mir zusammengerollt hatte und wie eine zu groß geratene Katze im Schlaf schnurrte.
»Es wäre ein schlechtes Omen, würdet ihr im Kampf verwundet oder gar getötet«, sagte er. »Deshalb wirst du mit Lasse Rotbarts Männern hierbleiben und Erickson bewachen.«
»Aber ich – «
»Es ist entschieden«, unterbrach mich Setchatuatuan in einem Ton, der keinen Widerspruch duldete. »Wir werden die Götter anrufen und die heiligen Tänze tanzen, und sobald der Morgen kommt, greifen wir Aztlan an.« Und damit wandte er sich abrupt um und ging wieder zu den anderen Indianern zurück.
Ich starrte ihm wutentbrannt nach, während Lasse Rotbart leise lachte.
»Was ist daran so komisch?« fragte ich gereizt.
»Er ist ein kluger Mann«, sagte Lasse. »Klüger, als ich dachte – dir ist doch klar, warum er nicht will, daß wir mitkommen?«
»Natürlich«, sagte ich finster. »Er vergeht aus Sorge um mich.«
»Und darüber, daß du ihn doch noch aufhalten könntest, im letzten Moment«, fügte Lasse hinzu.
»Und was denkst du, sollen wir jetzt tun?« fragte ich. »Die

Hände in den Schoß legen und abwarten, bis sie alle tot sind?«

Lasse antwortete nicht, sondern drehte sich wortlos herum und blickte zu Setchatuatuan und seinen Olmeken hinüber, die sich wieder im Kreis zusammengehockt hatten und lautstark palaverten.

Die Höhle war voll verzerrter Schatten, die im flackernden Schein der Fackeln tanzten, aber da war noch etwas. Irgendwie schienen sich die Schatten zu verschieben, als wäre ein ganz sachter Ruck durch die Wirklichkeit gelaufen, hin in die Richtung, in der Terror und Wahnsinn lauerten. Für einen Moment war mir, als formten sich die Schatten hinter den Olmeken neu, als geronne die Finsternis jenseits des flackernden Kreises aus trübroter Helligkeit zu klumpigen Dingen, schwarzen, gestaltlosen Wesen, ohne Gesichter und mit zahllosen, zuckenden Tentakelarmen, oktopoiden Scheußlichkeiten, die aus den Abgründen der Zeit heraufgekrochen waren. Dann, so plötzlich, wie sie gekommen war, verschwand die Illusion. Aber als ich mich wieder zu Lasse herumdrehte und in sein Gesicht blickte, sah ich, daß seine Augen weit vor Schrecken waren, und sein Gesicht hatte auch das letzte bißchen Farbe verloren.

Er hatte es auch gesehen. Es war keine Illusion gewesen.

»Bei Odin«, stammelte er. »Was... war... das?«

»Die Wesen, vor denen ich euch zu warnen versuchte, du Narr«, sagte Leif Erickson. Er lag noch immer reglos da, die Augen geschlossen und mit einem Gesicht, das so bleich war wie das eines Toten. Seine Stimme war kaum mehr als ein Flüstern, das ich mehr erriet als wirklich verstand. Trotzdem fuhr Lasse wie von der Tarantel gestochen herum und starrte Erickson haßerfüllt an.

»Was redest du da?« fauchte er.

Erickson öffnete mühsam die Augen. In seinem Blick lag gleichzeitig Verachtung wie Furcht. »Sie sind hier«, flüsterte er. »Hier, um uns herum. Spürst du sie denn nicht selbst, du Narr? Sie sind hier! Sie erwachen. Jetzt!«

»Jetzt?« Lasse versuchte zu lachen, aber es mißlang kläglich. Der Laut, der über seine Lippen kam, klang eher wie ein kaum noch unterdrückter Schrei.

»Ausgerechnet jetzt? Nach all den Jahren? Was für ein Zu-

fall!«
Erickson war zu matt, als daß sein Kopfschütteln mehr als eine Andeutung wurde. Aber seine Stimme bebte vor Erregung, als er antwortete: »Kein Zufall. Ich habe sie gebändigt, all die Jahre über, begreifst du das denn nicht? Sie leben vom Tod. Euer Haß und eure Furcht sind ihre Nahrung! Und ihr habt ihnen an einem Tag mehr davon gegeben, als ich ihnen in zehn Jahren gestattete. Ihr habt sie fast geweckt, und wenn dieser hitzköpfige Narr da wirklich gegen Aztlan zieht, dann können nicht einmal mehr die Götter selbst sie aufhalten!«
Lasse antwortete nicht, aber in seinem Gesicht arbeitete es. Sein Blick irrte immer wieder zwischen Ericksons Gesicht und den Schatten hinter den versammelten Olmeken hin und her. Schließlich wandte er sich an mich. Sein Blick flackerte. Von seiner ehemaligen Stärke und Entschlossenheit war nichts geblieben. Ich hatte selten zuvor einen Menschen gesehen, der so tief erschüttert war. Und der solche Angst hatte. »Traust du ihm, Robert aus Britannien?« fragte er.
Ich nickte. »Ja.«
»So sehr, daß du dein Leben riskiertest?«
Diesmal dauerte es etwas länger, bis ich reagierte. Aber meine Antwort war dieselbe.
Lasse drehte sich wieder zu Erickson um. »Wieviel Zeit bleibt uns noch?« fragte er. »Wie lange kannst du uns noch vor ihnen schützen?«
»Ich weiß es nicht«, murmelte Erickson. »Nicht mehr sehr lange, fürchte ich. Vielleicht nur wenige Stunden. Vielleicht ist es auch schon zu spät.«
»Und vielleicht kostet es unser aller Leben«, murmelte Lasse. »Aber wir werden es tun.«
»Wir werden was tun?« fragte ich.
»Nach Aztlan gehen«, antwortete Lasse. »Wir warten, bis Setchatuatuan und seine Krieger fort sind. Dann brechen wir auf, zusammen mit Erickson. Ich kenne einen Weg, auf dem wir Aztlan vor ihnen erreichen.«

Die Olmeken berieten noch eine halbe Stunde, ehe sie sich einer nach dem anderen erhoben und die Höhle verließen, um draußen ihre heiligen Kriegstänze zu beginnen und darauf zu warten, daß der Morgen graute. Von Lasse hatte ich erfahren, daß der Weg bis Aztlan nicht sehr weit war, drei, vielleicht vier Stunden Fußmarsch, und daß auf dem Wege dorthin die Krieger der anderen Stämme zu ihnen stoßen würden; alles in allem sicher mehr als fünftausend Olmeken, die Aztlan spätestens zur Mittagsstunde erreichen mußten. Uns blieb also nicht viel Zeit; zumal es ja nicht damit getan war, vor Setchatuatuans Armee in der verbotenen Stadt anzukommen – selbst wenn wir das schafften, blieb noch die Kleinigkeit, einen leibhaftigen Großen Alten zu finden und zu besiegen; ein Unterfangen, von dem ich nicht die mindeste Ahnung hatte, wie wir es bewerkstelligen sollten.

Zumindest das Entkommen aus der Höhle erwies sich als leichter, als ich befürchtet hatte – nach allem sogar beinahe schon zu leicht. Natürlich hatte uns Setchatuatuan nicht ohne Bewachung zurückgelassen. Es waren insgesamt fünf Olmeken, die auf der anderen Seite der Höhle am Feuer hockten und mit einer Mischung aus abergläubischem Respekt und ganz und gar nicht abergläubischem Mißtrauen zu uns herüberlugten. Lasse Rotbart hatte vorgeschlagen, sie einfach zu überfallen und niederzuschlagen, was kein Problem gewesen wäre, denn zusammen mit seinen Wikingern waren wir den Indios deutlich überlegen, und sie rechneten sicherlich nicht mit einem direkten Angriff – aber ich hatte eine bessere Idee. Es gab einfachere und weit weniger drastische Wege, uns unserer Wächter zu entledigen. Ich war zwar nicht halb so sehr Zauberer, wie Setchatuatuan und seine Olmeken glaubten, aber den einen oder anderen Taschenspielertrick hatte ich doch auf Lager. Und es widerstrebte mir, Gewalt gegen die Männer anzuwenden, denen ich letztendlich mein Leben verdankte.

Ich ließ gut zehn Minuten verstreichen, nachdem Setchatuatuan und die anderen gegangen waren, dann lehnte ich mich zurück, bettete den Kopf gegen den kalten Stein der Höhlenwand und versuchte mich zu entspannen. Im ersten Moment gelang es mir kaum; Magie hat weit weniger mit Konzentration als mit jener schwer herbeizuzwingenden Art von Halb-Trance zu tun, die vollkommene Entspannung und Ruhe voraussetzt, und meine Gedanken waren in Aufruhr.

Aber nach einer Weile spürte ich, wie in mir jener Teil mei-

ner Seele erwachte, der mich befähigt, Dinge zu tun, die den meisten anderen Menschen wie pure Zauberei vorkommen müssen. Sie sind es nicht, aber im Ergebnis bleibt sich das wohl gleich.
Neben mir regte sich der Jaguar. Seit wir die Höhle betreten hatten, hatte er geschlafen, aber jetzt hob er den Kopf und blinzelte zu mir hoch. Seine kleinen spitzen Ohren stellten sich auf, als höre er etwas; dann erhob er sich, blieb einen Moment mit nervös peitschendem Schwanz stehen – und drehte sich mit einer fließenden Bewegung herum, um auf das Feuer und die darum sitzenden Olmeken zuzugehen. In der schattenerfüllten Dämmerung der Höhle war er selbst kaum mehr als ein schwarzer Schemen.
Lasse Rotbart wollte etwas sagen, aber ich hob rasch die Hand und gebot ihm mit einer Geste, still zu sein. Gebannt sahen er, Erickson und die vier Wikinger zu, wie sich der Jaguar lautlos den Olmeken näherte.
Auch die Indios bemerkten die Raubkatze – und sie reagierten wesentlich nervöser als Lasse Rotbart und seine Männer. Sie begannen unruhig zu schnattern; einer versuchte aufzustehen und sank erschrocken wieder zurück, als der Jaguar ihn drohend anfauchte. Selbst über die große Entfernung hinweg konnte ich die Furcht sehen, die sich allmählich in die Verwirrung auf ihren Gesichtern mischte.
Schließlich hatte der Jaguar sie erreicht.
Aber er blieb nicht stehen. So gelassen, als striche er satt und zufrieden durch sein vertrautes Jagdrevier, ging er zwischen zwei der wie erstarrt dasitzenden Indios hindurch – und trat, ohne zu zögern, in das brennende Feuer hinein!
Funken stoben hoch. Kleine, gelbe Flammen leckten an den Pfoten der Raubkatze, setzten ihr Fell in Brand und schossen jäh in die Höhe. Ein ungeheures Zischen erklang, und ein neuerlicher Funkenregen stob hoch und überschüttete die Olmeken mit einem Hagel kleiner beißender Feuerkäfer.
Die Indios sprangen schreiend in die Höhe, als die Gestalt des Jaguars mit einem einzigen, berstenden Schlag Feuer fing – und sich verwandelte.
Es ging so schnell und sah so echt aus, daß selbst ich erschrocken zusammenfuhr. Wo gerade noch der Jaguar inmitten der Flammen gestanden hatte, erhob sich plötzlich etwas

Schwarzes, Gräßliches, ein wabernder finsterer Balg mit zahllosen peitschenden Armen und glotzenden Augen, eingehüllt in einen Mantel aus lodernden Flammen und Funken. Schwarzer Geifer troff aus dem zahnbewehrten Maul der Spottgeburt und verzischte wie kochende Säure in den Flammen.
Das reichte.
Wie ein Mann fuhren die Indios herum und stürmten schreiend aus der Höhle, ohne auch nur einen Blick zu uns zurückzuwerfen. Und auch Lasses Männer sprangen auf und griffen erschrocken nach ihren Waffen.
»Bleibt!« sagte ich hastig. »Es besteht keine Gefahr.«
Lasse starrte mich aus aufgerissenen Augen an. Ich grinste, stand gemächlich auf und drehte mich zu dem gräßlichen Wesen herum, das noch immer inmitten des Feuers stand und prasselnd vor sich hinbrannte. Ich bedauerte es fast sofort, aber ich konnte der Versuchung einfach nicht widerstehen: In einer bewußt theatralischen Geste hob ich die Arme und deutete auf das übermannsgroße Schreckensgebilde.
»Und du«, sagte ich betont lässig, »bist so nett und verschwindest, ja?«
Sogleich löste sich das Ding in Nichts auf. Lasse keuchte, sprang entsetzt auf und schlug fast in der gleichen Sekunde der Länge nach hin. Er brüllte erschrocken, sprang wieder hoch – und starrte aus hervorquellenden Augen auf den Jaguar, über den er gestolpert war und der die Störung mit einem unwilligen Fauchen quittierte.
»Was – ?« stammelte er, fuhr herum und glotzte ungläubig in die Flammen. Das Feuer brannte wieder normal. Nicht einmal ein Zweig war verrutscht.
»Aber wo... wo ist der... der Dämon?« keuchte Lasse Rotbart.
»Es hat ihn nie gegeben«, sagte ich und tippte mit den Fingerknöcheln gegen meine Stirn. »Er war nur hier oben, verstehst du?«
Nein, Lasse Rotbart verstand nicht, das sagte mir der Blick, mit dem er mich maß. »Aber der... der Jaguar«, stammelte er. »Ich habe doch gesehen, wie er – «
»Du hast gesehen, was du sehen solltest«, sagte ich. »Und jetzt vergiß es. Es war nur ein billiger Trick.« Ich deutete zum

Höhlenausgang und wechselte hastig das Thema. »Wir sollten verschwinden, Lasse. In ein paar Minuten werden die Männer Setchatuatuan eingeholt haben, und dann wird es nicht mehr lange dauern, bis er hier wieder auftaucht – und mit ihm die halbe olmekische Armee.«
Lasse nickte zögernd. Er wirkte wie betäubt, und auch die Augen der anderen Wikinger waren weit vor Schrecken. Selbst Leif Erickson blickte mich mit so etwas wie Respekt an, obwohl er von allen vielleicht am ehesten ahnte, was ich getan hatte – nämlich nichts anderes, als den Indios eine völlig harmlose Vision vorzugaukeln, was um so leichter gelang, als sie nur allzu bereit waren zu glauben, was ich sie sehen machen wollte.

Wir verließen die Höhle auf dem gleichen Weg wie die fünf Olmeken vor uns, bogen aber schon an der ersten Tunnelkreuzung nach links ab und bewegten uns wieder nach unten, tiefer in die Erde hinein und fort von den Ausgängen, die ich kannte. Wir gingen sehr schnell, und wir rückten enger zusammen, als nötig gewesen wäre. Trotz der Fackeln, die Lasses Männer angezündet hatten, hüllte uns eine sonderbar unangenehme, saugende Dunkelheit ein, eine Dunkelheit, die alles Licht und jeden Ton zu verschlingen schien; der Lichtschein der Fackeln verlor sich bereits nach wenigen Schritten zwischen den schwarzen Lavafelsen und versikkerte wie Wasser in Ritzen und Spalten.
Ich hatte Lasse bisher nicht danach gefragt, aber ich glaubte zu wissen, auf welchem Weg er uns führen wollte. Es gab im Grunde nur eine Möglichkeit, vor Setchatuatuan und seinen Olmeken nach Aztlan zu gelangen – wir mußten, statt den zeit- und kräfteraubenden Weg durch den Dschungel zu wählen, den unterirdischen Stollen der Höhlen von Tucan bis nach Aztlan folgen.
Wir waren etwa eine Viertelstunde gegangen, als der Mann an der Spitze unserer kleinen Kolonne plötzlich stehenblieb und warnend die Hand hob.
»Was ist los?« fragte Lasse.
»Da... ist etwas«, antwortete der Mann zögernd. Er schloß die Augen und legte den Kopf schräg, um zu lauschen. »Schritte«, sagte er plötzlich.

Lasse überlegte einen Moment, dann erteilte er entschlossen seine Befehle. »Löscht die Fackeln«, sagte er. »Alle bis auf eine. Aber deckt das Licht ab. Und wartet hier.«
Ich gehorchte, was die Fackel betraf, blieb aber keineswegs stehen, sondern trat im Gegenteil direkt neben ihn. Lasse seufzte, verlor aber kein Wort mehr, sondern ging so schnell weiter, daß ich Mühe hatte, ihm zu folgen. Erst an der nächsten Krümmung des Stollens blieb er stehen, hob noch einmal warnend die Hand, ließ sich in die Hocke sinken und spähte vorsichtig um die Ecke.
Der Wikinger hatte sich nicht getäuscht. Weiter vorne waren Stimmen zu hören, die Stimmen von zwei, drei Männern, die sich leise miteinander unterhielten, ohne daß ihre Worte zu verstehen gewesen wären. Lasse blieb sekundenlang reglos hocken, ehe er, noch immer geduckt, zwei Schritte zurückkroch und sich vorsichtig wieder aufrichtete.
»Krieger«, sagte er im Flüsterton. »Vier Mann von Setchatuatuans Leibwache. Und ich fürchte, es sind noch mehr da.« Er legte hastig den Zeigefinger über die Lippen, als ich antworten wollte, und bedeutete mir mit einer Kopfbewegung, zu den anderen zurückzugehen.
Die Krieger sahen uns beunruhigt entgegen. Lasse berichtete mit wenigen, geflüsterten Worten, was wir entdeckt hatten, und ich sah, wie Eriksons Hand unter den Mantel glitt und nach der Stelle tastete, an der normalerweise sein Schwert hing. Lasse entging die Bewegung ebenfalls nicht. Er schwieg dazu, aber sein Gesichtsausdruck wurde noch finsterer.
»Und was tun wir jetzt?« fragte ich. »Gibt es noch einen anderen Weg nach Aztlan?«
»Sicher«, antwortete Lasse mürrisch. »Wahrscheinlich Dutzende. Aber ich kenne nur diesen einen. Verdammt, ich habe nicht damit gerechnet, daß Setchatuatuan uns verfolgt. Ich hatte gehofft, daß sie viel zu sehr mit ihren Kriegstänzen beschäftigt sind, um sich um uns zu kümmern. Aber wenn sie uns jetzt den Weg abschneiden, weiß ich nicht...«
»Es gibt noch eine andere Möglichkeit«, fiel ihm Erickson ins Wort. »Aber es ist gefährlich.«
Lasse lachte rauh. »Du machst Witze, wie?«
»Ganz und gar nicht«, antwortete Erickson ernsthaft. Er zögerte. Seit wir aufgebrochen waren, hatte sich sein Zustand

ein wenig gebessert, aber ich wußte, daß es nur ein letztes Aufflackern war, dem der totale Zusammenbruch folgen mußte. Er hatte zu lange unter dem verderblichen Einfluß der Herren Aztlans gestanden, um sich jetzt noch einmal zu erholen.
»Dann sprich endlich«, sagte Lasse unwillig, als Erickson auch nach einer Weile nicht von sich aus fortfuhr. »Was ist das für eine Möglichkeit? Ein geheimer Gang, oder einer deiner Zaubertricks?«
Erickson sah ihn ernst an. »Es gibt unter der ganzen Stadt unterirdische Gänge und Stollen«, sagte er. »Keine natürlichen Grotten wie diese, sondern künstlich angelegte Stollen. Manche von ihnen führen bis hierher, zu den Höhlen von Tucan, und noch darüber hinaus.«
»Dann zeige uns diesen Weg«, sagte Lasse, beinahe hastig. Und wie um seine Worte zu unterstreichen, wurden die Schritte und Stimmen plötzlich lauter.
Erickson zögerte noch einen winzigen Moment, dann drehte er sich herum und begann in die Richtung zurückzulaufen, aus der wir gekommen waren. Allerdings nur ein paar Schritte weit, dann blieb er jäh stehen, deutete uns mit Gesten, ein wenig zurückzubleiben, und trat mit hoch erhobenen Armen an die Wand heran.
Fast eine Minute lang stand er einfach reglos da. Seine Lippen formten Worte, die sich für meine Ohren verdächtig nach einem Zauberspruch anhörten. Das Ergebnis war nicht besonders beeindruckend.
Genaugenommen geschah überhaupt nichts.
»Was soll das?« fragte Lasse zornig, als sich Erickson wieder zu uns herumdrehte. »Willst du uns zum Narren halten?«
Erickson lächelte, machte einen Schritt – und trat einfach durch die massive Wand des Stollens hindurch.
»Thor!« keuchte Lasse. »Was ist das?«
Ericksons Gesicht tauchte aus der Felswand auf und blickte ungeduldig zu uns zurück. »Worauf wartet ihr?« fragte er. »Es ist nicht gefährlich. Los!«
Zögernd folgten wir ihm. Selbst mein Herz begann wie wild zu jagen, als ich dicht hinter Lasse Rotbart an die Felswand herantrat und die Hand ausstreckte. Was wie eine massive Mauer aus Stein aussah, fühlte sich wie feuchter Nebel an.

Für eine Sekunde hatte ich das Gefühl, in einem eiskalten, nassen Nichts zu schweben, dann trat ich auf der anderen Seite der vermeintlichen Mauer wieder heraus und wäre fast gegen Lasse Rotbart geprallt, der mit aufgerissenem Mund stehengeblieben war und sich umsah.
»Bei Thors Hammer!« keuchte er. »Was ist das, Leif?«
»Die Verliese von Aztlan«, antwortete Leif Erickson. Seine Stimme bebte; in seinen Worten war eine Mischung aus Ehrfurcht und nacktem Entsetzen, die auch mich erschauern ließ. »Nur wenige wissen davon, und noch weniger haben es bisher gewagt, sie zu betreten. Man sagt, daß die Katakomben ein Teil des ursprünglichen Aztlan seien.«
»Des ursprünglichen Aztlan?« wiederholte ich betont. »Wie meinst du das?«
Erickson wirkte plötzlich sehr unsicher. »Die ... Stadt der Alten«, sagte er. »Der Teil Aztlans, in dem *er* lebt. Es heißt, diese Gewölbe seien nicht von Menschenhand errichtet, und für Menschen sind sie auch nicht gedacht.«
»Unsinn«, knurrte Lasse.
»So?« sagte Erickson. »Dann erklär mir, was das hier ist.«
Lasse wollte antworten, zuckte aber dann nur die Achseln und warf einen verwirrten Blick in die Runde.
Der Raum, in dem wir uns befanden, schien gleichzeitig rechteckig und rund zu sein, und obwohl mir meine Augen sagten, daß der Boden eben war, hatte ich das Gefühl, auf einem steilen Abhang zu stehen. Nirgends war eine Lichtquelle zu entdecken, und doch durchwebte eine sonderbar farblose, flackernde Helligkeit den Raum.
»Was weiß ich«, maulte der Wikinger schließlich. »Jedenfalls habe ich langsam genug von deinem Gerede von Geistern und Dämonen.«
»Niemand spricht von Dämonen«, mischte ich mich ein, ehe die beiden Wikinger erneut aneinandergeraten konnten. »Aber ich glaube, ich weiß, was Erickson meint.«
»So?« fragte Lasse übellaunig.
»Dieses ... Wesen«, begann ich vorsichtig, und an Erickson gewandt. »Der, mit dem du ... verbündet warst – er ist einer von jenen, die diese Stadt erbauten, nicht?«
Erickson nickte. Sein Gesicht verfinsterte sich noch weiter. »Ihr könnt hier bleiben«, sagte er. »Ich gehe allein. Es wäre

sowieso besser, wenn – «
Lasse unterbrach ihn mit einem schrillen Lachen. »Du bist von Sinnen, Erickson. Glaubst du wirklich, daß ich dir gestatte, allein nach Aztlan zurückzukehren?«
Erickson blickte ihn einen Moment lang fast traurig an, dann schüttelte er den Kopf. »Nein«, seufzte er. »Natürlich nicht. Verzeih die dumme Frage.« Er machte eine Handbewegung, als wolle er das Thema damit beiseitewischen, und trat auf Lasse und mich zu. »Ich muß den Zugang schließen«, sagte er. Wir traten gehorsam beiseite, aber ich sah, daß Lasses Blicke voller Mißtrauen jeder noch so kleinen Bewegung Leif Ericksons folgten. Das kleine Zauberkunststückchen, das uns Leif Erickson soeben vorgeführt hatte, hatte Lasses Mißtrauen jäh wieder aufflammen lassen, und auch ich war plötzlich gar nicht mehr so felsenfest davon überzeugt, daß Erickson auf unserer Seite stand. Ich hatte Lasse die Wahrheit gesagt, als ich behauptet hatte, daß es einem normalen Menschen vollkommen unmöglich war, mich zu belügen. Aber war Erickson noch ein normaler Mensch? So wie es aussah, hatte er in den letzten sechs Jahren eine Menge von den Herrn Aztlans gelernt.
Erickson trat dicht an die Wand heran und hob die Arme, genau wie er es auf der anderen Seite des Felsens getan hatte. Seine Lippen formten lautlose Worte, um den Durchgang auf die gleiche Weise wieder zu schließen, wie er ihn geöffnet hatte.
Da schoß eine Hand durch den Felsen hindurch und krallte sich in seine Brust. Erickson schrie auf und prallte zurück, aber die Hand ließ nicht los; ganz im Gegenteil: der Hand folgte ein Arm, dann eine Schulter und schließlich ein buntbemaltes, haßverzerrtes Gesicht, dann verlor Setchatuatuan endgültig die Balance und stolperte gegen Erickson. Aneinandergeklammert fielen die beiden zu Boden.
Noch bevor Lasse oder ich uns von unserer Überraschung erholen konnten, tauchte ein zweiter Olmeken-Krieger hinter Setchatuatuan auf, dann ein dritter, vierter, fünfter ... Binnen weniger Sekunden erschienen mehr als ein Dutzend Krieger hinter Setchatuatuan, die sich mit gezückten Waffen um ihren Anführer drängten. Auf ihren Gesichtern stand panisches Entsetzen, aber auch Entschlossenheit.

Auch Lasses Männer zückten ihre Waffen, und für einen winzigen Moment sah es fast so aus, als würden sich die beiden ungleichen Gruppen aufeinanderstürzen. Aber dann stand Setchatuatuan auf und hob rasch die Hand. Seine Krieger senkten zwar ihre Waffen nicht, aber sie wichen ein ganz kleines Stückchen zurück.
»Verräter«, sagte Setchatuatuan kalt. »So hältst du dein Wort?«
»Er versucht nur dein Leben zu retten, du Narr«, sagte Leif Erickson. »Deines und das deiner Brüder.«
Setchatuatuan ignorierte ihn. Seine Augen schienen zu brennen, während er Lasse anstarrte. Seine Hand schlang sich um den Griff der Feuersteinaxt, der aus seinem Gürtel ragte.
»Verräter!« sagte Setchatuatuan noch einmal. Sein Blick irrte zwischen Lasses und meinem Gesicht hin und her, und ich sah, wie sich seine Krieger spannten. »Ich wußte, daß ihr es versuchen würdet«, fuhr er mit zornbebender Stimme fort. »Ich wußte, daß du und dieser Narr versuchen würdet, uns aufzuhalten. Aber ich wußte nicht, daß du uns verrätst.«
»Verrätst?« wiederholte Lasse verständnislos.
Setchatuatuan lachte schrill und deutete auf Leif Erickson. »Spiel nicht den Dummen, Lasse Rotbart. Wir kennen uns zu lange, als daß du mich täuschen könntest. Du hast ihn befreit. Ihr – «
»Du irrst dich, Setchatuatuan«, unterbrach ich ihn. »Wir haben ihn nicht befreit. Er zeigt uns den Weg.«
Setchatuatuan fuhr mit einem Geräusch herum, das sich fast wie das Zischen einer wütenden Schlange anhörte. Seine Augen blitzten. »Schweig!« schrie er. »Oder ich erschlage dich gleich hier auf der Stelle!«
»Aber er sagt die Wahrheit, Setchatuatuan«, sagte Lasse. »Bitte glaub mir. Ja, wir ... wir haben versucht, vor euch in Aztlan zu sein. Aber nicht, um euch zu verraten.«
»Warum dann?«
»Aus dem Grund, den ich dir schon ein paarmal genannt habe, Setchatuatuan«, sagte ich. »Um euch zu retten. Dich und deine Brüder. Vielleicht dein ganzes Volk. Ihr alle werdet sterben, wenn ihr Aztlan angreift. Es gibt nur einen Weg, diese Stadt zu erobern – wir müssen das Wesen besiegen, das sie beherrscht.«

»Und dabei will euch Leif Erickson helfen, wie?« fragte Setchatuatuan höhnisch. »Ja, das will ich«, sagte Erickson. »Ich weiß, daß du mir nicht glauben kannst, aber ich sage die Wahrheit. Ich bin der einzige, der es kann. Auf jeden Fall der einzige, der den Weg zu seinem Versteck findet.«
»Ihr lügt«, sagte Setchatuatuan. »Und selbst wenn ihr die Wahrheit sprechen würdet, ließe ich es nicht zu. Wir brauchen eure Hilfe nicht. Wir sind Tausende. Unser ganzes Volk ist aufgestanden, um gegen Aztlan zu ziehen. Es mag eine Stadt der Dämonen sein, aber wir werden sie zerstören. Mit allem, was darin lebt.«
»Es sind noch mehr als zweitausend Krieger in der Stadt, Setchatuatuan«, sagte Erickson. »Und Aztlan ist eine Festung. Ihr würdet nicht einmal sie besiegen. Geschweige denn die Kreatur, die unter ihr lauert.«
»Eine Kreatur wie du?« fragte Setchatuatuan. »Oder wie das Ungeheuer, von dem du uns vorgegaukelt hast, es wäre Quetzalcoatl, unser Gott?«
»Nein«, antwortete Leif Erickson ruhig. »Das Wesen, das all dies hier erschaffen hat. Sieh dich doch um, hitzköpfiger junger Narr! Sieh dich um und sag mir, was du siehst.«
Setchatuatuan sagte nichts, aber er sah sich in der unheimlichen Halle um; sehr lange und sehr gründlich. Seine Sicherheit war deutlich erschüttert, als er sich nach einer Weile wieder an Erickson wandte.
»Niemals«, sagte er. »Ich lasse es nicht zu. Ihr werdet mit uns kommen. Und diesmal werdet ihr gebunden und besser bewacht.«
Lasse Rotbart zog ganz langsam sein Schwert, und auch seine Wikinger packten ihre Waffen fester. Plötzlich war die Spannung beinahe greifbar. Ein einziges falsches Wort, eine unbedachte Bewegung, dachte ich, und die Männer würden übereinander herfallen. Ein Kampf, an dessen Ausgang kein Zweifel bestand – Setchatuatuans Krieger waren zwar in der Überzahl, aber ich hatte Lasses Wikinger bereits im Kampf erlebt. Allein ihre Schwerter und Rüstungen machten die Übermacht der Olmeken mehr als wett. Gegen die relativ moderne Bewaffnung der Wikinger hatten Setchatuatuans Männer mit ihren Keulen und den Äxten aus geschliffenem Feuerstein keine Chance.

Auch Setchatuatuan schien das genau zu wissen, denn er zögerte, wenngleich sich auf seinem Gesicht nicht die allermindeste Spur von Furcht zeigte. Herausfordernd starrte er Lasse an.
»Tut es nicht, Setchatuatuan«, sagte ich. »Ihr ... ihr wart Verbündete. Freunde auf Leben und Tod.«
»Ihr werdet nicht gehen«, sagte Setchatuatuan stur.
»Dann wirst du gegen uns kämpfen müssen, Setchatuatuan«, sagte Lasse, leise, in fast bedauerndem Ton, aber sehr entschlossen.
»Willst du das wirklich?« fragte ich. »Willst du wirklich, daß sich deine Krieger und die Männer, die noch vor einer Stunde eure treuesten Verbündeten waren, gegenseitig umbringen?«
Setchatuatuan schwieg. In seinem Gesicht arbeitete es. Und dann, ganz plötzlich, schüttelte er den Kopf.
»Nein«, sagte er. »Senkt die Waffen.«
Der Befehl galt den Olmeken, und die Männer gehorchten sofort. Die Erleichterung, nicht gegen Lasses gefürchtete Nordmänner antreten zu müssen, war ihnen deutlich anzusehen.
»Aber ich kann euch auch nicht gehen lassen«, fuhr Setchatuatuan fort.
»Ich traue dir nicht, Leif Erickson. Woher soll ich wissen, ob ihr uns nicht doch verratet?«
»Und was willst du tun?« fragte Erickson. Er lächelte schwach. »Du kannst uns nicht zurückhalten!«
Setchatuatuan überlegte einen Moment und schüttelte dann den Kopf. »Wir gehen alle«, sagte er. »Oder keiner. Ich begleite euch. Und ich werde sehr gut auf dich aufpassen.«
»Aber jemand muß hinausgehen«, ereiferte sich Erickson. »Dieser irrsinnige Angriff muß gestoppt werden, Setchatuatuan!«
»Wenn ich überhaupt ginge«, antwortete Setchatuatuan betont, »so höchstens, um ihn anzuführen, Leif Erickson. Wir werden Aztlan vernichten. Diese Stadt und alles, was in oder unter ihr leben mag.«
»Narr«, sagte Erickson wütend. »Begreifst du immer noch nicht, daß die Wesen, die all dies hier geschaffen haben, nicht mit menschlichen Waffen zu besiegen sind? Diese Stadt ist so

alt wie die Welt, Setchatuatuan!«
»Sie wurde erschaffen«, antwortete Setchatuatuan mit einem Achselzucken. »Und was erbaut wurde, kann wieder vernichtet werden.«
Ich trat mit einem schnellen Schritt zwischen den Olmeken und den Wikinger. »Ich fürchte, Leif Erickson hat recht, Setchatuatuan«, sagte ich behutsam. »Ich habe die Macht dieses Wesens gefühlt, als wir gegen Quetzalcoatl kämpften. Ihr könnt diese Stadt nicht angreifen. Alle, die dir folgen würden, würden sterben.«
»Feiglinge!« zischte Setchatuatuan. »Ist es das? Habt ihr Angst vor dem Tod? Dann geht! Geht und verkriecht euch in irgendeinem Winkel, bis alles vorbei ist. Ich sterbe lieber, ehe ich ein Leben als Sklave führe.«
»Es ist sinnlos«, seufzte Erickson. »Du willst offensichtlich nicht begreifen, Setchatuatuan.«
»Ich begreife nicht, wieso ein Mann wie du plötzlich Angst vor dem Tod hat«, erwiderte Setchatuatuan höhnisch. »Ein Mann, der jahrelang selbst Tod und Verderben über mein Volk gebracht hat, der Tausende mit einer Handbewegung hat ermorden lassen.«
»Ich habe keine Angst«, antwortete Erickson ruhig. »Aber ich will nicht, daß dein Volk ausgelöscht wird, Setchatuatuan.«
Und doch wird genau das geschehen, dachte ich müde. Ich hätte es ihnen sagen können – Setchatuatuan, Erickson und den anderen. Ich hätte ihnen sagen können, daß von dem mächtigen Volk der Olmeken nur eine Handvoll Flüchtlinge übrigbleiben würde, Heimatlose, die weiter nach Süden ziehen und zu den Vorfahren der Mayas und Azteken werden würden. Und daß von Aztlan nur eine Legende – und der Name eines Volkes – die Zeiten überdauern würde.
Aber ich tat es nicht. Tief in meinem Inneren wußte ich, daß der Lauf der Geschichte nicht verändert werden konnte und daß all meine Anstrengungen vergebens wären.
»Du gehst also nicht?« fragte Erickson.
Setchatuatuan schüttelte den Kopf. »Nicht, um das zu tun, was du verlangst, Leif Erickson«, sagte er. »Und nicht allein. Wenn ich hinausgehe, dann begleitest du mich. Du und alle anderen.«
Erickson seufzte, aber er widersprach nicht mehr, sondern

sagte nur einfach: »Dann kommt.«
Erickson ging voraus, dicht gefolgt von Setchatuatuan, der ihn keinen Moment aus den Augen ließ. Dann kamen Lasse und ich, während Lasses Wikinger die Nachhut bildeten. Die Handvoll Krieger, die Setchatuatuan mitgebracht hatte, drängten sich in der Mitte zusammen. Keiner von ihnen gab auch nur den geringsten Laut von sich, aber ich spürte, wie verängstigt die Männer waren. Sie mußten das Fremde, Feindselige, das diese Wände ausatmeten, so deutlich spüren wie ich, aber sie hatten weder mit dem Leben abgeschlossen wie die beiden Wikinger, noch waren sie besessen von dem Gedanken an Rache wie Setchatuatuan.
Erickson führte uns ein Stück weit geradeaus durch den niedrigen, scheinbar endlosen Stollen, bog aber nach einer Weile in einen Seitengang ab und blieb nach wenigen Schritten vor einer glatten, scheinbar fugenlosen Wand stehen.
»Hier?« fragte Lasse zweifelnd.
Erickson nickte nervös, hob die Hände und tastete mit geschlossenen Augen über den schwarzen Stein. Sekundenlang geschah nichts, dann ertönte ein leises, metallisches Knakken, und in der scheinbar so massiven Felswand entstand ein haarfeiner Riß, der sich rasch zu einem Spalt und schließlich zu einem dreieckigen, halbhohen Durchgang erweiterte. Ein Schwall eiskalter, nach Staub und Moder riechender Luft schlug uns entgegen.
Erickson wollte durch die Tür treten, aber Setchatuatuan war mit einem schnellen Schritt bei ihm und hielt ihn an der Schulter zurück.
»Noch ein Wort, Nordmann«, sagte er leise. Seine Stimme klang drohend.
»Ja?«
»Wenn du uns betrügst, Erickson«, sagte Setchatuatuan, »wenn du irgendein falsches Spiel mit uns treibst, bringe ich dich um. Das schwöre ich dir.«
Erickson lächelte kalt. »Ich betrüge euch nicht, Setchatuatuan. Es ist nicht mein Volk, das sterben wird. Die Leben, die heute ausgelöscht werden, hast du zu verantworten. Nicht ich.« Damit wandte er sich um, bückte sich unter dem Eingang hindurch und verschwand mit raschen Schritten.
Ich tauschte einen stummen Blick mit Lasse. Der rotbärtige

Wikinger sah plötzlich sehr nachdenklich aus. Auch er mußte den seltsamen Unterton in Leif Ericksons Stimme gehört haben. Aber er schien so wenig wie ich zu wissen, was er zu bedeuten hatte.

Hinter der Tür lag ein kurzer Gang, an den sich eine schmale, in unmöglichem Winkel in die Tiefe führende Treppe anschloß. Mir schwindelte, als ich auf die oberste Stufe trat und – die Hände nach beiden Seiten ausgestreckt und sichernd an die Wände gepreßt – hinter Erickson hinabstieg.

Die Stufen waren verschieden hoch und unterschiedlich geformt, einige von ihnen schienen sich auf bizarre Weise ständig zu verändern, und ein paarmal verschätzte ich mich und fand nur im letzten Moment mein Gleichgewicht wieder, ehe ich kopfüber in die Tiefe stürzte. Hinter mit stöhnte einer der Männer, und auch auf Lasses Gesicht perlte Schweiß, als wir endlich den Fuß der Treppe erreicht hatten.

»Das ist... Irrsinn«, murmelte der Wikinger. »Wo führst du uns hin, Erickson?« »Ich habe euch gewarnt«, knurrte Erickson. »Das hier ist erst der Anfang.« Seine Stimme hallte verzerrt und vielfach gebrochen von den Wänden des schmalen Stollens wider, und die Echos gaukelten uns vor, uns in einer gewaltigen Höhle zu befinden. »Es wird schlimmer, wenn wir erst in die eigentliche Stadt eindringen.«

Er blieb stehen und wartete, bis auch der letzte die Treppe hinter sich gebracht hatte und Setchatuatuan zu ihm und Lasse getreten war. Von oben ertönte ein leises Schleifen, und als ich den Blick hob, sah ich, daß sich die Tür hinter dem letzten Olmeken geschlossen hatte.

»Bleibt immer dicht beisammen«, sagte Erickson mit erhobener Stimme. »Wenn hier unten jemand den Anschluß verliert, ist es aus. Wer sich hier verirrt, findet nie wieder ans Tageslicht zurück.«

»Und wie willst du den Weg finden?« knurrte Lasse. »Wenn doch angeblich keiner weiß, wie es in diesen Katakomben aussieht?«

Erickson schwieg einen Moment. »Ich... kenne den Weg«, antwortete er zögernd. »Ich war... einmal hier. Es ist lange her, aber ich erinnere mich. Nicht weit von hier liegt eine gewaltige unterirdische Halle. Ein Teil ihrer Decke ist einge-

stürzt. Von dort aus kann man die Stadt betreten.«
Seine Worte klangen nicht sehr überzeugend, aber wir hatten keine andere Wahl, als Erickson zu glauben. Es war ein wenig zu spät, um noch mißtrauisch zu werden.
»Wenn wir uns verlieren, dann versucht diese Halle zu finden«, fuhr Erickson nach einer Pause fort. »Die meisten Gänge führen irgendwann dorthin. Und noch etwas.«
Wieder schwieg er einen Moment. Sein Blick tastete prüfend über mein und Lasses Gesicht und saugte sich schließlich an Setchatuatuans Zügen fest. »Wenn wir auf irgend etwas stoßen, das zu leben scheint – lauft. Das gilt besonders für dich, du junger Hitzkopf. Die Bewohner dieser Stollen sind nicht mit unseren Waffen zu töten.«
»Für jemanden, der nur einmal hier war, weißt du ein wenig zu viel über diese Höhlen, finde ich«, knurrte Lasse.
Erickson starrte ihn an, schwieg aber. »Laßt uns weitergehen«, murmelte er nach einer sekundenlangen Pause. »Und redet von jetzt an so wenig wie möglich.«
Schweigend setzte sich unsere kleine Armee wieder in Bewegung. Mir fiel auf, daß die Männer dichter beieinander gingen, als nötig gewesen wäre. Selbst Setchatuatuan warf immer wieder nervöse Blicke über die Schulter zurück. Und auch ich spürte, wie das Gefühl der Furcht in meinem Inneren mit jedem Schritt an Kraft gewann. Es war eine irrationale Angst, die weder mit Logik noch mit einfacher Willenskraft zu beschwichtigen war, die Antwort meiner menschlichen Seele auf diese bizarre, sinnverwirrende Umgebung. Ich spürte, daß ich es hier unten nicht lange aushalten würde, so wenig wie irgendeiner der anderen. Es war keine Welt der Menschen, und menschliche Wesen konnten hier nicht existieren.
Nach einer Weile blieb Erickson erneut vor einer scheinbar massiven Wand stehen, gebot uns mit einer stummen Geste zurückzubleiben und legte die Hand auf den Fels.
Diesmal dauerte es länger, bis sich die Wand spaltete und einen Durchgang freigab. Ein unwirkliches, mattgrünes Licht drang durch die niedrige Öffnung, und für einen winzigen Moment spürte ich einen Schwall grausamer Kälte.
Leif Erickson trat zur Seite und deutete mit einer auffordernden Geste auf die Tür. »Dort hindurch.«

»Du gehst nicht voraus?« fragte Setchatuatuan mißtrauisch. Erickson verneinte. »Ich will den Durchgang hinter uns schließen«, sagte er. »Geh.«
Setchatuatuan zögerte sichtlich, gab sich aber dann einen Ruck und drängte sich an Lasse und mir vorbei, um als erster durch die Öffnung zu treten. Erickson wartete geduldig, bis seine Begleiter ihm gefolgt waren, hielt den letzten aber mit einem raschen Griff zurück.
»Du bleibst«, sagte er. »Ich brauche Hilfe, um die Tür zu schließen.«
Wieder hatte ich das unbestimmte Gefühl, daß etwas an Ericksons Verhalten nicht so war, wie es sein sollte. Aber wieder schob ich den Verdacht beiseite. Ich wartete, bis ich an der Reihe war, bückte mich unter dem wuchtigen Türsturz hindurch und hätte um ein Haar auf dem abschüssigen Boden dahinter den Halt verloren. An die Tür schloß sich keine weitere Treppe an, sondern eine steil in die Tiefe führende, spiegelglatte Rampe, die in einen halbkreisförmigen, von flakkerndem grünen Licht erfüllten Raum führte. Die Wände waren fugenlos und glatt. Nirgendwo war ein zweiter Ausgang zu entdecken. Wahrscheinlich war er so gut getarnt wie die Türen, die wir bisher passiert hatten.
Ich schlitterte die Rampe hinunter, bremste an ihrem unteren Ende ab, trat einen Schritt zur Seite und sah nach oben. Ich war der letzte gewesen. Außer Erickson und dem zurückgebliebenen Krieger waren wir alle hier unten versammelt.
Aber Leif Erickson machte keinerlei Anstalten, uns zu folgen. Das unangenehme Gefühl in mir wurde stärker.
»Was ist?« rief Setchatuatuan zu dem Wikinger hinauf. »Worauf wartest du noch?« Erickson starrte schweigend zu uns herab und rührte sich nicht.
»Das ... ist eine Falle«, murmelte Lasse. »Dieser Hund hat – Erickson! Du hast uns in eine Falle gelockt!«
Ich sah, wie Setchatuatuan zusammenfuhr, erschrocken zu Lasse hinüberblickte und eine halbe Sekunde lang wie erstarrt stehenblieb. Dann flog sein Kopf mit einem Ruck in den Nacken.
»Was bedeutet das?« keuchte er.
»Das, was Lasse Rotbart gesagt hat«, antwortete Erickson leise. Plötzlich wirbelte er herum, so schnell, daß ich Mühe

hatte, der Bewegung mit den Augen zu folgen, schlug dem Olmeken mit der Linken die Waffe aus der Hand und hämmerte ihm die geballte Rechte unter das Kinn. Der Mann ging mit einem halblauten Seufzer zu Boden und blieb reglos liegen.

»Es tut mir leid, Setchatuatuan«, sagte Erickson. »Aber du läßt mir keine andere Wahl.«

Er bückte sich, schälte den Mann aus seinem Mantel und schob ihn durch die Tür. Der Indio rutschte auf der schrägen Rampe nach unten und kam dicht vor Setchatuatuans Füßen zum Liegen.

»Verräter!« keuchte Setchatuatuan. »Das hast du geplant! Du hast niemals vorgehabt, uns nach Aztlan zu führen! Es gibt diesen Weg gar nicht!«

»Doch«, antwortete Erickson. Langsam nahm er den Mantel auf, legte ihn sich um die Schultern und zog ihn sorgsam zusammen, bis auch das letzte Teil seiner schimmernden Goldrüstung unter dem bestickten Kleidungsstück verschwunden war. »Es gibt ihn, Setchatuatuan, und er ist so gefährlich, wie ich euch gesagt habe. Aber dieser Kellerraum gehört nicht dazu. Ihr seid hier in Sicherheit.«

»Hund!« kreischte Setchatuatuan. »Dafür töte ich dich!« Er riß seine Axt aus dem Gürtel und schleuderte sie.

Erickson wich der Waffe mit einer fast spielerischen Bewegung aus. Setchatuatuan schrie vor Zorn auf, zerrte seinen Dolch unter dem Mantel hervor und versuchte die Rampe hinaufzustürmen.

Er kam nicht einmal zwei Schritte weit. Der schwarze Stein war glatt wie Glas. Seine Füße fanden keinen Halt. Er glitt aus, stürzte und schlug mit einem dumpfen Schmerzenslaut auf der Schulter auf.

»Streng dich nicht an«, sagte Erickson ruhig. »Ihr seid in Sicherheit. Die Wand hinter euch wird sich öffnen, sobald die Sonne im Zenit steht. Wenn ihr dem Gang folgt, gelangt ihr in die Halle, von der ich euch erzählt habe. Von dort aus führt der Weg ins Freie. Euch wird nichts geschehen.«

»Was bedeutet das, Erickson?« fragte ich halblaut. »Hast du uns wirklich die ganze Zeit über betrogen?«

»Betrogen?« Erickson lachte, leise und sehr bitter. »O nein, Robert aus Britannien. Ich versuche nur, das Leben dieses

jungen Narren neben dir zu retten, seines und das seines Volkes.«
»Wast hast du vor?«
»Was ich von Anfang an hätte tun sollen«, antwortete Erickson entschlossen. »Ich werde gehen und ihn vernichten. Nur ich allein.«
»Verräter!« kreischte Setchatuatuan. »Ich werde dich töten, Erickson. Ich werde dich jagen bis ans Ende der Welt, ganz egal, wie lange es dauert!«
»Das glaube ich nicht«, murmelte Erickson sanft. »Dorthin, wohin ich gehe, kann mir niemand folgen. Du wirst leben, Setchatuatuan, du und dein Volk. Wenn die Sonne im Zenit steht, wird sich dieser Raum öffnen, und du kannst zu deinem Volk hinausgehen. Führe es gut, du junger Hitzkopf. Du kannst es.«
Ich wollte noch eine Frage stellen, aber Erickson hob die Hand und berührte eine Stelle an der Wand neben der Tür. Mit einem dumpfen Krachen senkte sich eine zentnerschwere Steinplatte vor den dreieckigen Durchgang.

Es war kalt geworden hier unten. Während wir durch die Höhle und anschließend durch diese entsetzlichen Katakomben marschiert waren, hatte ich nicht gespürt, wie tief die Temperaturen hier drinnen waren, aber jetzt, nach Stunden – wie mir vorkam –, die ich reglos auf dem eisigen Steinboden gehockt hatte, zitterte ich vor Kälte am ganzen Leib.
Mein Zeitgefühl war durcheinandergeraten, genarrt wie alle meine Sinne von dieser bizarren, fremdartigen Umgebung, aber ich war trotzdem sicher, daß die Nacht fast vorüber sein mußte. Immer wieder irrte mein Blick zur Rückwand der Kammer. Aber der schwarze Fels rührte sich nicht.
»Vielleicht hat er ja die Wahrheit gesagt«, knurrte Lasse neben mir. Ich sah auf, versuchte zu lächeln und wurde übergangslos wieder ernst. Der Wikinger hatte meinen Blick bemerkt, aber es wäre auch so nicht schwer gewesen, meine Gedanken zu erraten. Wir hatten keinerlei Garantie, daß sich unser Gefängnis wirklich nach Ablauf der genannten Frist öffnen würde. Es konnte genausogut sein, daß wir hier unten verdursteten – wenn wir nicht vorher erfroren. Wir saßen in einer Falle, aus der wir aus eigener Kraft niemals wieder her-

auskommen würden.

Setchatuatuan und seine Krieger hatten es versucht. Die Männer hatten eine lebende Pyramide gebildet und sich die spiegelglatte Rampe hinaufgearbeitet, bis sie die Tür erreichen konnten. Es war sinnlos gewesen. Die tonnenschwere Felsplatte saß unverrückbar an ihrem Platz, so genau eingepaßt, daß sie nicht einmal die Klinge eines Messers in den Spalt darunter schieben konnten. Wir waren lebendig begraben. Wenn Erickson wirklich gelogen hatte... Ich verscheuchte den Gedanken mit einem lautlosen Seufzer, stand auf und begann unruhig in der winzigen Kammer auf und ab zu gehen. Das Geräusch meiner Schritte klang seltsam laut und störend, und mir fiel erst jetzt auf, wie still die Männer geworden waren. Selbst Setchatuatuan, der fast eine halbe Stunde lang geschrien und getobt und Leif Erickson verflucht hatte, hatte sich in einer Ecke zusammengekauert und war in dumpfes Brüten versunken.

»Es muß einfach einen Weg hier heraus geben«, murmelte Lasse Rotbart. Er stand ebenfalls auf, starrte einen Moment zu der geschlossenen Tür am oberen Ende der Rampe hinauf und drehte sich dann mit einem Ruck um.

»Er hat es doch auch gekonnt!« Mit einem schnellen Schritt trat er an die rückwärtige Wand der Kammer, preßte die Hände gegen den Fels und drückte mit aller Gewalt. Ich konnte sehen, wie sich seine Muskeln spannten.

»Laß es sein, Lasse«, murmelte ich. »Es ist doch sinnlos.«

Wir hatten die Wand abgesucht, Millimeter für Millimeter auf der Suche nach einem Spalt, einem verborgenen Mechanismus, irgendeiner Möglichkeit, sie zu öffnen, so wie es Leif Erickson getan hatte. Aber wir hatten nichts gefunden.

Lasse wandte sich mir mit einer wütenden Bewegung zu. In seinem Gesicht zuckte es. »Und was sollen wir tun?« keuchte er. »In aller Ruhe abwarten, bis wir hier unten wie die Ratten verreckt sind?«

»Sagtest du nicht, daß du keine Angst vor dem Tod hast?« fragte Setchatuatuan leise.

Lasses Kopf ruckte herum. »Ich habe keine Angst, in einem ehrenhaften Kampf zu sterben, Setchatuatuan!« zischte er. »Aber ich will hier nicht verhungern. Ich...«

»Still!« Ich hob die Hand, schüttelte zusätzlich den Kopf und lauschte.

»Was hast du?« fragte Lasse. »Ich höre nichts.«

»Aber ich«, murmelte Setchatuatuan. Er stand ebenfalls auf, verharrte einen Moment reglos mit schräggehaltenem Kopf und deutete dann auf die Wand hinter dem Wikinger.

Nach und nach hörten es auch die anderen: Aus dem massiven Fels drang ein leises Rascheln, ein Schaben und Huschen wie von Millionen winzigen Füßchen. Das Geräusch wurde lauter, steigerte sich zu einem dumpfen, mahlenden Knirschen, und dann erschien ein haarfeiner, gezackter waagrechter Riß in der glatten Wand. Lasse wich mit einem überraschten Aufschrei zurück. Auch die anderen Männer sprangen auf die Füße und bildeten einen weiten Halbkreis um die Mauer.

Die Öffnung, die hier vor uns entstand, war anders als die Durchgänge, die wir bisher passiert hatten. Die Wand spaltete sich, aber sie tat es langsam und ruckartig, ganz so, als wäre da noch eine andere Kraft, die sie mit aller Gewalt daran hindern wollte, sich zu öffnen.

Der Spalt war jetzt so breit wie meine Hand. Auf der anderen Seite schimmerte Licht, der gleiche, geisterhafte grüne Schein wie hier, aber auch flackerndes rotes Fackellicht, das von weither zu kommen schien.

»Das gefällt mir nicht«, sagte Lasse. Seine Stimme schwankte, und ich glaubte einen deutlichen Unterton von Furcht darin zu hören. Aber ich schwieg und konzentrierte mich weiter auf die Wand.

Die Öffnung wuchs, langsam, aber beständig. Nach wenigen Minuten schon hatte sich ein gut zwei Yards breiter, gezackter Riß gebildet. Seine Kanten glitzerten wie rasiermesserscharfe Zähne, und für einen winzigen Moment hatte ich das Gefühl, keine Wand, sondern das Maul eines gewaltigen steinernen Ungeheuers zu sehen.

Ich trat an Lasse und Setchatuatuan vorbei und ging in die Hocke, um einen Blick durch den Riß werfen zu können.

Die unheimliche unterirdische Welt der Großen Alten setzte sich auf der anderen Seite der Mauer fort, wenn auch seltsam verändert: Die Luft roch nach Moder und Verfall, und der Boden war mit Trümmern und Unrat übersät; Staub hing in grauen, trägen Schleiern in der Luft, und von weither dran-

gen dumpfe, nicht zu identifizierende Geräusche zu uns herein.
»Sei vorsichtig«, murmelte Lasse.
Ich nickte, streckte behutsam die Hände aus und berührte den Rand des Risses. Die Wand fühlte sich seltsam an – nicht wie Stein, sondern eher wie Horn oder Knochen, und ich glaubte ein sanftes, schwerfälliges Vibrieren zu spüren. Fast wie Pulsschlag, dachte ich erschrocken.
Ich tauschte einen nachdenklichen Blick mit Lasse, richtete mich auf – und zog mich rasch entschlossen durch den Spalt.
»Robert! Vorsicht!«
Lasses Warnschrei wäre um ein Haar zu spät gekommen. Ich spürte die Bewegung mehr, als ich sie sah: ein rasches, gieriges Zucken, das durch die schwarze Wand fuhr, begleitet von einem stöhnenden Laut. Mit einer verzweifelten Bewegung warf ich mich nach vorn, zog die Knie an den Körper und schlug auf der anderen Seite auf.
Keinen Sekundenbruchteil zu früh!
Hinter mir schnappte der Felsspalt wie ein gewaltiges steinernes Maul zu. Ich schrie vor Schrecken und Überraschung auf, sprang auf die Füße und wich instinktiv zwei, drei Schritte von der lebenden Wand zurück. Der Fels bebte. Eine rasche, wellenförmige Bewegung lief durch das schwarze Material, dann ertönte wieder dieses leise, knisternde Schaben, und erneut entstand ein haarfeiner Riß in der Wand.
So wie beim erstenmal dauerte es Minuten, bis sich der Spalt so weit verbreitert hatte, daß ich einen Blick hindurch werfen konnte.
Lasse, Setchatuatuan und die Olmekenkrieger waren so weit von der Wand zurückgewichen, wie es der beengte Raum drüben zuließ. Trotz der schlechten Beleuchtung konnte ich sehen, daß der hünenhafte Wikinger blaß vor Schrecken geworden war.
»Bei allen Göttern!« keuchte er. »Was war das?«
»Ich weiß es nicht«, antwortete ich. »Aber ihr müßt vorsichtig sein. Geht einzeln hindurch. Und beeilt euch.«
Der Wikinger zuckte sichtlich zusammen. »Das ist nicht dein Ernst!« keuchte er. »Du willst, daß wir durch dieses Teufelsmaul gehen? Es wird uns töten!«
»Wir haben keine andere Wahl«, sagte Setchatuatuan, ehe

ich Gelegenheit hatte zu antworten. »Hier drinnen verhungern wir.«
Umständlich schälte er sich aus seinem Mantel, rollte ihn zu einem Bündel zusammen und warf es durch den Spalt. Der Fels zuckte, schloß sich aber nicht wieder.
»Aber du kannst ja hierbleiben, wenn du Angst hast«, fügte der Olmekenprinz spöttisch hinzu. Dann spannte er sich, trat einen Schritt nach vorne – und setzte mit einem eleganten Hechtsprung durch den Spalt.
Der Fels schnappte wie ein steinernes Schildkrötenmaul nach seinen Füßen. Setchatuatuan schrie auf, als die messerscharfe Kante des Steinmaules sein Bein streifte und eine tiefe, blutende Wunde in seine Haut riß. Er fiel, versuchte den Aufprall abzufangen und schaffte es nur zur Hälfte: Seine Arme knickten unter dem Gewicht seines Körpers weg, und er schlug mit dem Gesicht gegen den felsigen Boden. Sein Schmerzensschrei vermischte sich mit dem Krachen des zuklappenden Felsmaules.
Ich war mit einem Satz bei dem jungen Olmeken, kniete neben ihm nieder und wollte ihm aufhelfen. Setchatuatuan stöhnte, schlug meine Hand beiseite und setzte sich aus eigener Kraft auf.
Ich erschrak, als ich sah, wie schwer Setchatuatuan verletzt war. Er mußte mit dem Gesicht auf einen der scharfkantigen Brocken gefallen sein, die den Boden bedeckten. Seine Nase war geschwollen und blutete stark, die linke Wange war aufgeschürft und sein Mund von einer häßlichen Platzwunde in zwei ungleichmäßige Hälften geteilt. Aber sein Blick war klar und loderte vor Wut.
»Kannst du aufstehen?« fragte ich.
Setchatuatuan starrte mich einen Herzschlag lang an, als sähe er mich gar nicht. Aber dann nickte er, versuchte sich hochzustemmen und sank mit einem wimmernden Laut wieder zurück. Mein Blick fiel auf die offene Wunde an seinem Bein. Sie war wahrscheinlich nicht sehr gefährlich, aber dafür um so schmerzhafter. Weit würde er mit diesem Bein nicht laufen können.
»Wir müssen uns etwas einfallen lassen«, sagte ich gehetzt, »um den Spalt offen zu halten. Wir beide haben nur Glück gehabt. Und es darf nicht noch mehr Tote geben.«

Setchatuatuan nickte müde. Mit schmerzverzerrtem Gesicht stemmte er sich auf einem Bein hoch, starrte kurz die Wand an und sah sich dann suchend um.
Der Fels unter unseren Füßen knisterte. In der Mauer entstand erneut ein haarfeiner gezackter Riß.
»Was ist passiert?« drang Lasses Stimme durch die Öffnung. »Lebt er?«
»Setchatuatuan ist verletzt«, antwortete ich. »Aber nicht sehr schlimm. Bleibt drüben – wir versuchen die Öffnung zu blokkieren!«
Inzwischen hatte Setchatuatuan entdeckt, wonach er gesucht hatte, und deutete auf einen großen, abgerundeten Felsbrokken, der wenige Schritte hinter uns im Staub lag. Ich nickte, versuchte den Stein aufzuheben und stieß mit einem überraschten Keuchen die Luft aus. Der Fels schien Tonnen zu wiegen.
»Warte«, sagte Setchatuatuan. »Ich helfe dir.«
Ungeschickt, nur das rechte Bein und das linke Knie benutzend, kroch Setchatuatuan zu mir herüber, hockte sich dann auf beide Knie und hob den Felsen an einer Seite an. Auch ich versuchte es erneut, und gemeinsam gelang es uns, den Stein ein winziges Stückchen hochzustemmen und in Richtung Wand fortzubewegen.
»Das schafft ihr nicht«, sagte Lasse. Er war dichter an die Öffnung herangetreten und verfolgte unseren Versuch gebannt, hielt aber respektvollen Abstand zu den rasiermesserscharfen Knochenzähnen der Wand. »Ich komme euch helfen – wartet.«
Ich wollte widersprechen, aber Setchatuatuan hielt mich mit einem raschen Kopfschütteln zurück. Lasse hatte recht – der Felsen war zu schwer für uns allein. Und wir wußten nicht, wie lange die Wand noch offenbleiben würde. »Also gut«, murmelte ich. »Versuche es. Aber sei vorsichtig.«
Lasse Rotbart lachte leise. »Keine Angst. Ich bin vielleicht ein alter Mann aber ich kann mich noch immer ganz gut bewegen. Tretet zur Seite.«
Vorsichtig legte er Helm und Gürtel ab, trat ein paar Schritte zurück und spannte sich. Der Rand des Felsenmaules begann sanft zu zittern. Gleichzeitig spürte ich, wie sich irgend etwas Unsichtbares, Gieriges in den Schatten regte. Ich wollte noch

eine Warnung ausstoßen, aber es war zu spät. Lasse rannte los, stieß sich mit einer kraftvollen Bewegung ab und hechtete durch den Spalt, genau wie Setchatuatuan vor ihm.
Aber er war nicht ganz so schnell wie er. Jedenfalls nicht schnell genug.

Es dauerte eine halbe Stunde, bis Lasse Rotbart starb. Die steinernen Kiefer des Teufelsmaules, in das sich der Durchgang verwandelt hatte, waren nicht kraftvoll genug gewesen, seinen Brustharnisch zu durchdringen. Das steinharte Leder hatte standgehalten; Lasses Körper nicht. Er hatte keine äußerlichen Verletzungen, sah man von ein paar Kratzern und Hautabschürfungen ab, aber in seinem Inneren war etwas zerbrochen. Er war bei Bewußtsein, redete jedoch wie im Fieber, und ab und zu hustete er qualvoll und spuckte Blut.
Der Wikinger war das einzige Opfer der Todesfalle geblieben. Fast, als hätte der Geist dieser unseligen Stadt das Blutopfer bekommen, das er verlangte, hatte sich das gräßliche Maul mit einemmal wieder in kalten, leblosen Stein zurückverwandelt; die Öffnung war stabil geblieben, und Setchatuatuans Männer hatten sie ungefährdet passieren können. Ich nahm von alledem kaum etwas wahr. Ich hatte versucht, etwas für den Wikinger zu tun, aber ich war machtlos; seine Verletzungen waren zu schwer. Vermutlich hätte niemand den Wikinger mehr retten können – und vermutlich hätte er es auch gar nicht gewollt. Ich mußte daran denken, wie er mich gebeten hatte, ihn mitzunehmen in das Land aus dem ich gekommen war, und ich glaubte erst jetzt wirklich zu verstehen, was in ihm in den letzten Stunden und Tagen vorgegangen war.
Er hatte die letzten Jahre nur für seine Rache gelebt – aber wenn sie einmal vollzogen war, wäre er nur noch ein Fremder in einem fremden Land gewesen, ein Mann, der unendlich weit von seiner Heimat entfernt und wohl auch unendlich einsam gewesen wäre.
Vielleicht, dachte ich, während ich neben dem Sterbenden kniete und die Hand auf seine fiebernde Stirn preßte, wäre er sogar zufrieden gewesen, daß es so gekommen war – wenn er sich auch sicher ein anderes Ende gewünscht hätte. Dieser rauhe, harte Mann hatte niemals Angst vor dem Tod gehabt,

aber auf solche Art zu sterben war einfach unwürdig. Unwürdig und sinnlos.
Lasse kam nicht noch einmal zu sich. Er starb schnell und so lautlos, daß ich eine Zeitlang gar nicht merkte, daß ich die Hand eines Toten hielt. Erst als Setchatuatuan mich leise an der Schulter berührte und wortlos auf Lasses erloschene Augen hinunterdeutete, erwachte ich aus meinen Gedanken und stand auf.
»Wir sollten ihn... begraben«, murmelte ich.
Setchatuatuan schüttelte den Kopf. »Das geht nicht«, sagte er leise. »Wir haben weder die Zeit noch die Möglichkeit dazu.«
Ich sah mich stumm um. Die Halle, in der wir waren, bestand aus dem gleichen schwarzen Felsen wie der Rest dieses unterirdischen Labyrinthes. Ein Teil der Decke und eine der Seitenwände waren eingestürzt, und überall lagen Schmutz und Unrat, aber Setchatuatuan hatte recht – selbst wenn wir Werkzeuge und Zeit gehabt hätten, wäre es unmöglich gewesen, den Wikinger hier zu begraben. Vielleicht hätten wir Steine über den Leichnam häufen und ihn so vor den Ratten schützen können, doch selbst dazu fehlte uns die Zeit. Und mitnehmen konnten wir ihn nicht.
»Laßt ihn dort liegen, wo er starb«, sagte Setchatuatuan. »Er hätte es nicht anders gewollt.«
Ich nickte. Vermutlich hatte der Olmeke recht. Lasse war kein Mann gewesen, der Wert auf Zeremonien und große Gesten legte. »Er war ein tapferer Mann.«
»Das war er«, antwortete der Olmekenprinz. In seinem Gesicht zuckte es, aber seine Stimme klang ruhig wie immer. »Wir waren Freunde. Und es hätte noch viel zu tun gegeben für ihn. Mein Volk braucht solche Männer.«
Er ballte die Faust, und plötzlich huschte Zorn über seine Züge. »Es tut mir nur leid, daß er das Ende dieses Verräters Erickson nicht mehr miterleben kann«, fuhr er, mit veränderter Stimme, fort. »Aber ich werde ihn rächen, das schwöre ich. Ich werde Erickson eigenhändig töten, und wenn ich ihn bis ans Ende der Welt jagen müßte.«
Ich sah ihn von der Seite an, erwiderte aber nichts. Irgend etwas sagte mir, daß es anders kommen würde.
»Laß uns gehen«, sagte ich. »Wir müssen irgendwie einen Weg hier heraus finden. Wenn Erickson die Wahrheit gesagt

hat, führt diese Höhle ins Freie.« »Die Wahrheit?« Setchatuatuan lachte bitter. »Wahrscheinlich werden wir nur in eine weitere Falle laufen, wenn wir dem Weg folgen, den er uns genannt hat.«

»Wir müssen es riskieren«, antwortete ich. Mein Blick saugte sich an den grauen Schatten im hinteren Teil des Gewölbes fest. Die Höhle war gigantisch – nicht sehr hoch, aber weitläufig, eine riesenhafte unterirdische Halle, so groß, daß sich der Blick weit vor ihrem gegenüberliegenden Ende im Ungewissen verlor. Aber sie schien – wenigstens soweit ich sehen konnte – keinen zweiten Ausgang zu haben. Wir hatten gar keine andere Wahl, als Ericksons Worten zu vertrauen, trotz allem, was geschehen war.

Ich fror plötzlich. Aber es war eine Kälte, die aus mir selbst zu kommen schien.

Schweigend brachen wir auf. Ich sah ein paarmal über die Schulter zurück, selbst, als Lasses Leichnam schon längst in den Schatten hinter uns verschwunden war, und das bittere Gefühl in mir wurde mit jeder Sekunde stärker. Es war so sinnlos gewesen.

Aber vielleicht war es das auch nicht, und vielleicht war ich nur in eine Welt vorgedrungen, deren Regeln ich nicht begreifen konnte.

Der Morgen dämmerte, als wir endlich die unterirdische Halle verließen. Der Himmel war noch schwarz, aber im Osten zeigte sich bereits ein blasser, grauer Streifen. Wir hatten fast eine Stunde gebraucht, um aus dem Höhlenlabyrinth herauszufinden – auf dem Weg, den Erickson uns genannt hatte: Nach einem kurzen Marsch durch die riesige unterirdische Halle waren wir an eine Stelle gekommen, wo ein Teil der Höhlenwand eingestürzt war und ein vielleicht zehn mal fünf Yards großes Stück der Decke mitgerissen hatte, so daß eine steile Schutt- und Geröllhalde entstanden war, über die wir ans Tageslicht zurückkehren konnten. Aber der Aufstieg war mörderisch. Die Halde war nicht halb so kompakt, wie sie ausgesehen hatte; unter jedem unserer Schritte lösten sich Steine und kollerten zurück, und mehr als einmal trat einer der Männer eine krachende Lawine los, die donnernd in der grünlichen Dämmerung der Katakomben verschwand.

Einer von Setchatuatuans Olmeken wurde mitgerissen und so schwer verletzt, daß wir ihn zurücklassen mußten, und auch von den anderen – mich eingeschlossen – kam keiner ohne mehr oder weniger zahlreiche Schrammen und Prellungen und blaue Flecken davon. Wir alle waren zum Umfallen erschöpft, als wir endlich wieder ins Freie traten, genauer gesagt: krochen.
Und trotzdem vergaß ich meine Erschöpfung und die zahllosen kleinen und großen Schmerzen, die meinen Körper peinigten, kaum daß ich um mich sah.
Der Anblick war überwältigend: phantastisch und schrecklich, bedrückend und majestätisch zugleich, und doch nichts von alledem. Es war unmöglich, diese Stadt zu beschreiben. Man hätte neue Worte und vor allem neue Superlative erfinden müssen, um auszudrücken, was ich im allerersten Moment fühlte.
Minutenlang hockte ich einfach schweratmend da und starrte wie gebannt die zyklopischen schwarzen Mauern an, die direkt vor uns in die Höhe wuchsen, und den anderen erging es nicht anders.
Es war Aztlan. Das Loch im Boden, aus dem wir herausgekrochen waren, lag unmittelbar am Fuße der titanischen Wehrmauer, die diese Stadt des Wahnsinns umschloß. Ihre Mauern bestanden aus einem schwarzen Material, das Stein oder Lava sein konnte, aber auch etwas anderes, und mußte weit über hundert Fuß messen; vielleicht waren sie aber auch drei- oder vier- oder auch zehnmal so hoch. Es war unmöglich, sie auch nur über längere Zeit hinweg zu betrachten; es war, als glitte der Blick haltlos von den gigantischen schwarzen Flanken dieser Irrsinnsstadt ab; fast, als wehre sie sich dagegen, betrachtet zu werden. Der Odem des Fremden, Feindseligen war hier so stark, daß er mir fast den Atem nahm. Aztlan war eine Stadt der Großen Alten. Jetzt gab es keinen Zweifel mehr. Ebensowenig, wie es jetzt noch einen Zweifel daran gab, welche Art von Wesen diese Stadt beherrschte...
Ich schauderte. Plötzlich hatte ich Angst, panische, entsetzliche Angst, wie selten zuvor in meinem Leben. Es war nicht die Furcht vor irgend etwas, keine konkrete Angst vor einer Bedrohung oder Gefahr, sondern die pure Ausstrahlung Azt-

lans, die meine Seele wie ein höllischer Eishauch streifte und zum Erstarren brachte.
Neben mir stöhnte Setchatuatuan leise. Seine Augen waren so groß, als wollten sie jeden Moment aus den Höhlen quellen. Ich wußte, daß er dasselbe empfand wie ich; vielleicht war sein Entsetzen sogar noch stärker, denn für ihn war es das erstemal, daß er mit der grauenhaften Welt der Großen Alten konfrontiert wurde.
Langsam stand ich auf, trat ein Stück vom Rand der eingebrochenen Höhlendecke weg und sah mich um. Wir waren auf einem kleinen, kaum fünfzig Schritte im Quadrat messenden Felsplateau herausgekommen, das an drei Seiten von den schwarzen Wehrmauern Aztlans eingeschlossen war; auf der vierten brach der Fels jäh ab, um sich dann in einem sanften Gefälle zum Meer herabzusenken.
Aber was für ein Meer!
Das Wasser lag glatt wie ein mächtiger, aus blindem grauen Blei gegossener Spiegel unter uns. An seinem Gestade ragten Felsen auf, knorrige, tiefschwarze Schatten, an denen sich schaumige Wellen in gespenstischer Lautlosigkeit brachen. Ich fror, denn obwohl die Luft warm war und der Boden noch die gespeicherte Hitze des Vortags atmete, wehte ein eisiger Wind, der in den letzten Minuten noch zusätzlich aufgefrischt hatte. Wie durch einen geheimnisvollen Zauber schien er aber die erstarrten Wellen des Meeres zu unseren Füßen nicht zu berühren. Es war ein sehr eigentümlicher Wind.
Nach einer Weile begann die Kälte durch meine Kleidung und unter meine Haut zu kriechen. Meine Fingerspitzen wurden taub, und mein Gesicht prickelte, als scheuerten Millionen mikroskopisch feiner Glassplitter über meine Haut.
Es war kein Seewind, böig und von dem eigentümlichen Aroma des Ozeans erfüllt, jener Mischung zwischen Salzwasser und dem Geruch nach Ferne und Grenzenlosigkeit, sondern ein beständiger, sehr gleichmäßiger und unangenehmer Luftzug, der einen an offenstehende Fenster und nicht richtig schließende Türen in einer kalten Winternacht denken ließ.
Und er stank.
Er stank nach fauligem Fisch, nach verrottendem Tang und noch etwas anderem, unbeschreiblich Widerwärtigem.
Ich fühlte mich immer unwohler. Für einen Moment ver-

suchte ich mir einzureden, daß es nur der ekelige Geruch war, der mich nervös machte, aber im Grunde wußte ich genau, daß das nicht stimmte. Es war etwas anderes.
Plötzlich mußte ich an eine Spinne denken, die reglos dahockt und darauf wartet, daß die ahnungslose Fliege in ihr Netz geht.
Ich sah auf, als ich Schritte hinter mir hörte, und erkannte Setchatuatuan. Der junge Olmekenprinz war blaß wie ein Leichentuch. Sein Blick flackerte wie der eines Wahnsinnigen. »Was... ist... das... hier?« flüsterte er, stockend, mit großen Pausen zwischen den Worten, als koste ihn das Sprechen seine ganze Kraft. »Das ist unmöglich. Aztlan... liegt nicht am Meer.«
Ich blickte schaudernd auf den schwarzen Teerozean hinab. Setchatuatuans Worte überraschten mich nicht einmal wirklich. Dies war kein wirkliches Meer. Wie Aztlan war es ein Teil jener anderen, verbotenen Welt. Vielleicht war der Ort, an dem wir uns befanden, so etwas wie die Grenze, eine winzige, durchlässige Stelle in der unsichtbaren Mauer, die die verschiedenen Wirklichkeiten voneinander trennt. Ich antwortete nicht.
»Wir müssen weiter«, sagte Setchatuatuan nach einer Weile. »Einer der Nordkrieger hat einen Weg in die Stadt gefunden. Eine Bresche in der Mauer.« Ich starrte ihn an. »Du willst wirklich dort hinein?« fragte ich schaudernd. Setchatuatuan war halb wahnsinnig vor Angst, das sah ich. Aber er nickte trotzdem. »Deshalb sind wir hier, oder?«
Ich widersprach nicht mehr, sondern folgte ihm. Der Durchlaß in der Mauer, den der Wikinger entdeckt hatte, entpuppte sich als gewaltsam gebrochene Lücke, halb so hoch wie ein Mann und kaum einen halben Yard breit. Sie sah aus, als hätte etwas mit der Wucht einer Interkontinental-Rakete das schwarze Material getroffen und einfach durchschlagen. Schaudernd ließ ich mich auf die Knie herabsinken und spähte hindurch. Die Mauer mußte mindestens zwanzig Yards dick sein; das Loch erinnerte mich auf sehr unangenehme Weise an ein Kanonenrohr. Die Vorstellung, dort hindurchkriechen zu müssen, behagte mir ganz und gar nicht. Aber es gab keinen anderen Weg in die Stadt hinein. Allein die Vorstellung, diese monströse Mauer übersteigen zu wol-

len, war schlichtweg lächerlich.
Mit klopfendem Herzen kroch ich los. Der Tunnel war so eng, daß ich praktisch am Bauch robben und mich an Finger- und Zehenspitzen vorwärts schieben mußte, und meine überreizten Nerven gaukelten mir immer wieder Bewegungen und Geräusche vor, die nicht da waren. Wahrscheinlich brauchte ich nicht mehr als fünf Minuten, um durch den Tunnel zu kriechen, aber sie kamen mir vor wie Stunden, und hinterher war ich so erschöpft, als hätte ich einen Marathonlauf hinter mir. In meinem Kopf drehte sich alles und meine Glieder schienen Tonnen zu wiegen. Aber es lag nicht an der Anstrengung. Es war diese Stadt, die alle Kraft aus mir heraussaugte, mit jedem Schritt, den ich mich ihrem Herz näherte, ein bißchen mehr.
Hinter mir kroch Setchatuatuan aus dem Schacht und ließ sich erschöpft neben mich sinken. Er sagte kein Wort, aber das war auch nicht nötig. Aztlan erstreckte sich in seiner ganzen Größe und Schrecklichkeit vor uns. Von der Stelle aus, an der wir eingedrungen waren, konnte man die gesamte Stadt überblicken, so, als wäre diese Bresche in der Mauer zu keinem anderen Zweck gerade hier geschlagen worden.
Die Stadt war ein Monstrum. Sie war schwarz, ein Schwarz von einer Tiefe und Intensität, wie ich es nie zuvor gesehen hatte, und nichts in ihr glich irgend etwas Vertrautem oder auch nur vage Bekanntem. Es bereitete mir fast körperliche Schmerzen, sie auch nur anzublicken.
»Wachen«, sagte Setchatuatuan leise. Seine Hand wies auf eine Stelle gut hundert Yards vor uns, und auch mein Blick glitt über die einwärts geneigten Mauern. Drei, vier Männer patrouillierten auf den überdachten Wehrgängen diesseits der Zinnen, und hinter den schmalen Fenstern der quadratischen Türme flackerte roter Feuerschein. Ich konnte die Gestalten nicht genau erkennen, sie waren zu weit entfernt, aber irgend etwas daran beunruhigte mich. Ich war nicht sicher, daß es sich wirklich um Menschen handelte.
Die Mauer war nur schwach besetzt, aber es war auch nicht notwendig, mehr Männer zum Schutz der Stadt abzustellen, dachte ich. Aztlan war unbesiegbar. Selbst wenn Erickson uns nicht verraten hatte, würde es zu einem unbeschreiblichen Blutbad kommen, sollte Setchatuatuans Armee wirklich

so wahnsinnig sein, diese Mauern stürmen zu wollen.
Setchatuatuan schien ähnliches durch den Kopf zu gehen, denn auf seinem Gesicht machte sich Betroffenheit breit. Doch bevor er oder ich etwas sagen konnte, erklang irgendwo unter uns ein dumpfer, dröhnender Gong.
Das Geräusch schien die Stadt in ihren Grundfesten erzittern zu lassen, steigerte sich zu einem ungeheuren Orkan aus Lärm und brach unvermittelt ab. Für einen endlosen Moment schien die Zeit stillzustehen.
»Was bedeutet das?« fragte Setchatuatuan.
Ich zuckte hilflos mit den Schultern. »Sicher nichts Gutes«, murmelte ich.
»Vielleicht die Ankunft eures Heeres.«
Setchatuatuan schüttelte den Kopf. »Es ist zu früh. Sie können noch nicht hier sein. Es ... es muß etwas mit ... Erickson zu tun haben.« Er stand auf, warf noch einmal einen sichernden Blick zu der Mauerkrone über uns und den Wächtern und sah sich dann suchend am Boden um. Es dauerte nur ein paar Sekunden, bis er sich wieder aufrichtete und mich aufgeregt zu sich heranwinkte.
»Spuren!« rief er. »Das sind frische Fußspuren! Sie müssen von Erickson stammen. Kommt!«
Ich blickte neugierig auf die Stelle, auf die sein ausgestreckter Zeigefinger wies, aber ich sah rein gar nichts. Trotzdem folgte ich ihm, ebenso wie die vier Wikinger und das knappe Dutzend Olmeken-Krieger, die uns begleiteten. Eine Zeitlang bewegten wir uns parallel zur Mauer, dann blieb Setchatuatuan plötzlich wieder stehen und deutete auf eine kaum sichtbare Einkerbung im Boden. »Dort!« Als ich genauer hinsah, erkannte ich, daß es nicht einfach ein Riß im Stein war, sondern eine metallene Klappe, die so perfekt in den Boden eingepaßt war, daß nur jemand mit den scharfen Augen eines Setchatuatuan eine Chance hatte, sie zu entdecken.
Der Olmeke ließ sich in die Hocke sinken, zog einen Dolch aus dem Gürtel und zwängte die Klinge in den Spalt. Seine Muskeln spannten sich. Im ersten Moment dachte ich, die Klinge des Obsidianmessers würde einfach abbrechen – aber dann schwang die Klappe auf; rasch und ohne das geringste Geräusch, als wären die Scharniere erst vor kurzem frisch geölt worden.

Ein Schwall abgestandener, feuchtkalter Luft schlug uns entgegen. Die obersten drei oder vier Stufen einer roh in den lehmigen Boden gegrabenen Treppe waren zu sehen und ein blasses, sonderbar unangenehmes grünliches Licht, das aus der Tiefe emporstieg und in ständiger, wabernder Bewegung zu sein schien.
Und Laute drangen zu uns empor...
Sie waren so schwach, daß ich sie im allerersten Moment mehr erahnte als wirklich hörte, aber als ich mich konzentrierte und einen Augenblick gebannt lauschte, begannen sie rasch eine beunruhigende Realität anzunehmen. Es waren Geräusche, wie ich sie nie zuvor gehört hatte und die doch erschreckend vertraut klangen: ein unmenschliches Schreien und Wimmern, ein Jammern und Quietschen und Quäken, das sich manchmal zu einer entsetzlichen Melodie zu formen schien, jedesmal aber wieder in schrille Dissonanz abkippte, wenn ich glaubte, so etwas wie einen Rhythmus darin zu erkennen.
Aber die Laute berührten etwas in mir, eine düstere, tief verborgene Seite meiner Seele, etwas wie eine Erinnerung an Dinge, die ich niemals selbst erlebt hatte.
Ich riß mich gewaltsam aus den Gedanken, tauschte einen letzten Blick mit Setchatuatuan und setzte mit klopfendem Herzen den Fuß auf die oberste Stufe. Das Licht nahm an Intensität zu, als wir langsam in die Tiefe stiegen, ohne dabei wirklich heller zu werden. Ich konnte auch seine Quelle nirgends entdecken: Es war einfach da, als leuchte die Luft selbst in diesem seltsam unheiligen Schein. Die Treppe führte sehr weit in die Tiefe. Ich zählte an die siebzig Stufen, die nach einer Weile nicht mehr aus aufgeweichtem, klebrigem Lehm, sondern aus Felsen bestanden. Schließlich fanden wir uns in einem nur halbhohen, runden Gang wieder, dessen Wände mit groben Zeichnungen und in den Felsen gekratzten Bildern übersät waren. Obgleich ich nur auf den allerwenigsten davon irgendwelche konkreten Formen ausmachen konnte, übten sie doch eine beunruhigende Wirkung auf mich aus, denn vieles von dem, was auf den ersten Blick wie sinnlose Linien und Striche aussah, entpuppte sich bei genauerer Betrachtung als, wenn auch schwer erkennbare, Darstellungen gotteslästerlicher Wesen und rätselhafter Be-

gebenheiten, die alle in einem geheimnisvollen Zusammenhang zu stehen schienen.
Und sie waren alt, unglaublich alt. Dieser Gang, der so niedrig war, als wäre er für weit kleinere Wesen als Menschen gebaut, mußte erschaffen worden sein, lange bevor Menschen hierhergekommen waren, lange bevor Aztlan entstanden war; und dazu mit Hilfe einer Technik, die ich mir nicht einmal vorzustellen vermochte, denn seine Wände waren glasig und wie poliert, als wäre der ganze Schacht in den Felsen hineingebrannt worden.
Sehr vorsichtig gingen wir weiter. Niemand sprach. Das grüne Licht begleitete uns, doch auch wenn es den Gang erhellte, verhinderte es zugleich, daß wir sahen, wohin uns unser Weg führte, denn alles, was weiter als zehn Schritte vor uns lag, schien sich hinter einem wogenden grünlichen Vorhang zu verbergen.
Dafür wurde der entsetzliche Nicht-Gesang lauter. Nach ein paar Dutzend Schritten steigerte er sich zu einem gräßlich gröhlenden Chor der unbeschreiblichsten Laute, die auf entsetzliche Weise weder aus Menschen-, noch aus Tierkehlen zu stammen schienen, aber die – und das war das Schrecklichste überhaupt – doch irgendwie einen Sinn ergaben, wenn auch einen, an den ich nicht einmal zu denken wagte.
Nach einer Weile begann sich der Gang zu erweitern, so daß wir aufrecht gehen konnten; gleichzeitig nahm die Unversehrtheit seiner Wände und Decken aber in erschreckendem Maße ab: Große, pockennarbig wirkende Löcher gähnten in der grünschwarzen Glasur, viele der blasphemischen Zeichnungen waren beschädigt oder wie von zorniger Hand ganz ausgelöscht, und nach einigen weiteren Dutzend Schritten gelangten wir zu einem unregelmäßig geformten, wohl eher von der Hand der Natur geschaffenen Tunnel, zu dem der Stollen, durch den wir bis jetzt gewandert waren, möglicherweise nur eine künstliche Verlängerung darstellte.
Wir gingen langsamer, denn auch das grüne Leuchten nahm nun deutlich ab. Dafür gewann der alptraumhafte Gesang immer mehr und mehr an Gewalt und begann selbst meinen Pulsschlag in seinen Takt zu zwingen.
Ich blieb stehen, um meinen Augen Gelegenheit zu geben, sich an die Dunkelheit zu gewöhnen, und lauschte. Wir muß-

ten der Quelle der entsetzlichen Geräusche und Laute jetzt sehr nahe sein. Immer deutlicher hörte ich diesen fürchterlichen arhythmischen Rhythmus, und dazwischen erklangen Worte, die keine Worte waren, sondern die schiere Verhöhnung jeglicher menschlicher Artikulation. *Ngai ngai!* kreischten die gräßlichen Stimmen. *Yiäh Cthulhu fhtagn! Yiäh! Cthulhu!* Immer und immer wieder.
Meine Hände begannen zu zittern, und plötzlich, von einer Sekunde auf die andere, war die Angst da, eine Angst, der ich hilflos ausgeliefert war, denn es war eine Empfindung, die tief in der Seele jedes Menschen verwurzelt ist, etwas Angeborenes und Übermächtiges, gegen das das logische Denken und der Verstand wehrlos sind, ähnlich der Angst vor Feuer, vor Schmerzen und dem Tod, nur viel stärker. Es dauerte lange, bis ich die Kraft fand, sie niederzukämpfen und weiterzugehen.
Der Weg war jetzt nicht mehr weit. Nach wenigen weiteren Schritten tat sich eine gewaltige unterirdische Grotte vor uns auf, die zu vier Fünftel mit Wasser gefüllt war; Wasser, das zweifellos aus dem Meer kam und so penetrant stank, daß es mir fast den Atem benahm. Und in diesem Wasser bewegte sich etwas.
Dann sah ich die Gestalten.
Ihr Anblick ließ mir das Blut in den Adern gefrieren.
Es war ein gutes Dutzend finsterer, nackter Gestalten, die einen grotesken Tanz am felsigen Uferstreifen des unterirdischen Sees aufführten, das gräßliche *Ngai ngai! Yiäh Cthulhu fhtagn! Yiäh! Cthulhu!* ausstoßend und dabei unablässig in die Höhe und zur Seite hüpfend und springend, mit Bewegungen, die so unnatürlich waren wie ihr Gekreische, und ebenso abstoßend.
Sie waren keine Menschen.
Aber es waren auch keine Tiere, sondern Wesen, die auf furchteinflößende Weise zugleich zu beiden und zu keiner der beiden Spezies zu gehören schienen, grausige Spottgeburten von grob menschenähnlicher Gestalt, zugleich frosch- und fischähnlich, mit einer Haut wie schwarzes und grünes Leder, einer jeder Beschreibung spottenden Physiognomie und gewaltigen Händen und Füßen, zwischen deren Fingern und Zehen sich ekelig schimmernde Schwimmhäutchen

spannten. Wie besessen hüpften und sprangen sie zu ihrem Gegröhle am Ufer des unterirdischen Sees entlang, mal einzeln und unabhängig voneinander, mal zugleich, einem nicht erkennbaren Takt folgend.
Zugleich angeekelt wie fasziniert von dem entsetzlichen Anblick ließ ich mich hinter einen Felszacken sinken und beobachtete das tierhafte Treiben der Ungeheuer weiter; gleichzeitig gab ich dem mir folgenden Setchatuatuan und seinen Begleitern mit stummen Gesten zu verstehen, vorsichtig zu sein.
Der entsetzliche Tanz hielt an, wurde aber unmerklich schneller, bis die ganze Höllenbrut wie in Raserei am Ufer umherwirbelte und ihr Kreischen die Höhle ausfüllte wie das Wimmern von tausend Teufeln.
Dann geschah etwas Grauenvolles.
Die Bewegung im See, die ich schon einmal bemerkt hatte, wiederholte sich, viel stärker und deutlicher diesmal, und etwas Großes begann aus den schwarzen Fluten nach oben zu steigen, etwas von so abstoßenden Umrissen, daß mein Verstand sich weigerte, es klar zu erkennen. Noch einmal steigerte sich der Gesang des höllischen Gezüchtes; ihre wilden Tänze gerieten endgültig zu einem spasmischen Zucken und Toben.
»Da!« zischte Setchatuatuan. Seine Hand wies anklagend nach vorne. »Da ist er!« Seine Augen mußten wirklich sehr viel schärfer sein als die meinen, denn ich mußte eine ganze Weile lang konzentriert auf das Seeufer starren, ehe auch ich die Silhouette einer menschlichen Gestalt entdeckte, die reglos und mit hoch erhobenen Armen am Ufer stand.
»Erickson?« fragte ich.
Setchatuatuan nickte. »Dieser Hund. Siehst du, was er tut? Er beschwört den Dämon! Das ist die Hilfe, die er dir versprach!«
Ich widersprach nicht. Ich sah, was Erickson tat, aber ich ... glaubte es nicht. Ich wollte es nicht glauben. Ich hatte ihm vertraut, und der Gedanke, daß er mich so genarrt haben sollte, machte mich fast rasend.
»Ich werde ihn töten!« sagte Setchatuatuan. »Jetzt!«
Ich griff rasch nach seinem Arm und riß ihn zurück, aber Setchatuatuan befreite sich mit erstaunlicher Kraft. Und ganz

plötzlich spürte ich etwas Kaltes, Schneidendes an meiner Kehle – die Klinge seines Obsidianmessers!
»Tu das nie wieder, fremder Zauberer!« sagte Setchatuatuan, sehr leise, aber sehr drohend. »Versuch nie wieder, mich von irgend etwas abzuhalten! Du hattest deine Chance. Jetzt werden wir tun, was ich will.«
Ich bog den Kopf zurück, damit er mir nicht aus Versehen die Kehle durchschnitt, und blickte wieder zu Erickson hinab. Er hatte sich nicht gerührt, sondern stand noch immer wie versteinert am Ufer des Sees, und doch spürte ich, daß sich etwas geändert hatte. Die Präsenz des Bösen wuchs.
»Dann warte wenigstens noch einen Moment«, sagte ich. »Vielleicht kann ich ihn ablenken.«
»Ablenken?« wiederholte Setchatuatuan mißtrauisch.
»Er vertraut mir«, sagte ich hastig. »Weil er denkt, daß ich ihm noch immer glaube. Wenn ihr sie von hier oben aus angreift, können sie vielleicht fliehen.« Setchatuatuan überlegte einen Moment und senkte dann fast widerwillig das Messer. »Gut«, sagte er. »Dann geh. Aber wenn du uns verrätst, wirst du der erste sein, der stirbt.«
Ich drückte das Messer vollends beiseite, kroch im Schutz der Felsen ein Stückchen auf den See zu und sah dann über die Schulter zurück. Mein Blick tastete über die Schatten, in denen Setchatuatuan und die Wikinger Deckung genommen hatten. Von keinem der Männer war auch nur eine Spur zu sehen. Vielleicht würden sie es wirklich schaffen, sich weit genug an den See und die entsetzlichen Froschkreaturen heranzuschleichen, um sie überraschend angreifen zu können.
Natürlich war das nicht der einzige Grund, aus dem ich Setchatuatuan diesen Vorschlag unterbreitet hatte. Ich sträubte mich noch immer dagegen, den Gedanken zu akzeptieren, daß Leif Erickson uns alle getäuscht haben sollte. Zum Teufel, ich hatte gespürt, daß er es ernst meinte!
Vorsichtig richtete ich mich auf und begann auf den See zuzugehen. Im ersten Moment geschah nichts. Niemand schien mich zu beachten, doch mein Herz hämmerte so, daß ich meinte, es müsse sogar noch das Gekreisch des rasenden Gezüchts dort am Ufer übertönen.
Ich hatte Angst.
Ich hatte mich dem See bis auf zehn Schritte genähert, als

Erickson die Arme senkte und sich ganz langsam herumdrehte. Trotz des schlechten Lichtes konnte ich genau sehen, daß er mich erkannte. Er lächelte, ganz sacht nur, aber unbeschreiblich triumphierend. Und er schien nicht im mindesten überrascht, mich zu sehen.

»Ihr habt euch also aus dem Verlies befreit«, stellte er gelassen fest. »Ich muß gestehen, ich habe dich unterschätzt, mein kleiner Zauberlehrling. Bisher ist es noch keinem gelungen, aus dieser Falle zu entkommen.«

Ich weigerte mich noch immer zu glauben, was Leif Ericksons Worte bedeuteten. »Dann... dann hast du uns belogen?« stammelte ich. »Das alles war... war nur Theater?«

Erickson lächelte kalt. »Nenn es eine Kriegslist, wenn du willst«, sagte er.

»Sie hat vorzüglich gewirkt, nicht wahr?«

»Aber wieso?« murmelte ich. »Niemand kann – «

»Dich belügen?« Erickson lachte. »Narr! Ich bin ein Zauberer wie du, aber hundertmal mächtiger. Ich habe dich unterschätzt, als ich Quetzalcoatl gegen dich schickte, das gestehe ich. Aber das war auch mein einziger Fehler. Du hättest Lasse Rotbart nicht daran hindern sollen, mich zu töten.«

»Du hattest nie vor, den Dämon zu vernichten«, sagte ich niedergeschlagen.

»Vernichten?« Erickson lachte schrill. »Ihn? Wie kann man etwas töten, das nie gelebt hat, du Narr? Er wird euch vernichten – so wie all diese anderen Dummköpfe. Und ja, ehe ich es vergesse – auch diesen hitzköpfigen Olmeken, der glaubt, sich an uns anschleichen zu können, während du mich ablenkst.«

Und plötzlich riß er die Arme hoch und schrie:

»Ngaiiiii! Cthulhu fhtagn! Ngai!!!«

Schlagartig verstummte der Gesang, und für Augenblicke wurde es still. Entsetzlich still, so als hielte die Wirklichkeit erschrocken den Atem an vor dem, was auf Ericksons Ruf hin kam.

Mit gemessenen Schritten trat Erickson dicht ans Ufer, ging in die Hocke und schöpfte mit aneinandergelegten Händen Wasser, um es tropfenweise wieder in den See fallen zu lassen. »Cthulhu...!« flüsterte er.

Der finstere Schatten im See wuchs weiter, nahm Formen

und Umrisse an, die sich ständig zu verändern schienen, und näherte sich gleichzeitig dem Ufer. Ein dumpfes Grollen ließ den Boden erzittern.

Das Wasser war nicht mehr schwarz.

Ein düsteres, unheimliches grünes Glühen stieg aus seiner Tiefe empor, ein Licht von einer Düsternis und Farbe, wie ich es niemals zuvor erblickt hatte, aus keiner bestimmten Quelle kommend, sondern überall gleichzeitig, als leuchte das Wasser aus sich heraus. Aus den gleichmäßig heranrollenden, flachen Wellen wurden kleine, aufgischtende Kräuselungen, dann Kreise, wie von unsichtbaren Steinen, die ins Wasser geworfen worden waren. Etwas Gigantisches, Unförmiges tauchte aus den Tiefen des Sees empor. »Ergreift ihn!« sagte Erickson.

Zwei der nichtmenschlichen Kreaturen erwachten aus ihrer scheinbaren Starre. Ein unbeschreiblich widerlicher, fauler Geruch schlug mir entgegen, als die beiden Wesen neben mich traten und meine Arme ergriffen. Ihre Berührung war feucht und unangenehm wie die von schleimigen Schwämmen.

Verzweifelt bäumte ich mich auf, versuchte mich dem Griff der beiden zu entwinden.

Eine Bogensehne peitschte.

Das Wesen, das meinen rechten Oberarm gepackt hatte, stieß einen quakenden Schmerzenslaut aus und griff sich an die Brust. Dunkles, zähflüssiges Blut quoll unter den Schwimmhäuten hervor, die seine Finger miteinander verbanden, und für einen Moment füllten sich seine Augen mit einem Ausdruck ungläubigen Entsetzens. Die Kreatur taumelte, riß die Arme in die Höhe und fiel rücklings ins Wasser.

Und die Hölle brach los.

Alles geschah gleichzeitig. Der Schatten im Wasser wurde größer, die Wellen, die sein titanischer Leib vor sich hertrieb, schneller. Ein zweiter Pfeil sirrte heran, ein dritter, und plötzlich wuchsen hinter den Reihen der Froschkreaturen vier riesige, hörnergekrönte Schatten heran. Erickson stand noch immer so ruhig da, als ginge ihn dies alles nichts an, aber hinter mir brach ein entsetzlicher Tumult los. Ich hatte den flüchtigen Eindruck von miteinander ringenden Leibern,

Kämpfenden, aber auch Flüchtenden.
Und ich reagierte, ohne zu denken.
Mit einem blitzschnellen Ruck befreite ich mich aus dem Griff der zweiten Fischkreatur, tauchte unter ihrer zupackenden Froschhand hindurch und rammte dem Ungeheuer mit aller Kraft das Knie in den Leib. Fast im gleichen Augenblick traf meine Handkante das lippenlose Maul des Monsters.
Aus dem wütenden Schrei der Kreatur wurde ein gepeinigtes Quaken, dann streckte ich es mit einem dritten Hieb endgültig zu Boden. Und der Schatten im See wuchs immer noch.
Wie gelähmt starrte ich auf das brodelnde Wasser. Hinter mir tobte ein Kampf, aber ich war unfähig, irgend etwas zu tun, versteinert, gelähmt, betäubt von der entsetzlichen Furcht, mit der mich der Schatten erfüllte, der Schatten, der vor meinen Augen auftauchte.
Etwas Finsteres, Peitschendes durchbrach die Wasseroberfläche, blieb einen Moment zitternd und triefend in der Luft hängen und klatschte zurück, sich wie eine finstere Schlange windend.
Ein entsetzliches Gebrüll zerriß die Luft, ein Gebrüll so voller Wildheit und Zorn, daß nicht nur ich mich wie unter Schmerzen krümmte und die Hände gegen die Schläfen preßte.
Meine Augen quollen vor Entsetzen schier aus den Höhlen, als ich sah, was der See ausgespien hatte.
Bisher hatte ich nur einen Schatten erkannt, einen Koloß von entsetzlichen Ausmaßen und Formen, trotzdem barmherzig hinter einem Schleier aus Dunst und Wasser und flackerndem Licht verborgen, so daß mir die ganze Scheußlichkeit des Anblicks erspart geblieben war. Jetzt sah ich nur zu deutlich.
Es war ein Titan. Ein Ungeheuer von jeder Beschreibung spottender Größe und Häßlichkeit, riesig und wabernd, ein Ding ohne feste Konturen, wie ein Nest schwarzer, sich beständig windender Schlangen, ein kriechendes, zuckendes Etwas aus faulendem, schwarzem Schleim mit gigantischen, peitschenden Krakenarmen, von denen jeder einzelne wiederum aus zahllosen dünnen Fäden gewoben schien, schwarzglitzernden Nerven gleich, und mit Dutzenden von schnappenden Mäulern. Riesige, gelb lohende Augen starrten auf mich herab, erfüllt von einer Bosheit, die mich auf-

stärker selbst als die finstere Aura des schwarzen Gottes im Wasser. Fast mühelos zerbrach ich die geistigen Fesseln, an denen Erickson geduldig und jahrelang gewoben hatte.
Und der Kampf hörte auf.
Die Männer, die gerade noch auf Leben und Tod miteinander gerungen hatten, erstarrten mitten in der Bewegung, und plötzlich wurde es still, unheimlich still. Wo ich vor Augenblicken noch Haß oder Blutdurst oder pure Panik in den Augen der Krieger gesehen hatte, erschien ein Ausdruck tiefer, mit nur langsam erwachendem Schrecken gepaarter Verwirrung. Vielleicht zum erstenmal seit Jahren waren diese Männer frei. Ericksons Bann war zerbrochen. Für immer.
Ganz langsam wandte ich mich um, nahm die Arme wieder herunter und starrte Erickson an. Wir standen noch immer nahe am Wasser, nur wenige Schritte voneinander entfernt, reglos, zwei ungleiche Gegner, so unterschiedlich, wie zwei Menschen nur sein konnten, und uns doch auf entsetzliche Weise ähnlich, voll helloderndem Zorn der eine, voll finsterem Haß der andere. Die Macht über Leben und Tod war noch immer in mir, und ein dunkler Teil meiner Seele drängte mich, Erickson zu vernichten, ihn zu töten, all den Zorn und all die Wut und den Schmerz der letzten Tage auf ihn zu entladen.
Und ich konnte es noch immer nicht.
In Ericksons Augen blitzte es auf, als er begriff, was in mir vorging. Er hatte Angst, aber noch gab er nicht auf. »Du Narr!« flüsterte er. »Du hast alles zerstört. Alles, was ich aufgebaut habe. Mein Lebenswerk. Die Arbeit eines Jahrzehntes! Du verdammter, elender Narr!«
Mein Blick streifte den schwarzen Koloß. Das Ungeheuer war mir nahe, nahe genug, mich mit einer flüchtigen Bewegung seiner entsetzlichen Tentakel zu ergreifen und in die Tiefe zu zerren. Aber es rührte sich nicht. Seine gigantischen gelben Augen blickten kalt auf mich und Erickson, und plötzlich begriff ich, daß es auch nicht eingreifen würde. Sie waren schreckliche schwarze Götter, Titanen, deren Kraft und Bosheit die Vorstellungskraft eines Menschen überstiegen, aber das Kämpfen und Töten war nicht ihr Geschäft. Es gab andere, die dies für sie taten. Das Ungeheuer lag einfach da und sah zu, schweigend und lauernd, so, wie sie seit Millionen

Jahren schweigend und lauernd hinter den Mauern ihres finsteren Reiches gelegen und gewartet hatten.
Erickson lachte schrill, bäumte sich auf und riß den Dolch aus dem Gürtel. Setchatuatuans entsetzter Warnruf wäre zu spät gekommen, so schnell waren seine Bewegungen plötzlich. Aber ich hatte keine Warnung gebraucht.
Ich erwartete den Angriff beinahe ruhig. Erst im allerletzten Moment drehte ich mich zur Seite, tat so, als wollte ich dem Dolchstoß in gerader Linie ausweichen und warf mich mit einer schier unmöglichen Drehung noch einmal herum, als die Messerklinge meiner Bewegung zu folgen versuchte. Erickson keuchte verblüfft, als seine Waffe ins Leere stieß.
Dann wurde ein Schmerzenslaut daraus, als ich seinen Arm packte und verdrehte, so schnell und hart, daß das Messer seiner Hand entglitt. Ich hätte ihm den Arm brechen können in diesem Moment, aber ich tat es nicht, sondern beschränkte mich darauf, ihn blitzschnell zu packen und herumzureißen. Erickson wehrte sich mit verzweifelter Kraft, aber er hatte keine Chance. Er war viel stärker als ich, aber er kämpfte mit der ungelenken Wut eines Besessenen, während ich mich einfach darauf beschränkte, ihn zu halten. Und ich spürte, wie seine Kraft von Sekunde zu Sekunde mehr nachließ. Die unsichtbare Nabelschnur, die ihn mit dem schwarzen Koloß im Wasser verband, begann zu zerreißen.
Aus Ericksons wütenden Schreien wurde ein Wimmern. »Töte mich!« keuchte er. »Du hast mich besiegt, also töte mich! Gib mir einen ehrenvollen Tod!«
Und in diesem Moment erwachte der Koloß aus seiner Starre.
Ich spürte die Bewegung mehr, als ich sie sah: ein schweres, machtvolles Erzittern des Wassers, das rasch auf den Boden, dann die gesamte Grotte übergriff. Mit einem Schreckensschrei fuhr ich herum, ließ Erickson los und prallte zurück, als ich sah, wie der Koloß auf mich zuglitt.
Am Ufer gellten Schreie auf, Schreie ungläubigen Entsetzens und schriller Panik, als gewahrten die Männer dort das gräßliche Wesen erst jetzt, und mit einemmal war die Grotte erfüllt vom Lärm flüchtender Menschen.
Ich floh nicht. Ich konnte es nicht. Der Anblick des Kolosses lähmte mich, ließ mich innerlich zu Eis erstarren.

Ich war dem Ungeheuer nahe, so nahe, wie ihm vielleicht niemals zuvor ein lebender Mensch gewesen war, und diese Nähe allein erschlug alles, was an Wärme und menschlichen Gefühlen in meiner Seele lebte. Ich hatte nicht einmal Angst. Ganz langsam kam der Titan näher. Seine riesigen gelben Augen fixierten mich mit einer Ausdruckslosigkeit und Kälte, die schlimmer war als der Haß in Ericksons Augen oder die stumme Bosheit in denen der Froschkreaturen. Eine Woge entsetzlichen Gestankes hüllte mich ein und nahm mir den Atem.

Ein einzelner, schleimtriefender Tentakel erhob sich zitternd über das Wasser, glitt wie eine suchende blinde Schlange durch die Luft, tastete hierhin und dorthin, näherte sich meinem Gesicht...

Aber er berührte mich nicht.

Statt dessen glitt er plötzlich zur Seite, senkte sich mit einer fast zärtlichen Bewegung auf Erickson herab und umschlang ihn.

Die Augen des Wikingerfürsten wurden dunkel vor Entsetzen, als er begriff, daß nun er es war, der verraten wurde. Er hatte versagt, und in diesem letzten Moment ahnte er wohl, wie die Strafe dafür aussehen mochte und was es bedeutete, in den Dienst eines Herren zu treten, dem das Wort Vergeben fremd war.

Aber über seine Lippen kam kein Laut. Gelähmt und starr vor Entsetzen stand er da, bis der Tentakel ihn in die Tiefe zerrte. Er machte nicht einmal einen Versuch, sich zu wehren. So langsam, wie er gekommen war, glitt der schwarze Riese wieder in die lichtlosen Tiefen des Sees zurück.

Die Sonne stand wie ein loderndes rotes Auge über dem Meer, als wir die Stadt verließen und durch den Tunnel in der Mauer ins Freie krochen.

Wir waren noch acht – Setchatuatuan, zwei seiner Krieger und ich selbst und vier Wikinger; die anderen waren tot oder in Panik geflohen.

Die gräßlichen Fischkreaturen, die Erickson aus der Welt der Großen Alten herbeigerufen hatte, hatten gnadenlos unter den Olmeken gewütet, nachdem der Koloß verschwunden war, und das unterirdische Gewölbe hatte sich in ein blutiges

Schlachtfeld verwandelt.

Ich wußte nicht, welche Seite den Sieg davongetragen hatte – vermutlich die unsere, wofür die Tatsache sprach, daß ich noch am Leben war. Irgendwann hatte mich Setchatuatuan einfach am Arm ergriffen und mich aus der Höhle und hinauf ans Tageslicht gezerrt.

Aber auch hier oben gab es keinen Frieden mehr. Das Olmeken-Heer hatte mit seinem Angriff auf Aztlan begonnen. Selbst durch die meterdicken Mauern hindurch war das Klirren der Waffen und die gellenden Kampfschreie der Indios zu hören, die die Stadt berannten, und daß man von dem eigentlichen Kampf nichts sehen konnte, machte es eher noch schlimmer.

Ich ließ mich mit einem erschöpften Keuchen auf die Knie sinken, als wir aus dem Tunnel heraus waren. Neben mir brach einer der beiden Indios zusammen, und auch Setchatuatuan hockte sich auf einen Fels und preßte seine blutende Linke unter die Achselhöhle. Sein Gesicht war eine Maske des Schmerzes. Er taumelte und schien kaum mehr die Kraft zu haben, sich auf den Beinen zu halten.

»Wir... müssen weiter«, murmelte er. Er machte eine müde Kopfbewegung in die Richtung, aus der der Kampflärm drang. »Das Heer wartet auf uns. Es ist noch nicht vorbei.«

Ich sah auf. Mir war übel, und die Schwäche wurde allmählich übermächtig. Ich begriff nur langsam, was Setchatuatuans Worte zu bedeuten hatten.

»Du willst...«

»Eine bessere Chance bekommen wir nie«, unterbrach mich der Olmeke. »Du kannst dich uns anschließen, aber du mußt es nicht. Geh, wenn du willst, aber ich werde hinuntergehen und die Männer anführen. Sie warten auf mich.«

»Aber Erickson ist tot!«

»Aztlan wird fallen«, beharrte Setchatuatuan stur. »Meine Brüder werden nicht eher ruhen, bis diese Stadt vernichtet ist. Mit allem, was je darin gelebt hat.«

»Du... du bringst sie um«, murmelte ich. Eine feine Stimme schien mir zuzuflüstern, wie zwecklos meine Worte waren: *Man kann nicht ungeschehen machen, was längst geschehen ist.* Trotzdem fuhr ich fort: »Es ist nicht mehr nötig, Setchatuatuan. Du opferst die Männer sinnlos. Erickson ist besiegt.

Für immer.«
Setchatuatuan wischte meine Worte mit einer heftigen Bewegung beiseite. »Er vielleicht, aber nicht diese Stadt. Ich weiß, was du sagen willst – spare dir deine Worte. Wir werden Aztlan vernichten.«
»Aber...«
Laß ihn, Robert Craven, wisperte die Stimme hinter mir. *Du kannst die Zeit nicht besiegen. Niemand kann das.*
Ich schwieg. Setchatuatuan hatte die Worte auch diesmal nicht gehört, und ich wußte plötzlich, daß die Stimme recht hatte. Ich wußte jetzt auch, wem sie gehörte.
Der Olmekenprinz starrte mich noch einen Herzschlag lang an, stand dann mit einer abrupten Bewegung auf und deutete auf die Bresche in der Stadtmauer zurück. »Kommst du mit?«
Ich schüttelte stumm den Kopf, und Setchatuatuan nickte, als hätte er nichts anderes erwartet. »Dann lebe wohl, Fremder. Und nimm meinen Dank für deine Hilfe.«
Ich wollte noch etwas sagen, aber Setchatuatuan drehte sich um, wartete, bis sich seine Begleiter ebenfalls erhoben hatten und neben ihn getreten waren und ging mit langsamen, aber festen Schritten auf die Stadtmauer zu.
Ich war nicht überrascht, als die Gestalt vor mir erschien.
Es war ein Mann. Ein Riese, über zwei Meter groß und so perfekt geformt, daß es mir nicht schwer fiel, mich an den Gedanken zu gewöhnen, einem leibhaftigen Gott gegenüberzustehen. Oh, er hatte sich verändert, nur entfernt erinnerten seine Züge noch an den unauffälligen jungen Mann, als den ich ihn kennengelernt hatte, und dennoch erkannte ich ihn gleich wieder.
»Du bist Odin«, sagte ich.
Er nickte. Ein warmes Lächeln umspielte seine Lippen. »Ja. Aber wir können bei Jake bleiben, wenn es dir lieber ist. Du hast deine Aufgabe erfüllt. Ich wußte, daß ich mich nicht in dir täusche.«
»Warum?« fragte ich müde.
»Warum?« Odin lächelte. »Du fragst, warum ich es zulasse?«
»Das Versprechen, das du Hellmark gabst, ist eingelöst«, sagte ich. »Erickson ist tot. Das Ungeheuer ist besiegt. Warum muß ein ganzes Volk sterben, Odin?«
»Auch den Göttern sind Grenzen gesetzt«, antwortete Jake

Becker. »Wir sind immer nur so mächtig, wie ihr Menschen es haben wollt. Und auch wir können die Vergangenheit nicht ändern. Oder die Zukunft. Du weißt, was geschehen ist.«
»Sie werden sterben.«
»Ja«, sagte der Ase einfach, als rede er über eine Belanglosigkeit, nicht über das Ende eines ganzen Volksstammes. »Aztlan wird untergehen. Noch heute.«
»Und das Volk der Olmeken auch.«
»Es wird geschehen, weil es geschehen ist«, sagte Odin geheimnisvoll. »Du hast einen Blick in die Vergangenheit getan. Es steht nicht in deiner Macht, sie zu ändern. Tätest du es, würdest du deine eigene Zukunft zerstören.«
Ich schwieg sekundenlang. In meinem Hals saß plötzlich ein bitterer, harter Kloß. »Ich habe keine ... keine sehr gute Figur dabei abgegeben, wie?« fragte ich.
Diesmal lachte Odin. »Doch«, sagte er. »Das hast du.«
»Aber wenn das, was geschehen ist, sowieso nicht geändert werden kann, wieso hast du mich dann hierhergeschickt?« fragte ich verwirrt.
Odin lachte erneut. »Damit es geschehen konnte«, sagte er. »Versuche nicht, das Wesen der Zeit wirklich zu verstehen. Niemand kann das. Nicht einmal wir.«
Ich blickte zurück in die Richtung, aus der die Geräusche der Schlacht kamen. Erickson war tot, aber die Bewohner Aztlans nicht. Und sie würden sich mit der verzweifelten Kraft von Wesen wehren, die nichts zu verlieren haben, denn mit dem Tod ihres Herrn war ihnen der Rückweg in ihre eigene Welt versperrt. Ich schauderte.
»Deine Aufgabe ist erfüllt«, sagte Odin. »Leif Erickson hat für den Verrat bezahlt, den er beging. Du kannst zurückkehren in deine Zeit.«
Er trat zur Seite, hob die Hand und winkte mich zu sich heran. Sein ausgestreckter Arm wies auf das Meer hinaus, und plötzlich war die Wasseroberfläche nicht mehr leer: Der Nebel bewegte sich. Schatten bildeten sich hinter der brodelnden grauen Wand, flossen auseinander und ballten sich neu zusammen, gewannen an Masse und Festigkeit und wurden zu deutlichen Umrissen. Ein riesiger, aus Holz geschnitzter Drachenkopf schob sich aus dem Nebel, wurde zum hoch

hinaufgezogenen Bugspriet eines Schiffes, eines gewaltigen, gold- und silberglänzenden Wikingerbootes, das sich lautlos der Küste näherte.
»Skidbladnir«, sagte Odin. »Mein Schiff, das auf dem Zeitstrom schwimmt. Es wird dich nach Hause bringen.«
»Werden wir uns wiedersehen?« fragte ich.
Odin schüttelte mit einem bedauernden Lächeln den Kopf.
»Kaum. Nur wenigen Sterblichen ist es vergönnt, die Götter zu sehen. Einmal ist genug für ein Leben.«
Ich wollte noch etwas sagen, ihm eine Million Fragen stellen, all die Fragen, die Menschen zu allen Zeiten an die Götter gerichtet hatten, ohne je eine Antwort zu erhalten.
Aber ich tat es nicht. Statt dessen drehte ich mich nach einer Weile herum und ging wortlos auf das wartende Skidbladnir zu.

WOLFGANG HOHLBEIN
DER MAGIER

Der Erbe der Nacht

Es begann in einer Mainacht, um Punkt Mitternacht. Der zwölfte Schlag der alten Standuhr war noch nicht verklungen, da hatten sich fremde, fürchterliche Welten aufgetan, von deren Existenz er nichts geahnt hatte. Ein langer Weg durch Grauen und Schrecken steht ihm bevor, ehe er lernt, die geheimen Kräfte, die in ihm schlummern, zu deuten: Nur er kann das Erwachen jener finsteren Gottheiten, die die Erde Jahrmillionen vor Entstehung der Menschheit beherrscht haben, verhindern...

Das Tor ins Nichts

Ein heimtückischer Mordanschlag mit verseuchten Ratten in London, rätselhafte Banküberfälle in Amsterdam und ein scheinbar verrückter Sektenführer, der sich in seinem Haus verschanzt und niemanden an sich heranläßt: was zunächst so zusammenhanglos wirkt, entpuppt sich schon bald als fürchterliches Komplott zur Befreiung der Mächte der Finsternis, die seit Millionen von Jahren in ihren Kerkern zwischen den Zeiten darauf lauern, die Herrschaft über die Welt wieder an sich zu reißen. Und nur der Magier ist imstande, die drohende Katastrophe noch abzuwenden...

Die neue FANTASY-Reihe